Les mystères du surnaturel

Éditions J'ai Lu

ROBERT TOCQUET | ŒUVRES

LES POUVOIRS SECRETS DE L'HOMME | *J'ai Lu*
LES MYSTÈRES DU SURNATUREL | *J'ai Lu*
MÉDIUMS ET FANTOMES
MEILLEURS QUE LES HOMMES
DÉVELOPPEZ VOTRE VOLONTÉ, VOTRE MÉMOIRE, VOTRE ATTENTION
DEVENEZ UN CRACK EN CALCUL MENTAL
LES HOMMES-PHÉNOMÈNES
ENCYCLOPÉDIE MÉDICALE PRATIQUE
POUR VIVRE CINQ FOIS VINGT ANS
QUAND LA MÉDECINE SE TAIT
CYCLES ET RYTHMES
L'ENTRAIDE DANS LE MONDE DES ANIMAUX ET DES PLANTES
LE MONDE VIVANT
DE L'ATOME A L'HOMME
LA VIE SUR LES PLANÈTES
LA VIE DANS LA MATIÈRE
LES PHÉNOMÈNES MÉDIUMNIQUES
LA GUÉRISON PAR LA PENSÉE
LE BILAN DU SURNATUREL
LES PHÉNOMÈNES PHYSIQUES DE LA MÉTAPSYCHIQUE
TOUT L'OCCULTISME DÉVOILÉ

En vente dans les meilleures librairies

ROBERT TOCQUET

Les mystères du surnaturel

Édition revue par l'auteur

AVERTISSEMENT

Cet ouvrage fait suite aux Pouvoirs secrets de l'homme *du Pr Robert Tocquet.*

Dans la première partie de cette étude, l'auteur a passé en revue les phénomènes de télépathie, de précognition, de voyance, d'hypnose, de lévitation, de télékinésie et de formation d'auras.

Puis, par une analyse scientifique de cas indubitables, le Pr Tocquet a établi la réalité des pouvoirs inconnus de l'esprit, pouvoirs qu'un rationalisme trop étroit avait rejetés au rang des superstitions.

1

PHÉNOMÈNES ECTOPLASMIQUES

Les phénomènes ectoplasmiques constituent certainement la partie la plus discutable de toute la métapsychique. Facilement imitables et abondamment falsifiés, rentrant difficilement dans le cadre de nos connaissances psycho-physiologiques classiques, absurdes et même « impensables », il est évidemment difficile, pour toutes ces raisons, de supposer qu'ils sont susceptibles d'exister en tant que faits authentiquement paranormaux.

Et, cependant, si nous passons la phénoménologie ectoplasmique au crible de la critique la plus sévère et la plus exigeante, sa réalité ne semble pas douteuse.

Cinq médiums, au moins, furent d'authentiques téléplastes : Home, Eusapia, Guzik, Kluski, Rudi Schneider.

Est-ce à dire que ces sujets ne trompèrent jamais? L'affirmer serait méconnaître le caractère même de la médiumnité, mais, d'autre part, rejeter en bloc l'ensemble de leur production phénoménale serait faire preuve d'une injuste partialité ou d'une ignorance totale des faits.

En quoi consiste l'ectoplasmie?

Le Dr Geley en donne en quelques mots une définition et, par surcroît, le processus apparent :

« Du corps du médium, écrit-il, s'extériorise une substance d'abord amorphe ou polymorphe. Cette substance se constitue en représentations diverses qui sont généralement des représentations d'organes plus ou moins complexes.

« Nous pouvons donc considérer successivement, continue Geley :

« 1° La substance, substratum des matérialisations.

« 2° Ses représentations organisées.

« La substance s'extériorise soit sous la forme gazeuse ou vaporeuse, soit sous la forme liquide ou solide.

« La forme vaporeuse est la plus fréquente ou la plus connue.

« Auprès du médium se dessine ou s'agglomère une sorte de vapeur visible, de brouillard souvent relié à son organisme par un lien ténu de la même substance. Enfin, il se produit comme une condensation en divers points de ce brouillard, parfois vaguement phosphorescent. Ces points de condensation prennent enfin l'apparence d'organes dont le développement s'achève très rapidement.

« Sous la forme liquide ou solide, la substance productrice des matérialisations est plus accessible à l'examen. Son organisation est parfois plus lente. Elle reste relativement longtemps à l'état amorphe et permet de se faire une idée précise de la genèse même du phénomène. »

Que la substance soit gazeuse, liquide ou solide, elle donne lieu, comme le dit le Dr Geley, à des représentations qui peuvent être des mains, des visages, des êtres complets humains ou humanoïdes, parfois des animaux. Ces matérialisations sont très photogéniques et parfois lumineuses par elles-mêmes, soit totalement, soit partiellement.

Examinons, parmi ces étranges créations médiumniques, quelques-unes que nous considérons comme réellement paranormales et qui ont été produites par les cinq grands médiums précités.

Les mains fantomatiques de Daniel-Dunglas Home

Daniel-Dunglas Home produisait surtout des mains qui caressaient ou qui déplaçaient des objets. Expérimentant avec ce médium, William Crookes en a vu se former en pleine lumière.

« Une petite main d'une forme très belle, relate l'illustre physicien anglais, s'éleva d'une table de salle à manger et me donna une fleur; elle apparut, puis disparut à trois reprises différentes, en me donnant toute facilité de me convaincre que cette apparition était aussi réelle que ma propre main. Cela se passa à la lumière, dans ma propre chambre, les pieds et les mains du médium étant tenus par moi pendant ce temps.

« Dans une autre circonstance, une petite main et un petit bras, semblables à ceux d'un enfant, apparurent, se jouant sur une dame qui était assise près de moi. Puis l'apparition vint à moi, me frappa le bras et tira plusieurs fois mon habit.

« Une autre fois, un doigt et un pouce furent vus arrachant les pétales d'une fleur qui était à la boutonnière de M. Home et les déposant devant plusieurs personnes assises auprès de lui.

« Nombre de fois, moi-même et d'autres personnes avons vu une main pressant les touches d'un accordéon, pendant qu'au même moment nous voyions les deux mains du médium qui, quelquefois, étaient tenues par les personnes placées près de lui. »

Ces mains étaient souvent vaporeuses au poignet et au bras; elles étaient tantôt froides et inertes, tantôt chaudes et vivantes; en certains cas, leur genèse et leur disparition progressives furent observées.

« Les mains et les doigts, écrit W. Crookes, ne m'ont pas toujours paru être solides et comme vivants. Quelquefois, il faut le dire, ils offraient plutôt l'apparence d'un nuage vaporeux condensé en partie sous forme de main... J'ai vu plus d'une fois un objet se mouvoir d'abord, puis un nuage lumineux qui semblait se former autour de lui, et, enfin, le nuage se condenser, prendre une forme, et se changer en une main parfaitement faite. A ce moment, toutes les personnes présentes pouvaient voir cette main. Cette main n'est pas toujours une simple forme; quelquefois elle semble parfaitement animée et très gracieuse; les doigts se meuvent et la chair semble être aussi humaine que celle de toutes les personnes présentes. Au poignet ou au bras, elle devient vaporeuse et se perd dans un nuage lumineux.

« Au toucher, ces mains paraissent quelquefois froides comme de la glace et mortes; d'autres fois, elles m'ont semblé chaudes et vivantes et ont serré la mienne avec la ferme étreinte d'un vieil ami.

« J'ai retenu une de ces mains dans la mienne, bien résolu à ne pas la laisser échapper. Aucune tentative ni aucun effort ne furent faits pour me faire lâcher prise, mais, peu à peu, cette main sembla se résoudre en vapeur, et ce fut ainsi qu'elle se dégagea de mon étreinte. »

Les expérimentateurs demandaient parfois à ces mains fantomatiques, visibles ou invisibles, d'écrire des messages, mais elles y parvenaient rarement.

Relatant l'un de ces essais, William Crookes écrit :

« Cette manifestation eut lieu à la lumière, dans ma propre chambre et seulement en présence de M. Home et de quelques amis intimes. Plusieurs circonstances, dont il est inutile de faire le récit, m'avaient montré que le pouvoir de M. Home était très fort ce soir-là. J'exprimai donc le désir d'être témoin de la production d'un message écrit par une main médiumnique.

« Immédiatement, il nous fut donné la communication alphabétique suivante : « Nous essayerons. » Quelques feuilles de papier et un crayon avaient été placés au milieu de la table; alors le crayon se leva sur sa pointe, s'avança vers le papier avec des sauts mal assurés et tomba. Puis il se releva et tomba encore. Une troisième fois il essaya, mais sans obtenir de meilleur résultat. Après ces trois tentatives infructueuses, une petite latte, qui se trouvait à côté sur la table, glissa vers le crayon et s'éleva à quelques pouces au-dessus de la table, le crayon se leva de nouveau, et, s'étayant contre la latte, ils firent ensemble un effort pour écrire sur le papier. Après avoir essayé trois fois, la latte abandonna le crayon et revint à sa place; le crayon retomba sur le papier, et un message alphabétique nous dit : « Nous avons essayé de satisfaire votre demande, mais c'est au-dessus de notre pouvoir. »

En revanche, au cours d'une séance donnée par D.-D. Home aux Tuileries à l'intention de Napoléon III et de l'Impératrice Eugénie, une petite main couleur d'albâtre, bien faite, élégante même, analogue, semble-t-il, à celle de Napoléon Ier, donna quelques lignes d'écriture qui furent considérées comme étant un autographe de l'illustre empereur. (D'après l'enquête de la *Société Dialectique de Londres* et de D.-D. Home lui-même.)

Tous les assistants virent cette main prendre un crayon qui était sur une table et écrire sur une feuille de papier. Le bruit de l'écriture fut entendu. Puis la main, après avoir passé devant Daniel Home, vint tout près de Napoléon III qui l'embrassa. Elle alla ensuite vers l'Impératrice, qui se recula pour ne pas la toucher, mais elle la suivit. L'Empereur dit alors : « Ne craignez rien, embrassez-la! » Ce que fit l'Impératrice et la main disparut. Home ayant manifesté le désir de la revoir, elle réapparut brusquement et le médium l'embrassa à son tour. « La sensation éprouvée au toucher et à la pression, dit-il, était bien celle d'une main naturelle. Elle semblait tout à fait aussi matérielle que l'est actuellement la mienne. »

Home donnait rarement naissance à des figures et à des formes complètes. Crookes en observa cependant avec ce médium à deux reprises différentes :

« Au déclin du jour, pendant une séance de M. Home chez moi, je vis s'agiter les rideaux d'une fenêtre qui était environ à 8 pieds de distance de M. Home. Une forme sombre, obscure, demi transparente, semblable à une forme humaine, fut aperçue par tous les assistants, debout près de la croisée et cette forme agitait le rideau avec sa main. Pendant que nous la regardions, elle s'évanouit et les rideaux cessèrent de se mouvoir. »

Le cas qui suit est encore plus frappant.

« Comme pour l'expérience précédente, M. Home était le médium. Une forme de fantôme s'avança d'un coin de la chambre, alla prendre un accordéon, et ensuite glissa dans l'appartement en jouant de cet instrument. Cette forme fut visible pendant plusieurs minutes pour toutes les personnes présentes, et, en même temps, on voyait aussi M. Home. Le fantôme s'approcha d'une dame qui était assise à une certaine distance du reste des assistants; cette dame poussa un cri, à la suite duquel l'ombre disparut. »

Il est évident que la simulation de ce phénomène est *impossible* par les moyens de l'illusionnisme.

Les productions caricaturales et les fantômes d'Eusapia Paladino

Les phénomènes ectoplasmiques paladiniens furent plus variés que ceux présentés par Home, mais ils furent souvent de moindre qualité, en ce sens qu'Eusapia opérait généralement dans l'obscurité, alors que les expériences de Home avaient lieu la plupart du temps en pleine lumière. De plus, Eusapia frauda parfois, grossièrement d'ailleurs, alors qu'à notre connaissance Home n'a jamais trompé.

Eusapia produisait presque toujours des formes humaines incomplètes, des mains à contours indécis, des têtes rarement visibles, mais dont on sentait la forme à travers un rideau, des formations indéfinissables, sortes de caricatures d'êtres vivants, qui gesticulaient d'une façon bizarre, et, enfin, mais exceptionnellement, des êtres entiers ayant l'apparence humaine. Notons toutefois, dès maintenant, que la médiumnité ectoplasmique d'Eusapia s'éleva parfois à des sommets rarement atteints par les autres sujets métapsychiques. Le fait se produisait lorsque le médium se sentait au milieu d'un groupe sympathique et s'abandonnait complètement à la transe.

Il serait fastidieux de rapporter ici, car ils se ressemblent souvent, un grand nombre de comptes rendus d'expériences réalisées avec Eusapia, qui fut étudiée par d'innombrables savants et métapsychistes. Nous nous bornerons, afin de ne pas fatiguer l'attention du lecteur, à relater quelques expériences typiques présentant un réel intérêt.

Voici d'abord celles qui eurent lieu à l'*Institut Général Psychologique* dans d'excellentes conditions de contrôle, avec les expérimentateurs déjà cités dans notre ouvrage *Les pouvoirs secrets de l'homme* (Editions J'ai Lu A.273**) : MM. Courtier, d'Arsonval, M. et Mme Curie, etc.

1905, 6ème *séance.* — On voit une main apparaître au-dessus de la tête d'Eusapia, à l'écartement du rideau.

M. Courtier. — « Les doigts se sont avancés, puis se sont relevés et j'ai vu une paume. »

M. d'Arsonval. — « J'ai vu une main fermée qui s'est ouverte. »

1905, 11ème *séance.* — M. Youriévitch voit une main abaisser quatre doigts sur la tête d'Eusapia. M. de Grammont l'a vue aussi. Mme de Grammont a vu comme une main blanche se poser sur la tête d'Eusapia. M. Youriévitch sent une main qui le prend par la tête. M. de Grammont a vu la main sortir du rideau et se poser sur la tête de M. Youriévitch. (Contrôleurs : à gauche, M. Pierre Curie; à droite, M. Youriévitch.)

1905, 6ème *séance.* — Eusapia dit qu'elle veut faire

deux mains en même temps, une qui frappe et l'autre qu'on voit.

Mme Curie, MM. Courtier et Debierne voient une forme de main, pas très nette, mais lumineuse. M. Youriévitch est touché à deux reprises.

M. Perrin. — « Je ne peux pas dire que c'était une main. »

M. Debierne. — « Une main véritable, non, mais plutôt une ébauche de main. » (Contrôleurs : à gauche, M. Youriévitch; à droite, M. Debierne.)

D'autres fois, on aperçoit comme des membres noirs, comme des silhouettes d'ombres chinoises.

1905, 10ème *séance.* — Les expérimentateurs voient comme un bras noir tout près du coude de M. Komyakoff. MM. Curie et Youriévitch l'ont vu nettement. Ils le voient de nouveau avançant plusieurs fois et touchant fortement M. Komyakoff à l'épaule.

1906, 8ème *séance.* — A cette séance, Eusapia, liée sur une chaise longue, était seule à l'intérieur de la cabine. La chaîne était formée en dehors de la cabine, autour de la table. Les assistants virent apparaître pendant un instant, à la fente du rideau, comme une tête obscure et un buste d'homme, recouverts de linges blancs.

Ce compte rendu, de l'*Institut Général Psychologique,* exprime assez bien ce que l'on observait habituellement avec Eusapia, en ce qui concerne les phénomènes ectoplasmiques : apparitions rapides, fugaces, surtout de mains ou de membres, mais, comme nous l'avons dit plus haut, la médiumnité téléplasmique d'Eusapia ne se borna pas à ces productions éphémères et partielles. Ainsi, au cours d'une séance mémorable tenue à Gênes le 1er mai 1902, des phénomènes particulièrement complexes furent observés. Ils constituent certainement les faits les plus extraordinaires que l'on ait obtenus avec Eusapia, et, peut-être même, les phénomènes les plus étonnants de toute la métapsychique physique.

Trois comptes rendus de cette importante séance furent donnés, l'un par le Dr Venzano, un autre par l'écrivain spirite Bozzano et un troisième par le Pr Morselli qui fut longtemps le chef incontesté du positivisme italien. Nous avons puisé à ces trois sources.

Les expérimentateurs étaient le Pr Morselli, le Dr J. Venzano, Ernest Bozzano, M. et Mme Louis Montaldo, M. et Mme Avellino et leurs deux fils.

Le lieu de la séance fut la salle à manger de l'appartement de la famille Avellino et le cabinet médiumnique l'encoignure de l'unique fenêtre de la pièce. Eusapia se déshabilla complètement et ses vêtements furent soigneusement examinés. Le médium fut ensuite solidement attaché à un petit lit de fer et l'expérience se développa à la lumière d'un bec Auer. Elle commença à 22 h 30.

On jugea convenable de diminuer momentanément la lumière excessive provenant de la flamme à gaz. Néanmoins, la visibilité resta très satisfaisante ainsi que le remarqua le Pr Morselli :

« Je fais ce qu'on peut appeler une expérience élémentaire de photométrie : je constate qu'à ce degré de lumière, je parviens à lire les caractères les plus petits d'un journal (corps 6), à voir l'heure que marque ma montre, à discerner nettement les clairs-obscurs des gravures et photographies pendues aux parois de la salle à manger. »

Après un quart d'heure d'attente, les phénomènes commencèrent à se manifester :

« La table, qui était à 1 m de nous et à 20 cm du cabinet, note le Dr Venzano, entra toute seule en mouvement. D'abord, elle se souleva sur deux pieds, en frappant plusieurs fois. »

« Puis, tout à coup, écrit le Pr Morselli — c'était 20 h 50 —, les rideaux noirs se sont écartés l'un de l'autre au milieu, et, à une hauteur de 1,60 m environ du matelas, à 2 m du sol, s'est présentée, juste en face de moi, une première « apparition ». C'était une jeune femme dont on apercevait la tête, les épaules et la partie supérieure du tronc. Elle était d'une couleur blanchâtre; j'eus l'impression qu'elle ne recevait pas uniquement les rayons lumineux du gaz mais qu'elle possédait peut-être elle-même une certaine luminosité que l'on pourrait comparer à un rayon de lune très pâle. Mais elle semblait comme déteinte; ses contours étaient un peu flous, aux lignes mal définies; on aurait dit qu'elle se présentait à travers du brouillard; la partie inférieure du corps se perdait en une sorte de nuage. Un turban de voiles entourait le front et les cheveux, à peine visibles sur les oreilles; une autre bande de voiles entourait le cou et couvrait aussi le menton, un peu à l'instar des femmes turques. Du visage, restaient découverts : l'arcade sourcilière, le nez, les joues... Le corps était aussi entouré d'une étoffe dont la trame paraissait fort mince... La tête semblait plus grande qu'au naturel, mais ses proportions dépendaient probablement de l'épaisseur des voiles... L'apparition est restée immobile environ 15 ou 20 secondes, mais, ayant dit que je ne pouvais pas bien la discerner à cause des bandes et des cheveux qui me paraissaient la cacher un peu, elle a porté ses deux mains à la hauteur des oreilles, et, d'un geste gracieux, elle s'est découvert un peu la figure; elle a ensuite incliné légèrement la tête en saluant aimablement; enfin, en se dissolvant assez rapidement, elle a disparu... »

Une deuxième apparition, radicalement différente, lui succéda presque immédiatement.

« On discutait encore sur la figure apparue, continue le Pr Morselli, et la table, reprenant ses danses solitaires, prenait part, avec son langage muet, à notre conversation, lorsque, à 23 heures, une deuxième apparition se montra, toujours dans l'encoignure du cabinet... Cette fois, ce fut la figure d'un homme; les parties visibles étaient les mêmes que chez la matérialisation précédente... J'en apercevais bien la morphologie. C'était un vrai géant, d'une taille vigoureuse, la tête était très volumineuse, la figure large, avec de forts zigomas, le nez gros et court, camus; la barbe paraissait dense, courte, bouclée; les épaules carrées et robustes; le cou musculeux, la poitrine large... Il nous a semblé qu'il nous saluait avec des mouvements expressifs de la tête; ensuite, il s'est évanoui rapidement; d'abord les traits du visage sont devenus incertains, puis les contours se sont dissous jusqu'à être remplacés par le fond noir de la fenêtre... Je me suis levé aussitôt et je me suis précipité pour vérifier l'état du médium. Celui-ci était toujours étendu, dans une condition semi-léthargique; il haletait et transpirait, mais il était toujours solidement ligoté. »

Après une courte interruption, la séance continue; une troisième et une quatrième apparition se montrent; elles sont féminines et analogues à la première, hormis ces détails que le visage de la troisième apparition avait un teint plus naturel que celui de la première (ainsi que le remarque le Pr Morselli qui put l'examiner de près) et que la poitrine et la tête de la quatrième apparition étaient entourées d'un nombre invraisemblable de bandes de tissu qui la faisaient ressembler à une momie. L'un et l'autre fantôme, en se penchant en dehors des rideaux, projetaient une ombre sur la muraille illuminée et cette ombre les suivait dans leurs mouvements.

Les liens des mains et des pieds, trop serrés, faisant souffrir Eusapia sont enlevés, mais le médium reste toujours attaché aux barres du lit par les liens du tronc.

Dans ces conditions, une dernière forme féminine apparaît accompagnée d'un enfant. Cette double apparition constitue certainement l'épisode le plus merveilleux de la médiumnité d'Eusapia.

« Nous avions à peine repris nos places, écrit le Dr Venzano, que les rideaux s'ouvrirent à une certaine hauteur du sol et que nous vîmes paraître, à travers un espace large, ovale, une femme qui tenait en ses bras un petit enfant, presque en faisant mine de le bercer. Cette femme, qui paraissait âgée de quarante ans environ, était coiffée d'un bonnet blanc, garni de broderies de la même couleur; la coiffure, tout en cachant les cheveux, laissait apercevoir les traits d'un visage large, au front élevé. La partie restante du corps qui n'était pas cachée par les rideaux était couverte de draps blancs. Quant à l'enfant, il pouvait, d'après le développement de la tête et du corps, être âgé de trois ans. La petite tête était découverte, avec des cheveux très courts; elle se trouvait à un niveau quelque peu supérieur à celui de la tête de la femme. Le corps de l'enfant paraissait enveloppé de langes composés, eux aussi, d'un tissu léger et très blanc. Le regard de la femme était tourné en haut avec une attitude d'amour pour l'enfant qui tenait la tête un peu courbée vers elle.

« L'apparition dura plus d'une minute. Nous nous levâmes tous debout, en nous approchant, ce qui nous permit d'en suivre les moindres mouvements. Avant que le rideau se rabattît, la tête de la femme se porta quelque peu en avant, pendant que celle du bébé, en s'inclinant à différentes reprises de droite à gauche, posa sur le visage de la femme plusieurs baisers dont le timbre enfantin parvint à nos oreilles d'une manière très nette.

« Pendant ce temps, les plaintes d'Eusapia continuaient et augmentaient toujours; ce qui fait que nous nous décidâmes à pénétrer dans le cabinet. Eusapia occupait la position dans laquelle elle avait été laissée et elle paraissait lasse et souffrante.

« Pour ce qui se rapporte à la réalité de ces manifestations, ajoute le Dr Venzano, il serait inutile de se dépenser en paroles superflues. *Il s'agit de phénomènes qui se sont produits à la lumière, dans un lieu choisi et entouré par nous des plus rigoureuses précautions qui regardaient non pas seulement l'endroit où l'on expérimentait, mais aussi le médium et ses vêtements.* »

Enfin, et c'est ici que l'apparition de la femme et de

l'enfant revêt une allure spiritoïde, la famille Avellino et particulièrement Mme Avellino crurent reconnaître en ces figures fantomatiques, grâce à certains détails vestimentaires, en particulier la coiffe ornée de dentelles, la mère et l'un des enfants de Mme Avellino, ce dernier étant décédé à l'âge de trois ans à peine.

Le caractère spirite de certaines manifestations ectoplasmiques paladiniennes fut *apparemment* si net qu'il conduisit des positivistes aussi résolus que les Prs Lombroso et Porro, des sceptiques railleurs comme le publiciste Vassallo, directeur du journal *Il Secolo XIX,* qui, avant sa conversion au spiritisme, avait écrit : « Quand trois spirites sont assis autour d'un guéridon, il n'y a que le guéridon qui ait de l'esprit ! » et des hommes froids et méthodiques, tels que le Dr Venzano, à admettre la survie, parce que tous ont cru revoir l'un des leurs que la mort avait arraché à leur affection.

Mais, remarquons immédiatement que ces phénomènes étant vraisemblablement conditionnés par le psychisme du médium, et probablement aussi par celui des assistants, les formes ectoplasmiques peuvent, par idéoplastie, prendre l'apparence de défunts. L'hypothèse n'est pas déraisonnable étant donné que, jadis, les apparitions affectaient, en rapport avec les croyances du moment, la forme d'Apollon, de Dioscures, de Démons, etc., et, plus tard, d'Anges, de Diables et de Saints. La plupart étaient sans doute subjectives mais quelques-unes étaient peut-être « matérielles ». Nous-même avons vu en d'excellentes conditions de contrôle, le médium étant absolument inerte près de nous, une formation ectoplasmique se présenter sous l'aspect d'un nuage grisâtre transparent ayant vaguement une forme humaine. Or, à l'époque où nous avons observé ce phénomène, c'est bien ainsi que nous nous représentions l'ectoplasme.

Dans la séance du 18 décembre 1901, au *Circolo Minerva,* M. Vassallo se sent saisi en arrière par deux bras qui l'enlacent affectueusement, tandis que deux mains aux longs doigts effilés, d'une personne jeune, lui serrent la tête et le caressent. Pendant ce temps, des lèvres l'embrassent à plusieurs reprises et tout le monde entend le bruit des baisers. M. Vassallo demande le nom de l'entité qui manifeste à son égard des sentiments aussi tendres, et, par des mouvements de la table, on obtient le nom de *Romano;* c'était un des prénoms de son fils décédé, ignoré même de ses parents les plus proches, car on l'appelait toujours Naldino.

M. Vassallo ayant sollicité une preuve plus complète, la table répond affirmativement en demandant moins de lumière. On obéit en plaçant une bougie allumée sur le parquet d'une autre salle. De cette façon, la lumière est faible, mais suffisante pour distinguer le visage d'Eusapia et celui des observateurs.

Tout à coup, le Dr Venzano, qui assistait à la séance, voit s'élever près d'Eusapia une masse vaporeuse de forme oblongue qui se condense graduellement en haut, puis prend l'aspect d'une tête humaine sur laquelle apparaissent successivement une chevelure abondante, des yeux, un nez et une bouche. A ce moment, deux assistants s'écrient en même temps : « Une silhouette, une silhouette ! » M. Vassallo, qui regardait ailleurs, se retourne assez à temps pour voir une tête qui s'avance à plusieurs reprises au-dessus de la table dans sa direction, puis se dissout.

On suspend la séance et le Dr Venzano trace au crayon, sur une feuille de papier, un croquis représentant la forme aperçue, et, en même temps, de son côté, M. Vassallo, très habile dessinateur, reproduit avec beaucoup de soin la tête, vue de profil, de son fils disparu. On constate alors, avec une très vive surprise, la grande ressemblance entre les croquis dessinés par MM. Venzano et Vassallo et le portrait de Naldino que M. Vassallo avait toujours sur lui. En effet, les lignes de contour de la tête et l'aspect pyriforme de cette dernière, rendue telle par la très abondante chevelure répandue sur un visage plutôt maigre d'adolescent, se correspondent merveilleusement.

Dans une autre séance, qui se passe également dans les locaux du *Circolo Minerva*, c'est le Dr Venzano qui est favorisé par une apparition. Les conditions de contrôle sont rigoureuses et la chambre est éclairée par la lumière d'une bougie placée sur le parquet d'une pièce contiguë.

Soudain, le Dr Venzano, qui tient la main gauche du médium dont la tête repose à droite sur l'épaule du Pr Porro, voit se former à sa propre droite, à une distance de 20 cm de son visage, comme une masse vaporeuse, globulaire, blanchâtre, qui se condense en une forme plus nette, un ovale, qui, peu à peu, prend l'aspect mieux défini d'une tête humaine dans laquelle il reconnaît distinctement le nez, les yeux, les moustaches, la barbe en pointe d'un parent décédé. Cette forme s'approche de sa figure et il sent un front vivant et chaud s'appuyer sur le sien et y rester quelques secondes. Ensuite, il perçoit le contact de tout le profil avec le sien, avec une pression de caresse, puis l'impression d'un baiser, après quoi la masse paraît se dissoudre, se vaporiser vers les rideaux du cabinet médiumnique. Les assistants, plus éloignés de l'apparition que l'était le Dr Venzano, ne perçoivent, pendant le phénomène, qu'une vague nébulosité, mais entendent tous nettement le bruit produit par le baiser.

« Je dois déclarer, pour rendre hommage à la vérité, dit le Dr Venzano, que les témoignages visuels et tactiles me permirent d'observer avec une grande précision les caractères physionomiques de la figure apparue et d'en reconnaître l'extraordinaire ressemblance avec celle d'un très proche parent que j'eus le malheur de perdre il y a plusieurs années. Et je dois déclarer encore que, pour l'état d'esprit dans lequel je me trouvais, cette particularité d'identité physionomique n'était ni attendue ni pensée par moi. Quand le phénomène commença, je songeais à l'apparition probable d'une forme matérialisée bien différente de celle qui se produisit réellement. »

Les visages ectoplasmiques et les animaux fantomatiques de Guzik

Après ces aperçus de la médiumnité ectoplasmique de Home et d'Eusapia, qui appartiennent à un passé révolu, examinons avec quelques détails la médiumnité de Guzik, de Kluski et de Rudi Schneider, qui furent des médiums contemporains.

Le médium polonais Guzik produisait des formes humaines dont on voyait surtout le visage lumineux par lui-même. Ces visages étaient vivants, et, de la bouche, sortait une voix rauque, indéfinissable.

« J'ai vu à Varsovie, rapporte le métapsychiste et écrivain scientifique français René Sudre, dans une séance tenue avec Schrenck-Notzing, Geley, Mackensie, Neumann, des lumières couplées voltiger à une certaine hauteur puis s'arrêter en face de moi et devenir deux yeux; autour de ces yeux s'esquissèrent bientôt les traits lumineux d'un visage; ensuite, la tête fut parfaitement visible et j'entendis une voix rauque dire en allemand, par trois fois : « Guten Morgen ! » Dans la même séance, je vis une petite lumière se poser sur un piano fermé à clef, et, à ma demande, trois ou quatre notes furent frappées. Plusieurs fois, dans les séances de Paris, je fus embrassé par des lèvres lumineuses plutôt froides. »

Guzik matérialisa aussi, semble-t-il, des formes animales : un chien qui mordait et léchait, une espèce de petit écureuil, que le Dr Osty sentit naître au flanc même du médium et qui se promena sur l'épaule de certains assistants, et une bête volumineuse, sorte d'ours ou de pithécanthrope, dont on sentait le pelage velu et le corps massif et résistant.

Le manifeste des trente-quatre : Les séances qui eurent lieu à Paris avec Guzik, de novembre 1922 à mai 1923, sous les auspices de l'*Institut Métapsychique International*, furent des séances de démonstration. Des professeurs de médecine et de droit, des membres de l'*Académie des Sciences* et de l'*Académie Française*, des médecins et des écrivains de grand renom, des ingénieurs et des experts de police y assistèrent. De par leur éducation professionnelle, leurs méthodes de jugement devaient être très différentes les unes des autres, et, cependant, tous déclarèrent qu'ils étaient convaincus de la réalité métapsychique des phénomènes présentés par Guzik. Ils exprimèrent leur opinion dans un rapport prudent et mesuré mais cependant très affirmatif, qui fut appelé le *Manifeste des trente-quatre*. En voici les termes essentiels.

« 1° *Contrôle du médium.* — Le médium était déshabillé en présence d'au moins deux de nous, avant d'entrer dans la salle des séances, et revêtu d'un pyjama sans poches. Pendant les séances, il était tenu par les deux mains, le petit doigt de chaque main passé en crochet au petit doigt de la main correspondante de chacun des deux contrôleurs. De plus, un ruban très court (longueur juste suffisante) doublement plombé (balle de plomb écrasée par une pince portant les initiales de l'I.M.I.) unissait le poignet droit et le poignet gauche du médium aux poignets gauche et droit des contrôleurs. Cette ligature était inviolable (il fallait nécessairement couper le ruban pour libérer les mains du médium) et rendait impossible l'usage de ses mains, alors même qu'elles n'eussent pas été tenues. Les contrôleurs assuraient le contact étroit et permanent de leurs corps, spécialement de leur pied et de leur jambe, avec le corps, les jambes et les pieds du médium.

« Nous avons tous constaté que, pendant toute la durée des séances, le médium restait absolument passif. Quand il se produisait un phénomène important, son corps et ses mains frissonnaient; mais jamais il n'esquissait de mouvement, même de faible amplitude. Par exception, il lui arrivait, de temps en temps, de porter en arrière, aussi loin que possible de lui, la main de l'un ou l'autre contrôleur pour lui permettre de constater certains phénomènes décrits plus loin.

« 2° *Contrôle des expérimentateurs.* — Tous les expérimentateurs se tenaient par la main et étaient joints, poignets à poignets, par des chaînettes cadenassées, aussi courtes que possible.

« 3° *Contrôle de la salle.* — Les portes des salles où ont eu lieu les séances étaient fermées à clef en dedans, et scellées par des bandes collées signées de l'un de nous.

« Le tablier de la cheminée était également scellé au parquet. Quelques expérimentateurs ont même collé les fenêtres. Il n'y avait dans ces pièces aucun meuble ou placard susceptible de cacher un compère éventuel. L'hypothèse de trappes, placards dérobés, panneaux tournants, etc. ne peut être mise en avant pour les raisons suivantes :

« a) Un rapport très complet de M. Legros, architecte diplomé, 26 bis, avenue Daumesnil, qui a visité à fond les locaux de l'I.M.I., déclare formellement que les murs, le plancher et le plafond sont tout à fait normaux.

« b) A plusieurs reprises, le plancher a été, avant la séance, entièrement recouvert de sciure de bois, de sorte que le soulèvement d'une trappe eût été dévoilé immédiatement. Il est à noter que, dans ces conditions, nous n'avons pas observé de traces de pas humains.

« c) Des séances positives ont eu lieu dans l'appartement privé de quatre d'entre nous (Pr Richet, Pr Cunéo, Dr Bord, Dr Bour).

« Dans ces conditions, en dépit de l'obscurité, le contrôle matériel était absolu, et le contrôle de Guzik, d'une extrême simplicité, donnait entière satisfaction.

« 4° *Phénomènes.* — Nous avons observé un certain nombre de phénomènes inexplicables dans l'état actuel de nos connaissances scientifiques.

« Parmi ces phénomènes, il en est qui ne se sont pas produits à toutes les séances positives, tels que les empreintes sur la terre glaise et les manifestations lumineuses. Ces dernières étaient accompagnées de sensations d'attouchements et de bruits articulés concomitants.

« Ces faits n'ayant pu être observés par tous les expérimentateurs, nous les réservons, malgré leur importance, et nous nous bornerons à affirmer la réalité de deux catégories de phénomènes :

« 1° Des déplacements, parfois très étendus, d'objets divers, sans aucun contact du médium et d'ailleurs hors de sa portée (jusqu'à 1 m 50).

« Pour nous mettre à l'abri de toute illusion d'observation et de toute erreur de mémoire, ces objets avaient été minutieusement repérés et très souvent collés, au sol ou à la table qui les supportaient, par du papier gommé.

« 2° Des contacts et attouchements, très fréquents et très divers comme sensations, perçus sur le bras, le dos, la tête des contrôleurs.

« Parfois, à la fin des séances, le médium encore en transe guidait la main de l'un ou l'autre de ses contrôleurs en arrière et en haut, aussi loin que possible de lui. Dans ces conditions, la face dorsale de la main ou le bras du contrôleur a perçu, à diverses reprises, des contacts matériels.

« Nous ne pouvons, pour le moment, préciser davantage. Nous affirmons simplement notre conviction que les phénomènes obtenus avec Jean Guzik ne sont explicables ni par des illusions ou hallucinations individuelles ou collectives ni par une supercherie quelconque.

« Signé : Joseph Ageorges, homme de lettres; Bayle, licencié ès sciences, chef du service de l'identité judiciaire à la *Préfecture de Police;* Dr Benjamin Bord, ancien interne des hôpitaux de Paris; Dr Bour, directeur de la maison de santé de la Malmaison; Dr Bourbon; Dr Stéphen Chauvet, ancien interne, lauréat (médaille d'or) des hôpitaux de

Paris; Dr Cunéo, professeur à la *Faculté de Médecine*, chirurgien des hôpitaux; capitaine Desprès, ancien élève de l'*Ecole Polytechnique;* Camille Flammarion; Dr Fontoynon, ancien interne des hôpitaux de Paris, directeur de l'*Ecole de Médecine de Madagascar*; Pascal Forthuny, homme de lettres; Dr Gustave Geley, ancien interne des hôpitaux de Lyon, lauréat (1er prix de thèse) de la *Faculté de Médecine*; A. de Gramont, docteur ès sciences, membre de l'*Institut de France*; Paul Ginisty, homme de lettres; Georges, licencié ès sciences, ingénieur (E.S.E.); Jacques Haverna, chef du service photographique et du chiffre au *Ministère de l'Intérieur;* Huc, directeur de la *Dépêche de Toulouse*; Dr Humbert, chef de la section d'hygiène de la ligue des Sociétés de la *Croix-Rouge;* commandant Keller, de l'état-major du maréchal Fayolle; Dr Laemmer; Dr Lassablière, chef de laboratoire à la *Faculté de Médecine;* Pr Leclainche, membre de l'*Institut de France*, inspecteur général, chef des services sanitaires au *Ministère de l'Agriculture;* sir Oliver Lodge, membre de la *Société Royale d'Angleterre;* Mestre, professeur à la *Faculté de Droit;* Michaux, inspecteur général des *Ponts-et-Chaussées;* Dr Moutier, ancien interne des hôpitaux de Paris; Dr Osty; Marcel Prévost, membre de l'*Académie Française;* Pr Ch. Richet, membre de l'*Académie de Médecine* et de l'*Institut de France*; Dr Rehm, homme de lettres; Dr Jean-Charles Roux, ancien interne des hôpitaux de Paris; René Sudre, homme de lettres; Pr Santoliquido, représentant des ligues de la *Croix Rouge* auprès de la *Société des Nations;* Pr Vallée, directeur du *Laboratoire National de recherches sanitaires.* » (1)

Avant de donner, pour illustrer ce rapport, quelques extraits des procès-verbaux d'expériences, soulignons qu'il faut considérer comme inadmissible toute hypothèse de

1. Le document porte en réalité trente-cinq signatures, mais une erreur primitive de typographie l'a fait connaître sous le titre « Le manifeste des trente-quatre ».

fraude basée sur les conditions suivantes : libération d'une ou des deux mains du médium; usage d'instruments (fils, baguettes, etc.) ou de masques phosphorescents; action d'un compère. Le contrôle très rigoureux ne permettrait pas l'emploi de ces subterfuges.

Reste l'hypothèse d'une fraude du médium par l'usage des pieds, car ceux-ci n'étaient pas attachés, mais, d'une part, les barreaux des chaises, les jambes des contrôleurs formaient, en arrière des jambes de Guzik, une barrière infranchissable; d'autre part, les contrôleurs ne perdaient jamais le contact de ses membres inférieurs; ils tenaient si fortement les deux jambes serrées entre les leurs que Guzik, après certaines séances, avait des ecchymoses cutanées au niveau des condyles internes du fémur; au surplus, le médium gardait une immobilité absolue et il est certain qu'il n'exécutait aucun des mouvements complexes qui eussent été indispensables pour projeter l'une de ses jambes en arrière. Enfin, même en admettant que, par impossible, ainsi que le souligne justement le Dr Geley, Guzik ait pu libérer une jambe, il n'aurait jamais produit, par ce moyen que des phénomènes très élémentaires, comme des contacts sur les jambes ou sur les bras de ses contrôleurs ou des mouvements d'objets placés très près de lui. Donc, même dans cette hypothèse, la grande majorité des phénomènes resterait inexplicable.

Séance du 3 décembre 1922, à 21 heures, dans le salon du Pr Richet, Contrôleur de droite : Pr Leclainche; contrôleur de gauche : Pr Richet.

— Assistants : M. de Gramont, Dr Geley, Mme Geley, Mme Richet, M. de Jelski.

Le médium frissonne de tout son corps et gémit. Aussitôt, une lumière, grosse comme un ver luisant, traverse rapidement le groupe, de M. de Gramont à M. Leclainche. Puis d'autres lumières apparaissent autour du médium et au-dessus de lui.

Le Pr Richet, le Pr Leclainche accusent des contacts. Une boule nébuleuse en forme de disque, large comme les deux mains, traverse le groupe et disparaît près du médium.

Tout à coup on voit, contre le Pr Leclainche, deux lumières très brillantes. Aussitôt ce dernier est frappé violemment sur la figure et sur le dos. Le médium reçoit aussi des coups très forts et se réveille. On suspend la séance.

Dès sa reprise, les phénomènes sont immédiats. Mme Le Bert, fille du Pr Richet, qui prend part à cette seconde partie de la séance et qui contrôle la main droite du médium, sent, derrière sa chaise, la présence d'un être qui frappe sur le dossier et la frôle. On voit des lueurs au-dessus de Mme Le Bert et tout autour du médium. Ces lueurs sont petites, nombreuses. Elles se déplacent doucement, s'approchent et s'éloignent des assistants, montent parfois très haut.

Mme Le Bert se sent embrassée à de nombreuses reprises. Deux bras l'enlacent aux épaules.

Le Dr Geley sent, à deux reprises, un baiser de deux lèvres tièdes sur son front.

On entend une voix peu distincte près des oreilles de Mme Le Bert qui n'a pas compris le sens des paroles prononcées.

A plusieurs reprises, on voit, près de Mme Le Bert, l'ébauche d'un visage lumineux. Puis deux lumières couplées s'élèvent très haut (à environ 1 m 50) au-dessus du médium. On entend distinctement : « Au revoir. » et les lumières s'éloignent. Trois coups violents sont frappés sur le dos du médium qui se réveille.

Séance du 17 décembre 1922, à 21 heures, à l'I.M.I. Contrôleur de droite : Dr Osty; contrôleur de gauche : M. Ageorges. — Assistants : Dr Geley, M. de Jelski.

Des lumières très belles se forment derrière le médium,

et, d'autant qu'on puisse en juger, assez loin de lui (1 m à 1,50 m). Les contrôleurs sont touchés et embrassés. Puis une belle nébuleuse phosphorescente, de la dimension d'un visage, s'approche de M. Ageorges et du Dr Osty, très près de leur tête. Ils distinguent nettement un visage lumineux bien formé.

« Des lueurs phosphorescentes s'allument au voisinage de la tête du médium, relate le Dr Osty, et avancent vers les assistants. Je me sens embrassé au front par une bouche humide, comme s'il s'agissait d'une bouche humaine, et je vois deux lèvres lumineuses, s'écartant doucement de moi, remuer, proférant quelques paroles en langue étrangère.

« La masse lumineuse augmente aussitôt de surface; elle m'apparaît de 10 à 15 cm de hauteur. Elle se dirige vers M. Ageorges. Celui-ci annonce aussitôt qu'il a devant les yeux les trois quarts d'une belle face lumineuse d'homme, dont il voit les yeux, le nez, la moustache, les lèvres... Une ou deux minutes après, des lueurs indéterminables viennent vers mon visage. Je suis embrassé sur le front, la tête, et mes joues sont caressées comme par des mains humaines. D'autres contacts nombreux et vifs se succèdent précipitamment sur ma figure, ma tête et mes épaules... »

Séance du 9 mai 1923, à 21 h 30, à l'Institut Métapsychique International. Contrôleur de droite : M. Paul Ginisty; contrôleur de gauche : Pr Vallée. — Assistants : Dr Chauvet, Mme C., Dr Geley.

Extrait du compte rendu de M. Paul Ginisty.

« Soudain, j'ai la sensation d'un visage visqueux qui s'approche du mien, comme pour un baiser, ce dont j'éprouve quelque dégoût. Puis, tout près de mon oreille, des paroles sont murmurées, d'une façon saccadée, comme en appuyant les lèvres. Je n'en comprends pas le sens, mais ce sont bien des mots qui sont prononcés. Pendant ce court espace de temps, une lumière flotte à ma gauche au-dessus de ma tête. La voix s'éteint subitement et l'impression d'une présence disparaît. Les phénomènes cessent. »

Au cours de nombreuses séances les expérimentateurs avaient l'impression d'entrer en contact avec des formes animales. Comme elles n'étaient pas accompagnées de phénomènes lumineux, ils ne pouvaient les apprécier que par le toucher ou par l'odorat. La plupart de ces formes rappelaient des chiens, des écureuils, des chats. Leurs frôlements donnaient la sensation d'une bête vivante et non l'impression d'une fourrure ou d'un animal empaillé. Au surplus, elles caressaient parfois, léchaient, mordaient ou griffaient. Voici quelques séances où ces êtres se manifestèrent particulièrement.

Séance du 11 avril 1923, à 20 h 30, dans le laboratoire de l'I.M.I. Contrôleur de droite : Pr Leclainche; contrôleur de gauche : Pr Cunéo. — Assistants : M. G., Dr Xavier Leclainche, Dr Geley, M. de Jelski.

On note comme la présence d'une forme animale, probablement d'un chien de taille moyenne. Tous les assistants perçoivent l'odeur caractéristique très forte de chien mouillé. On entend une respiration haletante ainsi que l'est souvent la respiration des chiens. L'entité mystérieuse frôle M. Xavier Leclainche, passe entre ses jambes, puis sous sa chaise, ensuite derrière son dos.

A ce moment, le médium se réveille. L'odeur perçue dès le début de la manifestation disparaît instantanément.

Séance du 12 avril 1923, à 20 h 30, dans le laboratoire de l'I.M.I. Contrôleur de droite : Dr Osty; contrôleur de gauche : Mme Osty. — Assistants : Dr Geley. Dr H., Mme G., M. Cornillier, M. de Jelski.

Après une courte attente, une forme animale, avec son odeur caractéristique, se manifeste. Les deux contrôleurs ont l'impression très nette de la présence d'un petit chien qui saute sur leur chaise, puis sur leurs genoux, les frôle et les caresse, semble jouer avec leur chaise, etc.

Séance du 17 avril 1923, à 16 h 30, dans le salon du Dr Geley. Contrôleur de droite : comte de C., contrôleur de gauche : M. P. — Assistants : M. Raymond P., Dr Geley, Mme G., M. de Jelski. Les portes sont scellées par M. de C.

Première partie. — Après une courte attente, M. de C. est l'objet de manifestations médiumniques. Il se sent palpé, frôlé, frappé dans le flanc gauche et sur le dos. Il déclare avoir tout à fait l'impression de la présence d'un animal près de lui. Ces manifestations sont intermittentes, cessent, recommencent.

En même temps qu'elles apparaissent, on perçoit une odeur désagréable de chien mouillé, odeur qui disparaît aussitôt que cessent les manifestations.

On perçoit très nettement des bruits de pas derrière les deux contrôleurs.

Deuxième partie. — Les mêmes phénomènes se reproduisent; mais, cette fois, ils sont surtout accentués sur M. P. qui déclare avoir l'impression de la présence d'un très grand animal à ses côtés. Il perçoit un contact appuyé sur son épaule droite. Des coups lui sont donnés dans le dos et sur la tête.

On entend un bruit de pas.

Séance du 18 avril 1923, à 20 h 30, dans le grand salon de l'I.M.I. Contrôleur de droite : Dr Bord; contrôleur de gauche : Dr Rehm. — Assistants : Dr Osty, comte Potocki, Mme D., Mme G.

Pendant les deux parties de la séance, des manifestations identiques se produisent. Les deux contrôleurs, spécialement le Dr Rehm, perçoivent des contacts et attouchements divers, des coups sur les épaules et dans le dos. Le Dr Rehm a l'impression d'avoir à ses côtés un animal sentant le chien.

Sa chaise est violemment tirée en arrière de lui. Elle est déplacée d'environ 75 cm. (Le Dr Rehm est un homme puissant et très lourd et ce déplacement nécessite une force considérable).

Des chaises et des fauteuils sont remués bruyamment derrière le cercle des expérimentateurs. Une très lourde table, recouverte de marbre et placée à 1 m derrière le médium, est déplacée de 60 cm.

Les deux contrôleurs notent, avant le début des phénomènes, comme un bruit de bouillonnement aux côtés du médium et derrière lui. Ils ont nettement l'impression que le médium est le centre émetteur des forces en jeu.

Séance du 20 avril 1923, à 16 h 30, dans le salon du Dr Geley. Contrôleur de droite : sir Oliver Lodge; contrôleur de gauche : lady Lodge. — Assistants : Pr Richet, Mme Le Bert, Dr Lassablière, M. René Sudre, Dr Geley.

Vers la fin de la séance, le médium dirige la main de lady Lodge en arrière des expérimentateurs, aussi loin que possible. La main de lady Lodge heurte alors un être de la taille d'un homme, très velu et immobile.

« Nous étions assis et enchaînés, note lady Lodge, et j'avais posé mon chapeau et ma jaquette sur un canapé, à ma droite, assez loin pour que je ne puisse les atteindre et le médium moins encore.

« Je me sentis d'abord caressée sur le dos comme par un moignon. Ce moignon ou cette main, ou cette patte, alla à mes cheveux et se prit dans le filet qui les retenait. Je sentis alors quelque chose passer au-dessus de ma tête : c'était mon chapeau.

« Ensuite, entracte. On éclaira. Puis la séance reprit dans les mêmes conditions.

« Je me sentis fortement touchée dans le dos par le moignon ou la main dont j'ai parlé plus haut (rien, cependant, ne donnait la sensation de doigts). Cette fois, mes cheveux furent passablement bousculés et je fus touchée à la nuque.

« Tout à coup, le médium porta mon bras en arrière; j'étais toujours enchaînée à son poignet, mes doigts accrochés aux siens. Il me fit toucher de la main un corps debout derrière moi qui me venait à l'épaule. C'était très résistant, couvert de poils ou de fourrure unie et raide comme sur la poitrine d'un chien. Ce fut une chose très surprenante que de sentir cet être derrière soi! Mon chapeau, que j'avais placé sur un des coussins du canapé, hors de la portée de nous tous, fut alors jeté par-dessus ma tête pour venir tomber devant Oliver Lodge.

« Ce qui me frappa le plus, dans cette séance, fut de toucher cet être debout derrière ma chaise, couvert de poils unis et raides. J'ai dû passer ma main sur une surface d'environ un pied.

« Il paraissait plein de bienveillance. »

Séance du 24 avril 1923, à 15 heures, dans le grand salon de l'I.M.I. Contrôleur de droite : Mme de C.; contrôleur de gauche : sir Oliver Lodge. — Assistants : comte A. de Gramont, Mme de C., M. Ollivier, comte du Bourg de Bozas, Dr Geley.

Des contacts répétés et intenses se produisent sur Mme de C. Des bruits de pas se font entendre. La table très lourde, placée derrière le médium (1 m), est remuée à plusieurs reprises.

La manifestation « canine » se produit. La forme d'un chien (taille probable d'un fox-terrier) passe entre les jambes de Mme de C. et de l'expérimentateur voisin, M. de Gramont. Tous deux perçoivent ces contacts. Le « chien » saute sur les genoux de Mme de C. qui sent sa fourrure, puis ses épaules. Caresses habituelles des chiens.

Dans la deuxième partie de la séance, le contrôleur de droite est sir Oliver Lodge et celui de gauche Mme de C. Des manifestations puissantes se produisent aussitôt : bruits de pas impressionnants de netteté, déplacement de meubles, papiers et crayons placés sur la table, derrière le médium (1,20 m), jetés à terre.

Sir Oliver accuse des contacts répétés, Mme de C., de même. Deux membres, comme deux mains sans doigts, appuient simultanément sur ses deux épaules.

On entend des chuchotements indistincts, puis une voix parle tout près de l'oreille de sir Oliver. Tout le monde perçoit, au milieu d'une phrase incomprise, ces mots français : « Votre nom. » Puis le même phénomène se produit à l'oreille de Mme de C. On ne comprend pas les paroles prononcées.

Le médium tousse et se réveille. Il porte très en arrière et en haut la main de Mme de C. Elle sent un être de la taille d'un homme debout. Sa main touche un crâne chevelu. Même manifestation pour sir Oliver Lodge qui note : « L'être, pendant cette seconde partie de la séance, était trop grand pour n'être qu'un chien; d'ailleurs il parlait et semblait content qu'on lui donnât un nom. »

Après la séance, on voit que des signes incohérents ont été tracés sur le papier jeté à terre.

Séance du 3 mai 1923, à 16 heures 30, dans le grand salon de l'I.M.I. Contrôleur de droite : M. Privat; contrôleur de gauche : le capitaine Desprès. — Assistants : M. Sudre, Dr Geley, Mme S.

Première partie. — Contacts sur M. Privat. Une sorte de chien semble jouer avec lui, lui met ses pattes sur les genoux, fourre son museau dans ses poches et en arrache un journal.

A un certain moment, M. Privat accuse des contacts

multiples simultanés. Pendant que les phénomènes décrits ci-dessus persistent, il a l'impression de la présence d'un autre animal plus petit qui bondit sur sa chaise et lui heurte le dos.

Le capitaine Desprès accuse également des sensations de contacts nombreux. Il a le sentiment d'être caressé par un chien.

Deuxième partie. — Des coups sont frappés à distance sur la table placée à 1,30 m derrière le médium. Les coups donnent des réponses cohérentes aux questions posées par les assistants. M. Privat perçoit des contacts. Il a l'impression qu'un chien lui saute sur les genoux et lui lèche la figure. Il évite de son mieux ces caresses désagréables.

Puis les manifestations cessent. Après une accalmie de quelques minutes, on voit tout à coup une lumière qui se forme derrière M. Privat, entre lui et le médium. Elle s'approche du visage de M. Privat qui déclare voir « un œil bien formé, phosphorescent ». La lumière disparaît; puis une autre lumière se forme très près de M. Privat qui annonce : « Je vois un visage humain. » On entend le mot : « Bonsoir. »

Une lumière se dirige vers M. Desprès, qui voit aussi les traits d'un visage, se sent frôlé et embrassé et entend quelques mots en polonais.

A 18 h 15, le médium se réveille.

Séance du 5 mai 1923, à 8 heures 30, dans le grand salon de l'I.M.I. Contrôleur de droite : Dr Rehm; contrôleur de gauche : M. Ginistry. — Assistants : Dr Chauvet, Dr Bourbon, M. Melusson, M. Ageorges, Dr Geley.

De la sciure de bois est déposée en couche uniforme sur le parquet.

Pendant toute la séance, M. Ginisty perçoit des contacts répétés et nets sur le dos, le bras, l'épaule gauche. On fouille dans sa poche. Des crayons, placés sur une grande table, derrière le médium, sont déplacés.

Après la séance, on trouve des traces de sciure de bois aux endroits où M. Ginisty avait éprouvé des contacts, spécialement au bas du dos.

Des empreintes, rappelant celles de la patte d'un chien de taille moyenne, sont observées sur le parquet.

Un grand *S* majuscule est dessiné sur une feuille de papier blanc qui avait été placée sur la table avec les crayons.

Les expériences du Dr Osty avec Guzik. Après cette série d'expériences suivie, devant un comité de professeurs en Sorbonne, de quelques séances qui se soldèrent d'ailleurs par un échec, Guzik retourna en Pologne, puis revint en France, en 1926, sur l'invitation du Dr Osty qui avait pris la direction de l'*Institut Métapsychique International* après la mort tragique du Dr Geley.

Le Dr Osty espérait, grâce à un dispositif photographique fonctionnant à l'ultraviolet, enregistrer les phénomènes téléplasmiques produits par Guzik et réduire ainsi au maximum pour le lecteur des futurs comptes rendus de séances l'acte de foi dans la perspicacité des témoins.

Malheureusement, une série de circonstances défavorables réduisit à néant ce projet : l'appareil de prises de vues ne fut mis au point qu'au moment où Guzik était arrivé à la fin de son engagement.

Dès lors, le Dr Osty fut dans l'impossibilité de préciser d'une façon définitive la nature des phénomènes produits par le médium polonais. Toutefois, il semble bien que l'éminent directeur de l'*Institut Métapsychique International* ne doutait pas de leur réalité supranormale.

C'est du moins ce qui ressort de ses comptes rendus.

« A peine Guzik manifeste-t-il sa transe, écrit le Dr Osty relatant la séance du 5 avril 1926, que je suis touché au bras droit et à l'épaule droite comme par une main. On entend des bruits de pas derrière moi, et j'ai la forte sensation de deux mains comprimant d'un coup et bien symétriquement mes épaules.

« Une belle et large lueur s'allume au-dessus de la tête de Guzik, et, en apparence, assez haut. Elle descend lentement dans ma direction, vient se placer devant moi à la hauteur de mes yeux. J'aperçois les deux tiers supérieurs d'un visage humain éclairé par une phosphorescence. Deux autres fois, le même phénomène se produit, ne différant que dans les traits des visages. Chacun des trois visages avait le haut de la tête encadré comme d'un voile dont je voyais l'avancée sur le front. L'éclairage venu d'avant et d'au-dessus le front laissait le menton dans la pénombre. Un des visages semblait être celui d'une femme plutôt petite. Les deux autres étaient d'aspect masculin. Un a été muet et simplement contemplatif. Les deux autres ont parlé et m'ont embrassé avant d'éteindre leurs feux. Le dernier est resté devant mes yeux plus longtemps que les autres et a prononcé la valeur de quatre ou cinq courtes phrases que je n'ai pas comprises, peut-être parce que d'autres assistants annonçaient pendant ce temps d'autres phénomènes. Durant que ce dernier visiteur m'a parlé, j'ai senti sur mon front le contact de deux ou trois doigts. C'est avec une très grande attention que j'ai regardé ce visage moins pressé que les autres à partir, m'efforçant d'y trouver des indices de sa nature. Il donnait une impression de visage humain qu'éclairerait un paquet de vers luisants. Ayant fini de parler, ce visage s'est avancé et m'a embrassé au front me donnant la sensation de contacts et de pression d'une bouche humaine qui embrasse.

« Toutes ces faces humaines, dissemblables de traits et de regard, m'ont paru n'avoir de mouvement que celui de leur translation et celui de leurs lèvres. Leurs yeux étaient fixement braqués sur les miens, paupières immobiles. Il est vrai que ces étranges visiteurs pouvaient en dire autant des miens, fixes d'attention.

« Quand le dernier visage m'a quitté, tous les assistants ont vu sa luminescence monter et sembler s'écarter assez loin de Guzik, dans la salle, puis brusquement s'éteindre, et cela, dans un mouvement complètement silencieux. »

Kluski, le « géant » des médiums contemporains

Ce fut avec le plus complet désintéressement et par dévouement à la science que le médium polonais Franek Kluski, que l'on peut considérer comme le « géant » des médiums contemporains à matérialisations, consentit, en 1920-1921, à mettre ses dons merveilleux au service de l'*Institut Métapsychique International.*

Les principaux phénomènes observés à l'Institut de l'avenue Niel furent des matérialisations humaines ou animales, des productions lumineuses et des télékinésies. D'extraordinaires moules ectoplasmiques, comme nous le voyons plus loin, furent obtenus pendant ces séances.

Le contrôle du médium consistait essentiellement dans la tenue de ses mains par les expérimentateurs immédiatement placés à sa droite et à sa gauche. Ce contrôle élémentaire était, semble-t-il, suffisant, car Kluski gardait pendant les séances une immobilité à peu près complète.

Voici, d'après le Dr Geley, comment se déroulaient les phénomènes.

On percevait tout d'abord une forte odeur d'ozone. Elle survenait brusquement au début des phénomènes et s'évanouissait avec eux.

On voyait alors (la lumière étant très faible) des vapeurs légèrement phosphorescentes, une sorte de brouillard flotter autour du médium, surtout au-dessus de sa tête. Ce brouillard s'élevait généralement comme une fumée légère. En même temps, apparaissaient des lueurs qui semblaient des foyers de condensation. Elles étaient généralement nombreuses, ténues et éphémères, mais, parfois, elles étaient plus étendues, plus durables, et, dans ce cas, donnaient l'impression d'être comme des régions lumineuses d'organes, invisibles par ailleurs, spécialement des extrémités de doigts ou des fragments de visages.

Enfin, quand la matérialisation s'achevait, on voyait des mains ou des visages parfaitement formés. Ceux-ci étaient de grandeur naturelle et apparaissaient généralement derrière le médium ou à ses côtés. Ils étaient placés plus haut que la tête de Kluski et celle des expérimentateurs assis. Ils semblaient être des visages visibles d'êtres humains debout, mais dont les corps étaient invisibles. Plusieurs fois, cependant, les expérimentateurs ont pu voir également matérialisés le buste et les membres supérieurs de ces fantômes.

Comme la visibilité par lumière rouge était très faible, ces êtres, pour mieux se faire examiner, saisissaient fréquemment l'un des écrans luminescents au sulfure de zinc, disposés dans la salle avant les séances, et l'approchaient jusqu'au contact de leur visage. D'autres fois, les figures matérialisées, au lieu de se servir des écrans, s'éclairaient par une substance auto-lumineuse. Enfin, très souvent, les visages étaient lumineux par eux-mêmes.

Ces visages étaient vivants et leur regard, très vif, s'attachait fixement aux expérimentateurs.

Le compte rendu analytique de la séance du 20 novembre 1920 donne une idée précise de ce qu'était la puissante médiumnité de Kluski.

« Les écrans luminescents, relate le Dr Geley, sont enlevés très haut et très longuement. Ils arrivent jusqu'au contact de visages qu'ils éclairent bien. Ces visages sont admirablement formés; je reconnais le visage d'un jeune homme déjà observé : tête dont la chevelure est cachée par un voile, fine moustache, nez busqué, yeux très noirs et très vifs.

« Puis la tête d'une vieille femme édentée, très ridée. Elle a sur la tête un voile formant un double nœud en avant du front. Enfin, une tête dont je ne vois que l'occiput sous un voile... On entend prononcer le mot « Thomasch » (prononciation polonaise de Thomas) et le même mot est répété, d'une voix faible, à droite et en arrière du médium, près du comte Jules Potocki... Enfin, on aperçoit, près de la tête du comte, une forme lumineuse, s'éclairant elle-même. »

« Une boule lumineuse se forme devant mon visage, écrit le comte Jules Pôtocki qui, de son côté, décrit la scène. Cette boule s'éloigne, puis se rapproche tout près de mon visage, et je perçois, à mon grand étonnement et aussi à ma grande joie, les traits parfaitement reconnaissables de ma sœur qui me sourit comme de son vivant. Elle me paraît beaucoup plus jeune, telle qu'elle était il y a vingt-cinq ans (elle est morte à cinquante-quatre ans). Le haut de la tête est entouré de voiles nuageux. L'apparition du visage dure seulement quelques secondes. J'ai le temps de crier : « C'est elle! » puis tout disparaît. »

D'après le Dr Geley (comme d'ailleurs pour nous-même), ces apparitions étaient authentiquement paranormales.

« Pour simuler les matérialisations de visages, écrit-il, on ne voit que trois procédés susceptibles d'être employés par le médium :

« a) Tromperie par un compère;

« b) Illusion produite sur les assistants par le propre visage du médium plus ou moins arrangé;

« c) Usage de masques maniés avec une main.

« La première hypothèse est éliminée d'emblée par les conditions expérimentales qui étaient les nôtres; un compère ne pouvait s'introduire dans notre laboratoire.

« L'illusion produite sur les assistants par le visage du médium n'est pas admissible. Le contrôle qu'il subissait ne lui permettait ni de se lever, ni de se pencher trop à droite ou à gauche. Nous répétons du reste qu'il gardait constamment l'immobilité absolue.

« Sa tête, à plusieurs reprises, reposait sur mon épaule et je sentais son contact pendant que je considérais les visages matérialisés au-dessus de sa propre tête ou plus loin.

« Reste l'usage de masques.

« Mais une pareille tromperie nécessite tout un attirail que le médium, tenu par les deux mains, n'aurait pu manier. En supposant la libération d'une seule de ses mains, cette libération eût été insuffisante. Le plus souvent, les deux mains eussent été nécessaires, l'une pour tenir le masque, l'autre pour soulever et approcher l'écran de ce masque.

« Enfin, nous pouvons l'affirmer catégoriquement : les visages matérialisés n'étaient pas des simulacres. C'étaient des visages vivants et intelligents. Il n'était pas possible de s'y tromper. »

Les moulages ectoplasmiques de l'institut métapsychique international

C'est au cours de séances effectuées avec Kluski à l'I.M.I. que le Dr Geley obtint, ainsi que nous l'avons déjà dit, des moules de membres matérialisés : sept de mains et un de pied, ainsi qu'un moule de bas de visage.

Il employa, pour les obtenir, un procédé relativement simple qui, d'ailleurs, n'était pas nouveau.

Un baquet, rempli d'eau très chaude sur laquelle surnageait une couche de paraffine fondue, était placé au voisinage du médium. Les formations téléplasmiques, les mains par exemple, plongeaient dans le bain et l'on entendait leur barbotement, puis elles déposaient sur les genoux des assistants de minces gants de paraffine. Il ne restait plus qu'à couler du plâtre dans les moules pour obtenir des moulages.

Ceux-ci reproduisent toutes les caractéristiques de membres d'adultes : rides, plis, sillons, etc., mais, fait remarquable, ils ne sont pas de canon normal : *ce sont des réductions de membres.* Seul, le moulage de bas de visage est de grandeur naturelle.

Le problème de l'origine de ces moules suscita d'ardentes controverses où, hélas ! n'étaient pas absents le parti-pris, la passion, l'esprit de dénigrement, le désir plus ou moins conscient de minimiser des travaux portant ombrage à des théories préconçues. Certains auteurs avancèrent même, sans en fournir la moindre preuve, que des expérimentateurs avaient réussi à fabriquer des moules identiques à ceux de Geley. Or nous pouvons assurer que cette affirmation est *fausse.* Peut-être a-t-on pu, comme nous l'avons fait nous-même, préparer des moules *apparemment analogues* à ceux de l'*Institut Métapsychique.* Mais des *moules identiques*, certainement non!

Les considérations suivantes établissent, sans contestation, croyons-nous, l'authenticité paranormale des moules et des moulages de l'*Institut Métapsychique International.*

1° Les moulages ont les caractères anatomiques de mains d'adultes et la taille de mains d'enfants. Il serait très difficile, dans ces conditions, de les fabriquer par des moyens normaux.

2° Une expertise faite par des mouleurs professionnels (MM. Gabrielli père et fils, Barettini et Guido Marchelli, artistes mouleurs) a montré que les moulages sont de première opération, pris sur des organes vivants, et non des surmoulages, ce qui exclut les procédés de préparation par l'intermédiaire de substances solubles, procédés que nous décrivons plus loin.

« On sent positivement la vie en dessous de ces moules étranges et décevants, lit-on dans le rapport de ces experts mouleurs. Ce sont, de toute évidence, des mains vivantes qui ont servi à ces moulages. Nous retrouvons non seulement les détails anatomiques avec leur finesse et leur vérité, mais aussi des traces de contraction musculaire explicables seulement par des mouvements volontaires. Il y a des froissements de la peau qui ne laissent aucun doute à ce sujet. Des moulages aussi parfaits, avec une telle finesse de détails, avec des indices de contractions musculaires actives et les plis de la peau, n'ont pu être obtenus que sur une main vivante : ce sont des moulages de première opération, des originaux et non des surmoulages.

« Le procédé de démoulage par section d'une partie des moules de paraffine et raccord, après sortie de la main opérante, n'a sûrement pas été employé dans les pièces que nous avons expertisées. En effet, nous n'avons constaté ni traces de soudure, ni grattage, ni aucune des déformations inévitables avec ce procédé. Il n'y a pas de raccords dans les gants que nous a soumis le Dr Geley... En tout état de cause, l'opération du démoulage d'une main vivante n'eût pas été réalisable avec des gants aussi minces. Ces gants se seraient infailliblement brisés à la moindre tentative de retrait... La sortie d'une main vivante de moules de paraffine n'ayant qu'une épaisseur moindre de un millimètre est une impossibilité. Même avec des moules épais, le démoulage d'une main vivante de certaines pièces que nous avons examinées, même après section de la base, eût été impossible.

« L'emploi d'une main en substance fusible ou soluble (sucre, gélatine, etc.) doit être exclu.

« Cette main serait plongée dans un bain de paraffine, puis dissoute dans un baquet d'eau froide, ce qui permettrait d'obtenir un moule de paraffine complet, sans raccord et aussi mince qu'on le voudrait. Le procédé est fort ingénieux; mais, à notre avis, il n'a pas servi aux documents qui nous ont été soumis, pour le motif déjà exposé plus haut :

« Un surmoulage ne saurait offrir la même finesse de détails qu'un moulage de première opération. Les traces délicates disparaissent inévitablement dans les surmoulages. Un artiste spécialiste ne confondra jamais un moulage de première opération avec un surmoulage. A notre avis formel et sans réserve, les pièces que nous avons étudiées sont, nous le répétons, des moulages de mains vivantes.

« Nous nous sommes demandé si des mains de cadavres eussent pu, à la rigueur, être employées. Nous avons conclu par la négative. Les traces de contraction musculaire prouvent qu'il s'agissait de mains vivantes. Du reste, il y aurait eu impossibilité de sortir des mains de cadavres de moules tels que ceux-là, quel que fût l'artifice employé. »

3° Après avoir fait de nombreuses tentatives, qui ont complètement échoué, pour produire artificiellement, par les moyens les plus divers, des moules, et en particulier des gants de paraffine analogues à ceux qui leur avaient été soumis, les maîtres mouleurs précités ont déclaré :

« Nous concluons qu'il nous est impossible de comprendre comment les moules de paraffine du Dr Geley ont été obtenus. *C'est pour nous un pur mystère.* »

4° La position des doigts, dans certains moules, eût rendu à peu près impossible le retrait d'une main vivante quelle que fût l'épaisseur des parois de paraffine et quel que fût l'artifice employé. Or, les moules du Dr Geley sont excessivement minces.

5° Enfin, voici un argument décisif en faveur de l'origine métapsychique des moules. Le Dr Geley employa d'abord de la paraffine bleutée et les moules obtenus furent bleutés, ce qui, à son avis, était la preuve qu'ils avaient été fabriqués pendant les séances. Mais, au cours d'une conversation, je lui fis remarquer que cette preuve était insuffisante étant donné que le médium, après la première séance, qui avait été négative, connaissait la couleur de la paraffine et qu'il pouvait, dès lors, bien que ceci fût tout à fait improbable étant donné les considérations précédentes, préparer, à l'avance, des moules de paraffine bleutés. Aussi je lui suggérai d'ajouter secrètement du cholestérol, substance incolore, à la paraffine bleutée. Ce qu'il fit. En retrouvant ensuite du cholestérol dans les moules (il suffit de traiter un fragment de paraffine, renfermant du cholestérol, par l'acide sulfurique, qui est l'un des réactifs de cet alcool polycyclanique, et l'on obtient une coloration rouge), le Dr Geley eut la certitude que les moules étaient bien produits au cours des séances et non apportés, d'où leur origine paranormale.

Nous avions objecté naguère qu'il eût été prudent d'analyser des particules *internes* des moules et des particules externes afin de voir si la paraffine était bien homogène dans toute son épaisseur. Un résultat négatif eût en effet prouvé que les moules, préalablement préparés, n'avaient été que trempés, au cours des séances, dans la paraffine cholestérolinée.

Mais nous avons, très récemment, réduit notre propre objection à néant.

Voici, en effet, comment procédait le Dr Geley pour obtenir les moulages. Il coulait du plâtre dans les moules, puis, quand celui-ci était solidifié, plongeait le tout dans de l'eau très chaude. La paraffine fondait et il n'en restait plus, sur les moulages, qu'une mince pellicule transparente représentant la partie interne des moules.

Nous avons prélevé quelques fragments de cette pellicule et les avons traités par l'acide sulfurique. Une coloration rouge est apparue, indiquant incontestablement la présence de cholestérol. Les moules du Dr Geley ont donc bien été fabriqués pendant les séances et non apportés.

On peut enfin ajouter que, dans les expériences de Varsovie avec Kluski en avril-mai 1922, le Dr Geley et les autres expérimentateurs ont vu les mains paranormales opérer : « Elles étaient, dit Geley, éclairées par des points lumineux placés aux extrémités digitales. Elles se promenaient lentement devant nos yeux, plongeaient dans le baquet de paraffine, barbotaient une fraction de minute, en ressortaient, toujours lumineuses, puis, finalement, venaient déposer le moule, encore chaud, contre l'une de mes mains. »

Les expériences fondamentales du Dr Osty avec Rudi Schneider

Les expériences du Dr Osty avec le sujet métapsychique autrichien Rudi Schneider apparaîtront quelque peu ternes devant l'extraordinaire fantasmagorie présentée par les médiums que nous venons d'examiner. Elles sont néanmoins d'un intérêt considérable.

Dans les premières expériences faites « pour voir », c'est-à-dire réalisées pour permettre de connaître la nature des phénomènes à observer, et, aussi, pour créer le climat psychique favorable entre le médium et les assistants, Rudi Schneider, revêtu d'un pyjama muni de bandelettes phosphorescentes destinées à silhouetter la position de son corps, entrait dans le laboratoire en même temps que les expérimentateurs. Dès qu'il était assis, ses contrôleurs de droite et de gauche s'emparaient de lui. Tous les assistants faisaient « la chaîne » en se tenant la main. Le médium était placé *devant le cabinet noir* constitué simplement par un des angles du laboratoire fermé en avant par deux rideaux coulissant sur une tringle et tombant du plafond jusqu'à 10 cm du parquet. Les bords des rideaux étaient phosphorescents et leur extrémité inférieure portait des grelots.

En avant de ce cabinet médiumnique rudimentaire se trouvait une table de 40 cm de haut sur laquelle on avait disposé des objets simples destinés aux expériences télékinétiques : une sonnette, une fleur, un mouchoir plié. Une lampe électrique à verre rouge éclairait le tout.

Le médium tournait le dos à la table située à 1 m de lui. L'un des expérimentateurs lui tenait les poignets et emprisonnait ses jambes dans les siennes.

C'est dans ces conditions que, à la troisième séance du 15 octobre 1930, il se produisit deux télékinésies.

A 15 h 25, les expérimentateurs voient s'agiter les bords

lumineux des rideaux. Celui de droite se gonfle comme s'il contenait un corps arrondi. Il arrive jusqu'à la table qui se trouve repoussée vers les assistants d'une quinzaine de centimètres.

La table est remise à sa place primitive. Trente secondes plus tard, les deux premiers contrôleurs et le Dr Osty (particulièrement bien placé pour surveiller l'espace situé entre la table et les rideaux) voient sortir de dessous le rideau de droite, donc venant d'une direction contraire au sujet, une sorte de brouillard grisâtre assez épais, d'au moins 30 cm de large. Ils voient ensuite cette nappe s'avancer lentement vers le bord supérieur de la table et l'atteindre. A ce moment, la table, comme poussée par cette substance, glisse de 20 cm dans la direction des assistants. Le Dr Osty, penché sur le phénomène, constate que, dès que la table est immobile, la masse grisâtre devient invisible.

La séance était donc extrêmement intéressante, mais elle n'avait encore comme contrôle que le témoignage humain. Le médium devant quitter Paris pour se reposer, le Dr Osty en profita avec l'aide de son fils, l'ingénieur Marcel Osty, pour établir tout un dispositif expérimental de contrôle et d'enregistrement à rayons infrarouges.

Une table, à pied unique, fut fixée au sol par quatre vis devant et contre les rideaux du cabinet médiumnique.

A gauche de la table et à 1 m de distance furent disposés un émetteur de radiations infrarouges et un récepteur pourvu d'une cellule photo-conductrice particulièrement sensible aux rayons de longueur d'onde de 1 micron. Le faisceau d'infrarouge projeté, qui avait 10 cm^2 de section, était d'abord dirigé sur un miroir situé à droite de la table, puis renvoyé sur un miroir placé à gauche de celle-ci. Les rayons retournaient encore à droite sur un troisième miroir qui les dirigeait enfin sur le récepteur à cellule photo-électrique (voir fig. page 49).

On avait ainsi quatre faisceaux de lumière invisible au-dessus de la table. Un objet, placé sur son plateau, se trouvait dès lors littéralement encadré par l'infrarouge. Il est évident qu'un déplacement de l'objet, sa télékinésie par exemple, devait nécessairement produire une absorption partielle ou totale des rayons infrarouges.

Comme, d'autre part, la cellule photo-électrique était en relation avec un relais capable de provoquer la déflagration d'une cartouche de magnésium lorsque l'intensité du faisceau d'infrarouge diminuait de 30 % et que quatre appareils photographiques étaient braqués sur l'objet selon des angles différents, on pouvait espérer obtenir la photographie d'une télékinésie débutante.

Le 10 novembre 1930, à 22 h 35, la première séance a lieu avec ce dispositif expérimental. Rudi sait que l'on désire photographier un déplacement d'objet, en l'occurrence un mouchoir placé sur la table, mais il ignore totalement le procédé mis en œuvre pour atteindre ce but.

Par deux fois, l'éclair de magnésium jaillit, mais les photographies ne révèlent aucun déplacement du mouchoir, ni ne décèlent aucune substance au voisinage de celui-ci. L'hypothèse de travail qui s'impose est donc celle-ci : le médium émet une substance inactinique, insuffisante pour produire des télékinésies, mais capable d'occulter les rayons infrarouges.

Le lendemain, le Dr Osty décide d'en vérifier la justesse ou la fausseté. Il remplace le déflagrateur au magnésium par une sonnerie à trembleur que l'on pourrait entendre pendant toute la durée de l'occultation du faisceau d'infrarouge. D'autre part, le déclenchement des appareils photographiques est commandé par les expérimentateurs eux-mêmes. On constate alors que lorsque le sujet annonce : « la force va sur la table », la sonnette retentit. Quand le médium éloigne « la force » du meuble, le silence se rétablit. Enfin, l'éclair du magnésium interrompt tout phénomène ce qui confirme ce fait bien connu des métapsychistes, à savoir que la lumière blanche est contraire aux manifestations médiumniques de nature physique.

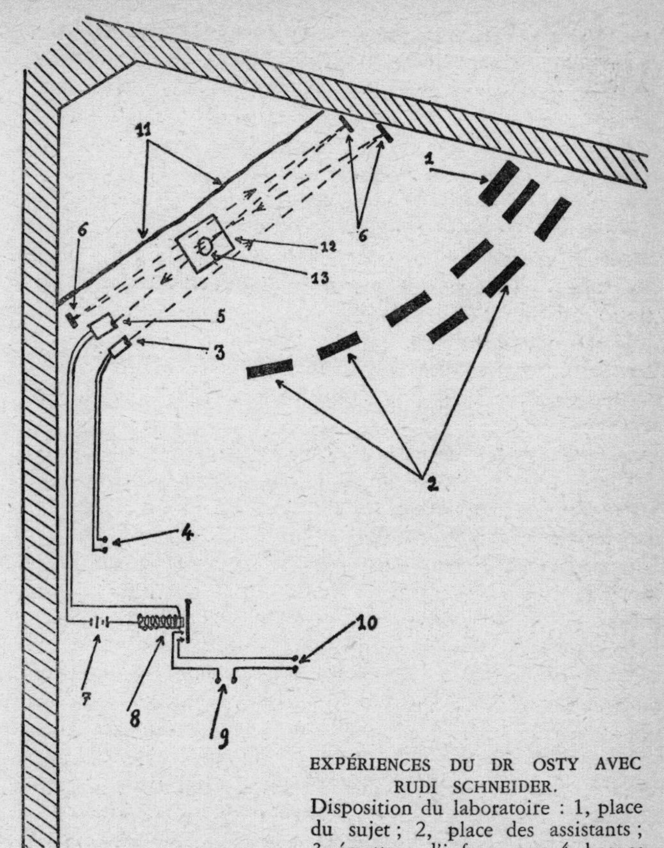

EXPÉRIENCES DU DR OSTY AVEC RUDI SCHNEIDER.

Disposition du laboratoire : 1, place du sujet ; 2, place des assistants ; 3, émetteur d'infrarouge ; 4, bornes du courant du réseau 110 volts alternatif ; 5, photocellule avec son relais ; 6, les trois miroirs plans ; 7, accumulateur de 4 volts ; 8, télérupteur ; 9, bornes du courant qui peut être de 110 volts alternatif ou de 4 volts continu ; 10, bornes auxquelles on peut mettre un déflagrateur de magnésium, une sonnette, une lampe témoin ou sonnette et lampe en série ; 11, rideaux du cabinet noir ; 12, table ; 13, objet donné à déplacer.

Le Dr Osty émet dès ce moment les conclusions suivantes qui, jusqu'alors, n'ont pas été infirmées, sinon par quelques théoriciens mal intentionnés ou par certains auteurs qui n'ont de la métapsychique qu'une connaissance purement livresque; en revanche, elles ont été corroborées par des expériences réalisées en Angleterre par lord Raylaigh :

1° Lorsque Rudi désire produire le déplacement d'un objet à distance par des moyens paranormaux, il projette vers cet objet une substance invisible qui absorbe de 0 à 75 % et peut-être même 100 % du rayonnement infrarouge utilisé.

2° Cette substance n'est pas opaque à la lumière blanche puisque la plaque photographique n'en fixe pas l'image.

3° Elle est sous la commande du psychisme du sujet qui en annonce les déplacements.

Poursuivant ses investigations, le Dr Osty constata, au cours de 77 séances consécutives, que la substance médiumnique, ou, plus exactement, la substance-énergie, n'est douée d'aucune conductibilité électrique, que son épaisseur, chez Rudi Schneider, ne doit pas dépasser 6 cm, qu'elle n'influence ni les hygromètres ultra-sensibles, ni les baromètres, ni les thermomètres, qu'elle varie d'intensité selon les jours, et, enfin, fait capital qui établit d'une façon absolue le lien étroit unissant un phénomène physiologique à un phénomène métapsychique, qu'elle est en perpétuelle modification et que ses oscillations, dans le faisceau d'infrarouge, présentent une fréquence double du cycle respiratoire c'est-à-dire une fréquence qui correspond au rythme des deux temps du travail musculaire de la respiration, inspiration, expiration. Notons au passage que, au cours des expériences, la fréquence respiratoire du médium passait de 12 ou 14 respirations à la minute, ce qui est un rythme normal, à une extraordinaire hyperpnée allant de 214 à 350 respirations à la minute. Les halètements du médium ont été enregistrés sur disque.

Le Dr Osty se disposait à étudier l'action des diverses

radiations lumineuses sur cette substance-énergie médiumnique qui, vraisemblablement, est à l'origine des télékinésies et des ectoplasmies, lorsque, malheureusement, sa maladie et sa mort prématurée mirent fin à ses travaux.

Néanmoins, répétons-le, tels qu'ils sont, leur importance est capitale et l'on ne saurait trop insister sur leur valeur et sur leur portée.

L'observation, en effet, dans une science expérimentale comme doit l'être la métapsychique, n'est pas en elle-même sa propre fin : par-delà la constatation et la description correcte du fait, elle vise un autre objet, à savoir une interprétation plus ou moins provisoire du fait, une idée anticipée, en un mot, une hypothèse permettant de substituer, à la simple observation, ce procédé autrement puissant et fécond qui se nomme l'expérimentation.

Or, exception faite des recherches de Crookes avec Home, des travaux de Morselli et de l'*Institut Général Psychologique* avec Eusapia, et, en une certaine mesure, des expériences de moulages ectoplasmiques du Dr Geley avec Kluski, il ne semble pas, en règle générale, qu'on ait, avant le Dr Osty, véritablement expérimenté en métapsychique physique.

On a fait plutôt des observations provoquées, c'est-à-dire des observations dans lesquelles l'opérateur intervenait sans doute plus ou moins activement pour susciter les phénomènes, mais à seule fin de les observer dans les meilleures conditions de contrôle et de précision.

En réalité, il n'y a véritable expérience que lorsqu'on se propose, en provoquant un phénomène, de vérifier une hypothèse.

Mais il ne s'agit nullement ici d'une hypothèse théorique générale, ayant pour but l'intégration et la coordination de tout un ensemble de constatations, telle que l'hypothèse de la courbure de l'espace en astronomie; il s'agit d'une hypothèse expérimentale spéciale et précise, portant sur la cause probable ou l'effet probable de tel phénomène déterminé et ayant pour objet, non d'expliquer des résultats nombreux, mais de diriger les recherches futures, destinée, par conséquent, à être immédiatement soumise au contrôle de l'expérience pour être soit vérifiée, soit contredite par elle.

Et, à ce point de vue, on peut dire qu'il y a deux sortes d'hypothèses, les unes inertes, en ce sens que, quelque satisfaction qu'elles puissent donner à l'esprit par leur simplicité, leur cohérence et leur vraisemblance, elles n'ouvrent aucune voie vers la recherche ou la découverte; les autres, que l'on peut qualifier d'agissantes, tendent au contraire à se traduire en expériences effectives. Or, ce sont précisément les hypothèses de ce genre que le Dr Osty avançait dans ses expériences avec Rudi Schneider. En règle générale, ce sont les plus fécondes et il convient, en métapsychique, de les substituer de plus en plus aux hypothèses théoriques et inertes dont nos études sont passablement encombrées.

Le déclin des grands phénomènes physiques paranormaux

En dehors des cas de hantise, qui se produisent encore à notre époque, nous assistons actuellement à un véritable déclin des grands phénomènes physiques de la médiumnité et même à leur disparition. Il n'existe, présentement, semble-t-il, de par le monde, aucun médium à effets physiques digne d'être retenu. Et, cependant, bien des chercheurs individuels et tous les groupements métapsychiques manifestent leur vif désir d'étudier expérimentalement les phénomènes médiumniques physiques.

La disparition de ces phénomènes tient sans doute, d'une part, à ce que les métapsychistes et les parapsychologues modernes sont plus exigeants que leurs prédécesseurs et qu'ils rejettent impitoyablement tous les faits suspects ou légèrement entachés de fraude, lesquels, naguère, eussent été vraisemblablement considérés comme réellement paranormaux.

Mais cette attitude quelque peu rigide a, d'autre part, pour conséquence d'éloigner des laboratoires métapsychiques et parapsychologiques ces « demi-médiums » qui, tout en fraudant le plus souvent, produisent quelquefois des phénomènes authentiquement paranormaux lorsqu'ils se trouvent dans des conditions expérimentales favorisantes. Il est en effet certain que, dans les « cercles psychiques », spirites ou autres, les facultés paranormales individuelles, latentes ou embryonnaires, se trouvent catalysées, renforcées par les volitions, les désirs et les croyances des assistants; aussi n'est-il pas rare de les voir se manifester, d'abord timidement, pour s'amplifier ensuite. En revanche, les métapsychistes ou les parapsychologues, avec leurs froids laboratoires, leurs appareils de contrôle, leurs méthodes scientifiques d'investigation, leur attitude neutre ou même hostile vis-à-vis des croyances spiritoïdes, incontestablement incitatrices de phénomènes, ne sont pas propres à créer l'ambiance favorable à l'éclosion et au développement des facultés paranormales psychodynamiques ou autres.

En effet, il ne faut pas perdre de vue ce point fondamental à savoir que l'on pourra bien, ainsi que le souligne C. de Vesme, trouver quelque « clairvoyant » qui s'est formé dans un milieu purement « métapsychiste » parce que, dans l'idée courante des métapsychistes, la clairvoyance n'a rien à voir avec les « esprits » et la doctrine spirite. Mais on peut affirmer que tous les médiums à effets physiques se sont formés et ont été développés dans les milieux mystiques et surtout spirites. Les métapsychistes non-spirites ou anti-spirites, qui sont parvenus à assister à des phénomènes médiumniques physiques remarquables, ont tous été des psychologues d'une grande finesse cachant, avec une adresse toujours alertée, leurs convictions non spirites. Tels ont été, par exemple, Lombroso (avant sa conversion au spiritisme), Charles Richet, Ochorowicz, Maxwell, Morselli, cependant glacial et sceptique, mais heureusement bien entouré. Schrenck-Notzing, un peu brutal lorsqu'il débuta dans l'étude de la métapsychique physique et pas toujours très équilibré dans ses jugements, avait cependant compris ce point essentiel « qu'il importe de ne pas contrecarrer les opinions des médiums sur les personnifications subconscientes auxquelles ils attribuent la nature d'esprits-guides, si l'on ne veut pas supprimer ainsi imprudemment la genèse même de leurs meilleurs et plus intéressants phénomènes ».

Aussi, dès que les médiums sortent des mains des spirites pour tomber dans celles des anti-spirites, on voit leurs facultés faiblir, parfois même disparaître définitivement. Cela peut paraître un peu difficile à expliquer si l'on applique à tous les cas la doctrine spirite, mais est logique et naturel si l'on admet l'hypothèse métapsychique ou animiste. Ce qui signifie que l'élément émotif joue un rôle essentiel dans les phénomènes physiques de la médiumnité et que le supprimer revient à supprimer les phénomènes eux-mêmes.

Les faux médiums, bien sûr, doivent être dénoncés et combattus. Mais, comme le dit justement de Vesme, « il est tout aussi difficile de parler de médiums authentiques et de faux médiums, qu'il est malaisé de parler d'honnêtes ou de malhonnêtes gens, de personnes bonnes ou mauvaises ». Il y a bien, aux deux extrémités opposées de l'humanité, quelques individus que l'on peut considérer provisoirement comme des saints et d'autres que l'on peut regarder comme des monstres. Mais ce sont là des exceptions. Dans leur ensemble les hommes sont capables, selon les heures et les circonstances, d'exprimer les plus généreux comme les plus médiocres et quelquefois les plus bas sentiments. Il y a quelque chose d'analogue en ce qui concerne les facultés paranormales des médiums.

De plus, la médiumnité physique, loin d'être encouragée,

est au contraire combattue. Et non pas seulement par ces « scientistes », dont les intentions peuvent être louables, mais aussi par certains milieux parapsychologiques où la négation des phénomènes physiques paranormaux est une attitude de bon ton, une politique qu'ils croient habile, une sorte de concession envers les soi-disant rationalistes qui, estiment-ils (en quoi ils se trompent), condescendront ainsi à envisager favorablement les phénomènes psychologiques paranormaux.

Comment s'étonner, dans ces conditions, que les médiums à effets physiques soient rares. S'il en existe encore actuellement (ce que quelques expérimentateurs tels que Marcel Petit n'hésitent pas à affirmer, preuves à l'appui, semble-t-il), ils se gardent bien de sortir de l'ombre.

Cependant, le déclin très réel des grands phénomènes métapsychiques résulte vraisemblablement d'autres causes plus générales que les précédentes.

Il semble, en effet, comme nous l'avons déjà indiqué, que les facultés *psi (psi-gamma et psi-kappa)* soient une sorte de « résidu » de l'évolution humaine, une fonction que l'on peut sans doute qualifier d' « archaïque ». Elles devaient appartenir à un domaine voisin de celui de l'instinct animal qui, on le sait, est souvent « merveilleux », si prodigieux même qu'on peut être parfois tenté de le qualifier de « métapsychique », ce qui signifie que les facultés *psi* devaient être, en quelque sorte, normales chez l'homme préhistorique, dont le langage imparfait ne permettait pas de communiquer commodément avec ses semblables ou pour qui il était utile de savoir qu'un homme hostile ou un animal dangereux rôdaient dans les environs, qu'un point d'eau, qu'un emplacement de chasse se trouvaient en tel ou tel endroit. Bref, les facultés *psi* devaient entrer en jeu chez notre lointain ancêtre quand son langage était encore rudimentaire ou lorsque sa vue ou son ouïe étaient impuissantes à le renseigner. Mais en même temps qu'il devenait l'*Homo faber*, que son intelligence et sa conscience se développaient, que son langage se perfectionnait, qu'il concentrait son attention sur la fabrication d'armes et d'instruments divers, ses facultés inconscientes passaient à l'arrière-plan et, de moins en moins sollicitées, régressaient.

En outre, et plus particulièrement à notre époque, à mesure que l'homme réalise, si l'on peut s'exprimer ainsi, son « métapsychisme latent » par des moyens normaux mécaniques et physiques, ses facultés paranormales entrent en sommeil, par suite d'une sorte d'équilibre compensateur, le besoin de merveilleux que nous avons en nous se trouvant alors satisfait.

Il est probable, par exemple, que l'invention de la T.S.F., en faisant sortir du mystère la transmission de la pensée, en plaçant ce phénomène sur le plan des réalités quotidiennes constamment vérifiables et auxquelles personne ne prête plus attention, a réduit et réduira de plus en plus les grands cas de télépathie spontanée.

De même, avec la découverte et l'extension de la télévision, nous n'observerons plus guère de « phantasms of the living » déjà bien rares aujourd'hui.

Enfin, la conquête de l'espace cosmique, qui permettra à l'homme d'affirmer sa puissance et, dans une certaine mesure, sa transcendance, car elle accroîtra d'une façon considérable son invincible évolution vers la suprématie du Monde, accentuera encore, croyons-nous, la décadence des grands phénomènes métapsychiques.

De sorte qu'il ne restera bientôt plus à l'homme, pour déclencher ses mécanismes paranormaux, que, d'un côté, l'esprit de lutte, de compétition, de jeu, qui s'exprime précisément en psychokinésie, et, d'autre part, certaines applications pratiques telles que la radiesthésie qui est généralement, surtout dans le cas de la radiesthésie sur plan, un aspect particulier de la connaissance paranormale.

Dans un autre ordre d'idées, si nous remarquons que, dans les cent dernières années, nous ne connaissons que quatre ou cinq médiums authentiques à effets physiques et que, dans les cent années précédentes, aucun ne s'est, semble-t-il, révélé, on peut être également conduit à penser que l'apparition des grands médiums est soumise à une sorte de rythme, probablement suscité lui-même par des cycles terrestres ou cosmiques. A moins que les combinaisons chromosomiales ou certaines mutations produisant le type « médium à effets physiques » soient d'une telle rareté qu'il faille attendre une centaine d'années pour qu'elles se réalisent. Si l'une ou l'autre hypothèse correspond au réel, elle permettrait d'expliquer l'absence actuelle de médiums à effets matériels, et, en même temps, nous donnerait l'espérance d'en voir réapparaître, un jour ou l'autre.

Mais comme ce moment n'est peut-être pas encore très proche, le mieux, pour avoir une opinion motivée sur les phénomènes physiques paranormaux, est de lire attentivement les comptes rendus sérieux, complets et circonstanciés des expériences auxquelles les sujets précités ont donné lieu. Après quoi, il semble difficile, croyons-nous, de douter de l'authenticité de leurs facultés métapsychiques et des extraordinaires phénomènes qu'ils produisaient. Ceux-ci portent en eux, de par leur nature même, une empreinte, une marque paranormale et ne sauraient être comparés aux phénomènes falsifiés que nous décrivons à la suite de leur exposé. Si nous nous en tenons par exemple à Eusapia, prétendre que, de 1884 à 1912, tous les phénomènes qu'elle a produits étaient dus à une libération de mains (laquelle était bien connue des expérimentateurs) et que ni le Pr Chiaïa, ni l'astronome Schiaparelli, ni le Pr Richet, ni le Pr Morselli, ni le Pr Darsonval, ni le physicien Branly, ni Bergson, ni des prestidigitateurs tels que Fielding, Bagallay, Carrington et Thurston n'ont été capables de démasquer cette supercherie élémentaire, est une évidente absurdité qui offusque la raison et qui ne mérite pas que l'on s'y arrête.

En fait, tous ceux qui avaient, *a priori*, douté des pouvoirs d'Eusapia : Morselli, Lombroso, Myers, Carrington entre autres, ont reconnu leur erreur après avoir expérimenté, et l'ont même proclamée en de solennelles déclarations.

Mécanisme probable des phénomènes physiques paranormaux

Il conviendrait maintenant, après avoir examiné les principaux phénomènes physiques paranormaux, de déterminer leur mécanisme probable ou possible. Mais, ici, nous avouerons immédiatement que toute théorie semble vaine et prématurée, et, du point de vue expérimental, inefficiente. Néanmoins, ces réserves faites, nous proposons les hypothèses suivantes.

La télékinésie et la lévitation du corps humain pourraient être produites par des formations ectoplasmiques issues du médium et se présentant soit sous la forme de tiges, soit sous l'aspect de fils, soit sous l'apparence de leviers prenant appui sur le médium ou sur le sol. Dans cette théorie mécanique la pesanteur ne serait pas supprimée, mais serait équilibrée par une force égale dirigée de bas en haut et ayant un substratum matériel.

Cette hypothèse semble corroborée par un certain nombre de faits. Ainsi, beaucoup d'observateurs ont signalé que du dos ou des flancs d'Eusapia s'extériorisaient des formations fluidiques qui déplaçaient les objets et dont la forme était appropriée à l'effet à obtenir. De même, Stanislawa Tomczyk produisait, d'après le Dr Ochorowicz, des « rayons rigides » qu'il aurait photographiés et même radiographiés et qui permettaient au médium de soulever ou de déplacer de petits objets. Les photographies de ces « rayons » ou de ces « fils » indiquent qu'ils étaient discontinus et qu'ils présentaient des stries inclinées comme s'ils avaient été engendrés par un fluide en mouvement hélicoïdal. De son côté, et ainsi que nous l'avons noté, le Dr Osty a vu, au cours d'une séance avec Rudi Schneider, une sorte de brouillard grisâtre assez épais atteindre une table et la faire glisser sur le parquet. De plus, ses expériences à l'infrarouge avec le même médium montrent que celui-ci émettait une modalité substantielle de l'énergie lorsqu'il cherchait à réaliser une télékinésie.

Mais il ne semble pas que ce mécanisme, étroitement lié à la notion d'ectoplasmie, soit le seul à envisager dans les phénomènes télékinétiques. Il ne permet pas, en effet, d'interpréter les déplacements d'objets placés dans un espace matériellement inaccessible, sous une cloche de verre par exemple, d'où la nécessité d'avoir recours à une autre hypothèse.

Nous savons maintenant que le champ nucléaire, le champ électromagnétique, le champ des interactions faibles de Fermi et le champ gravitationnel ne sont que des cas particuliers d'un champ unitaire.

Or, la notion classique de champ, et tout spécialement celle de champ nucléaire et de champ électromagnétique, étant associée à celle de particule, il était logique de penser que le champ de la gravitation n'échappait pas à la règle.

De plus, des développements mathématiques ont montré que si le champ de Fermi (dont l'antiparité a été mise en évidence par les jeunes chercheurs chinois Lee et Yang de l'*Université de Columbia)* possédait un certain nombre de caractères différents du champ de la pesanteur, il présentait néanmoins avec lui quelque parenté. Comme, d'autre part, le neutrino est associé d'une façon indubitable aux manifestations du champ de Fermi, cette particule ou une particule très analogue, que l'on désigne sous le nom de graviton, apparut *ipso facto* comme étant liée au champ gravitationnel.

Cette étrange entité, dénuée de charge et ayant au repos une masse égale à zéro, traverse la matière avec la plus grande facilité. Pour l'arrêter, il faudrait une épaisseur de plomb de 2 000 années-lumière.

Ses extraordinaires propriétés peuvent en faire l'intermédiaire entre la matière, la vie et la pensée et l'on peut imaginer, grâce à elle, des interactions entre ces trois grandes modalités de l'Univers. Il n'est pas impossible, en particulier, qu'un effet antigravitationnel, ou même antimassique, soit par son truchement, à la base des télékinésies, des lévitations et de la psychokinésie. Peut-être joue-t-elle aussi un rôle dans la production des raps.

Au surplus, si l'on considère, à la lumière des connaissances électroniques modernes, qu'il est une région où l'on ne peut plus tracer une ligne de démarcation entre l'énergie et la matière parce qu'elles se fondent imperceptiblement l'une dans l'autre, il apparaît que la barrière, qui semble séparer irréductiblement le matériel de l'immatériel, le visible de l'invisible, est en réalité factice.

L'étonnante fantasmagorie présentée par les ectoplasmies est-elle également susceptible de recevoir une explication atomistique?

On peut dire que tout se passe dans ces faits comme s'il y avait modelage de la matière par la pensée. Le médium vivrait une sorte de rêve, mais ses phantasmes, au lieu de demeurer subjectifs, s'objectiveraient, se matérialiseraient, les éléments substantiels étant empruntés à lui-même ou à l'ambiance. Le phénomène ne serait pas sans présenter quelque analogie avec le mimétisme où l'animal extériorise sur lui-même sa représentation du monde. Le processus pourrait être le suivant : une certaine quantité de matière serait dissociée en ses éléments corpusculaires, électrons, protons, neutrons et autres particules élémentaires, puis organisée en apparences phénoménales simulant des mains, des membres, des êtres complets.

Cette hypothèse, sans doute, se heurte à bien des difficultés et nous ne la proposons qu'avec la plus extrême réserve. Si nous l'acceptons, il faut supposer que l'énergie médiumnique de désintégration est du même ordre de grandeur que l'énergie mise en jeu dans les plus puissants cyclotrons ou dans le rayonnement cosmique et que la pensée possède, en dehors du corps, un surprenant pouvoir d'organisation. Où le médium emprunte-t-il cette énergie, comment agit la pensée en dehors de l'organisme? Voilà autant de questions auxquelles il est difficile de répondre.

A moins d'admettre, ce qui, au reste, est hautement vraisemblable, que l'esprit est l'ultime réalité du Monde et qu'il est, de ce fait, capable de maîtriser l'énergie et la matière.

C'est ce que Virgile avait d'ailleurs affirmé, bien longtemps avant nous, en ces vers admirables :

Principio cœlum ac terras camposque liquentes
Lucentemque globum Lunæ Titianiaque astra
Spiritus intus alit, totamque infusa per artus
Mens agitat molem, et magno se corpore miscet

Que l'on peut traduire comme suit :

Et d'abord le ciel, la terre, les plaines liquides, le globe lumineux de la lune, l'astre titanique du soleil sont pénétrés et vivifiés par un principe spirituel répandu dans les membres du monde.

L'esprit en fait mouvoir la masse entière et transforme, en s'y mêlant, ce vaste corps.

En tout cas, quelle que soit la théorie envisagée, les phénomènes physiques paranormaux, comme d'ailleurs la plupart des phénomènes étudiés par la métapsychique, doivent nous inciter à accepter les choses comme elles sont et non comme nous voudrions qu'elles fussent et à penser qu'il est raisonnable de vouloir adapter notre intelligence à l'Univers et ridicule et vain de prétendre adapter l'Univers à notre entendement.

2

ECTOPLASMIE SIMULÉE

Ectoplasmie truquée

Pour décrire une séance d'ectoplasmie truquée, nous n'avons que l'embarras du choix. Il suffit de puiser à pleines mains dans les ouvrages ou dans les revues « psychiques » pour recueillir immanquablement des récits de séances frauduleuses souvent présentées d'ailleurs sous le signe du paranormal.

Lisons, par exemple, quelques extraits du compte rendu d'une des nombreuses séances tenues à Paris avec le « médium » américain Miller en présence de personnalités favorablement connues du monde psychique telles que Mmes Bénézech, Letort, Noeggerath, Priet (Veuve Marchand) et MM. Bénézech, Blech, Darget, Delanne, Léon Denis, Gaston Méry, Pablo, de Vesme et le commandant Mantin.

Passons sur les préliminaires de l'expérience sans omettre toutefois la déclaration de M. Gaston Méry :

« Nous avons pris le médium au bas de l'escalier et conduit jusqu'à la salle des séances; nous l'avons déshabillé complètement, pantalon, chaussures, chaussettes et chemise. Après avoir été examiné, il a revêtu d'autres vêtements noirs, sans doublures ni poches, que nous avions apportés et vérifiés au préalable... Nous sommes restés à la porte du cabinet médiumnique, empêchant toute communication, interdisant même aux personnes qui venaient serrer la main du médium, de le faire. »

L'expérience se déroule ensuite, et, malgré un contrôle qui semble avoir été strict et sérieux, les apparitions ectoplasmiques défilent :

1° Une première apparition se présente; la forme s'avance et dit en anglais : « Bonsoir! Effie Deane. Peut-on me voir? »

— *Les assistants* : « Très bien. »

M. Delanne dit qu'il a très bien distingué les traits de la figure, le voile blanc, et que le médium n'avait pourtant sur lui aucun fil blanc.

2° M. Léon Denis annonce que le rideau se gonfle; une grosse boule blanchâtre descend en flottant de droite à gauche, bien en avant du cabinet, en face de M. Léon Denis et du commandant Mantin; elle descend devant ce dernier jusqu'à terre, elle augmente, mais ce n'est pourtant pas encore consistant. Tout-à-coup une forme se précise et commence à remuer les bras.

— *M. Pablo* : « Qui est là? »

— *L'apparition* : « Mme Laffineur. Bonsoir tout le monde, bonsoir chers amis, je suis contente de vous voir tous, vous Gabriel, vous commandant, et vous, monsieur de Vesme; m'avez-vous reconnue? »

— *M. de Vesme* : « Non. »

— *L'apparition* : « Vous vous rappelez de moi, monsieur Letort et madame Letort? Madame Noeggerath et votre fille, vous ne m'avez pas connue! »

Elle s'effondre en disant : « Bonsoir madame Lamoureux! »

Il n'y a plus qu'une petite masse blanche à terre et l'on entend encore : « Bonsoir! ».

3° Une autre apparition sort du cabinet. On voit distinctement un bras.

— *M. Pablo* : « Qui êtes-vous? »

— *L'apparition* (en anglais) : « Lily Roberts. Me voyez-vous? Bonsoir! »

Elle élève un bras qu'on distingue très bien. Elle marche de droite à gauche.

« Bonsoir! »

Elle va près de M. Léon Denis, lui demande la main qu'elle pose sur sa poitrine.

— *M. Léon Denis* : « Qu'elle est belle! J'ai très bien senti qu'elle me prenait la main et qu'elle l'a mise sur son sein. J'ai senti la chair chaude et moite et la forme du sein. C'est merveilleux! Merci, cher Esprit. »

Elle va près du commandant Mantin, lui prend aussi la main et la met également sur sa poitrine. Le commandant dit qu'il a très bien senti les seins de l'apparition.

Elle va ensuite près de M. Delanne et en fait autant. M. Delanne dit que c'était évidemment une jeune femme dont la main était très délicate, et il a senti le bout du sein du revers de sa main et l'attouchement a été fait avec une réserve et une dignité qu'il tient à signaler.

4° Une autre forme apparaît en disant (en anglais) : « Joséphine Case. Bonsoir tout le monde! Est-ce que tout le monde peut me voir? »

— *Les assistants* : « Oui! »

Elle marche et l'on entend parfaitement bien le parquet crier sous ses pas.

La forme disparaît en soulevant le rideau, etc., etc.

Ainsi se succèdent treize apparitions; soit, en plus des formes ectoplasmiques précédentes : Monroc, Pierre Priet, Marie Bossel et Angèle Marchand qui sont vues toutes deux en même temps; dans cette dernière forme, Mme Priet reconnaît sa fille. Ensuite, viennent le Dr Benton, la mère de Mme Noeggerath, Louise Michel, M. Betzy, enfin une petite fille : Lullu.

Et toute cette fantasmagorie était truquée ainsi que le reconnurent, par la suite, et cela à leur honneur,

MM. Delanne et Léon Denis, qui furent naguère les deux chefs incontestés du mouvement spirite français.

On est en droit de s'étonner que des assistants puissent, en ces séances truquées, reconnaître parmi les fantômes un parent ou un ami décédés. Ici, c'est Mme Priet qui identifie sa fille dans une formation ectoplasmique. Ailleurs, dans une séance Eldred, également truquée, c'est Mme Bosset qui reconnaît sa mère et Mme Letort qui retrouve sa vieille nourrice et son enfant. A une autre séance du même médium, le contre-amiral W. Usborne Moore voit, dans une des matérialisations, l'une de ses proches parentes morte récemment. On pourrait multiplier les exemples.

En fait, ces gens sont des « imaginatifs-interprétants ». Ils incorporent leurs propres éléments mnésiques à la figure plus ou moins floue de l'apparition et construisent ainsi une image, qui, selon les cas, sera tel ou tel parent ou ami disparus.

Le peu de crédit que l'on doit accorder à leur témoignage apparaîtra immédiatement à la suite d'effarantes et cocasses observations analogues à celle-ci :

A une séance Craddock, une forme s'avance vers une dame qui, s'adressant à son mari, s'écrie : « Regardez, voici votre père! » Le mari répond : « C'est bien lui! » Puis, se reprenant, dit : « Non, c'est ma mère! »

Après une telle observation, on peut évidemment tirer l'échelle.

Les faux médiums présentent aussi de l'ectoplasme amorphe. Telle est la « spécialité » du médium danois E.N. qui, à l'heure où nous écrivons, en fabrique toujours.

Voici, résumé, le compte rendu de la séance du 24 février 1922 faite à Christiana.

Le médium est d'abord minutieusement contrôlé. Les Drs H. et B. saisissent ses mains. Paumes en dessus, on étend ses bras horizontalement. Dans cette position, E. N. est examiné par le Dr W. Rien dans les cheveux. Le nez est visité au spéculum et à la lumière reflétée, dans son entière longueur, jusqu'à la paroi du pharynx postérieur. Le médium fait des appels d'air en obturant alternativement l'une et l'autre narine. Le passage est libre. La bouche, la gorge sont contrôlées avec une attention spéciale pour les régions sous-linguales et l'espace compris entre les dents et les joues. Pour les dents, on vérifie qu'il n'en manque aucune. Les « passages » de l'oreille ne sont pas négligés. Nulle part, rien de suspect n'est décelé. On passe ensuite à l'exploration systématique du corps, notamment des aisselles, *rima inter nates* et anus. L'enquête, *per rectum* n'a pas lieu. On inspecte les pieds, entre chaque orteil.

Ensuite, E. N., revêtu d'un « costume de séance » constitué par un tricot étroitement assujetti et par un masque de gaze, est conduit dans le cabinet médiumnique.

Le premier phénomène est enregistré à 9 h 15. Le médium ouvre le rideau du cabinet médiumnique. Une « bavette » gris-blanc, grande comme une paume de main moyenne, pend devant la poitrine, mais entre cette dernière et le voile-cage. Le rideau est refermé, rouvert et refermé plusieurs fois sans que l'on n'observe plus rien. Une nouvelle production apparaît sous la forme d'une écharpe qui tombe des épaules de E. N. et atteint jusqu'à la naissance des cuisses. Le rideau se ferme, est rouvert, et toutes les personnes présentes peuvent voir une longue forme — *langagtig figur* — étendue jusqu'aux genoux du médium où elle semble s'achever en une sorte de crosse épaisse. La partie supérieure paraît s'insérer entre le tissu du voile-cage et la poitrine. Enfin, une troisième production montre le haut du visage d'E. N., au-dessus du masque — *médiets overansigt ovenfor masken* — recouvert d'un voile à travers lequel les traits peuvent être discernés. Immédiatement après, cette masse s'abaisse et recouvre une partie du voile-cage.

Ici encore, tout était truqué.

Après ces deux exemples de séances frauduleuses, voyons

maintenant comment les pseudo-médiums produisent l'ectoplasme amorphe et l'ectoplasme organisé.

Le procédé le plus habituellement employé pour faire apparaître une formation ectoplasmique amorphe ou un fantôme est le suivant : le médium, qui est souvent une femme, a caché sous ses vêtements ou dans l'une de ses cavités naturelles quelques accessoires indispensables occupant un petit volume : mousseline légère, masques de caoutchouc, gravures ou dessins plus ou moins retouchés, etc., et profite de l'obscurité pour produire des apparitions.

L'ectoplasme amorphe peut être aisément dissimulé dans un faux doigt, accessoire bien connu des prestidigitateurs. Le faux doigt est rempli de gaze fine et glissé dans la ceinture ou entre les cuisses au moment de la prise des mains par les contrôleurs. L'extrémité de la gaze, parfois munie d'un fil, est alors saisie entre les dents, attirée en dehors du doigt et le tissu est déployé. La gaze peut être ensuite avalée sans inconvénient majeur, ce qui réalise la « résorption » de l'ectoplasme. Certaines figures de l'ouvrage de Mme Bisson, *Les phénomènes dits de Matérialisation,* illustrent le procédé. Sur l'une d'elles on voit nettement la gaze attirée à l'aide d'un fil. Ici, il n'est d'ailleurs pas certain que le médium se soit servi du faux doigt et je pense à une autre cachette aussi sûre et strictement féminine.

Chez les sujets régurgitateurs, l'estomac peut servir de cachette. C'est ainsi que Mrs Duncan abritait dans son estomac une quantité prodigieuse d'objets : plusieurs mètres de gaze légère, des gravures, des photographies, des gants de caoutchouc, etc., et, ensuite, au cours de sa pseudo-transe, régurgitait le tout avec une facilité extraordinaire. On sait que la faculté de régurgiter est utilisée par les avaleurs de grenouilles. Nous en avons vu avaler successivement quelques litres d'eau, une demi-douzaine de grenouilles vivantes, des poissons rouges également vivants, puis restituer eau et animaux sans effort apparent. Le Russe Roginsky, qui se produisit naguère dans un cirque parisien et qui fut étudié par les Drs Paul Farez et Charlier, avalait un billet de 20 fr, un de 50 fr et un de 100 fr pliés et enfermés chacun dans une pochette de caoutchouc. Ensuite, il déglutissait par-dessus les billets une ou deux douzaines de noisettes non débarrassées de leur coque. Cela fait, il ramenait l'un des trois billets qu'on lui désignait, ensuite un second également désigné, et, enfin, le troisième; les noisettes revenaient également, au gré des spectateurs, soit avant soit après les billets. Puis, Roginsky buvait plusieurs verres de pétrole et projetait le liquide en un jet violent après l'avoir enflammé.

L'examen radioscopique des sujets régurgitateurs a montré que le retour des liquides s'effectue par le simple effet des contractions des muscles abdominaux. Le renvoi des solides a lieu, en revanche, en deux temps : les contractions abdominales projettent l'objet dans l'œsophage, puis le cardia se ferme et le corps régurgité remonte sous l'influence des mouvements antipéristaltiques œsophagiens. La nature de l'objet renvoyé peut être connue d'après le degré de résistance opposée par le cardia et selon la sensation procurée à la partie inférieure de l'œsophage.

Eva C., qui produisait généralement des matérialisations plates dans lesquelles on pouvait reconnaître aisément des images de magazines grossièrement retouchées (ces « matérialisations » apparaissaient froissées, mal dépliées, éclairées à contresens, et, pour quelques-unes d'entre elles, l'examen stéréoscopique ne laisse aucun doute sur leur origine frauduleuse), était vraisemblablement un médium régurgitateur. Au surplus, il est probable que ce médium usait de cachettes variées ainsi que l'ont démontré certains débris épithéliaux d'origine non douteuse recueillis par un expérimentateur avisé.

Sans vouloir refaire ici le procès des matérialisations du médium de Mmes Noël et Bisson, ce qui exigerait de trop longs développements, disons qu'il est clair, pour tout métapsychiste impartial et sensé, que, depuis le fameux et grotesque Bien-Boa jusqu'aux innombrables matérialisations plates présentées par Eva, la plus grande partie des phénomènes produits n'était que truquage grossier. Il est même stupéfiant que des hommes de science se soient laissé mystifier par la jeune fille et aient si aisément confondu le faux et le vrai. Nous disons bien le vrai car il faut reconnaître qu'Eva possédait probablement de réelles facultés médiumniques. La preuve en a été administrée, d'une manière assez convaincante, croyons-nous, par C. de Vesme, M. Sage et M. Jeanson, observateurs froids et vigilants, et, de plus, peu susceptibles de mansuétude envers les médiums à effets physiques (voir : *Béraud Marthe* dans les notices biographiques).

Comme Eva C., Linda Cazzera, étudiée par le Dr Imoda, présentait des matérialisations plates, éclairées à contre-jour.

Certains pseudo-médiums utilisent une autre cachette aussi imprévue que l'estomac. Ainsi, E. N. cachait parfois dans son rectum ses voiles ectoplasmiques puis les avalait après les avoir produits. Laslo employait couramment ce procédé. Signalons que c'est également dans leur intestin que les forçats dissimulent le « plan », petit tube métallique contenant lime, scie à métaux, etc. Le tube, introduit dans le rectum, chemine jusqu'au côlon transverse grâce à des mouvements volontaires antipéristaltiques.

Mrs Williams dissimulait sous sa robe ses fausses barbes, ses masques et ses voiles. Elle faisait apparaître simultanément plusieurs fantômes : elle-même déguisée en apparition et deux mannequins tenus dans chaque main. Excellente ventriloque, elle faisait parler ses apparitions. Son démasquage, par Paul Leymarie, fut retentissant.

Miller procédait d'une façon analogue.

Eldred cachait ses accessoires, mannequin pliable, masques, soie blanche, drap noir très fin, barbes, perruques, lampe électrique pour les éclairs, bouteille de parfum, épingles, etc., dans le dossier d'une chaise aménagée à cet effet.

« Un charlatan émérite, écrit D.-D. Home, dans *Les Lumières et les Ombres du Spiritualisme*, avait une autre façon d'opérer. En entrant dans le local des séances, il demandait tout d'abord à voir le cabinet, qui contenait le plus souvent une chaise ou un divan, s'asseyait, entamait une conversation quelconque, puis, cependant qu'il esquissait un geste de la main droite afin de diriger les regards dans une direction déterminée, il cachait furtivement, derrière le siège, un petit paquet, contenant sa robe éthérée. Cela fait, on pouvait le fouiller à loisir; il s'y prêtait d'autant plus volontiers que son travestissement était resté dans le cabinet. »

Très souvent aussi, les accessoires sont apportés par un compère (épouse, mari, ami, imprésario, etc.) qui les passe au médium au moment opportun, et, bien entendu, après le contrôle de celui-ci. C'est ainsi que Mme Craddock dissimulait sur elle tous les accessoires servant aux transformations de son mari. De même, Laslo employait souvent un compère qui introduisait sous la housse du fauteuil médiumnique différents objets : gaze, ouate, dessins, gants de caoutchouc, etc. D'ailleurs, comme le note excellemment le Dr de Schrenck-Notzing, Laslo utilisait pour tromper différentes méthodes qu'il variait suivant les détails de son programme. Il est, en effet, de bonne psychologie, en illusionnisme, de produire des résultats analogues avec des moyens différents. Le spectateur se trouve de ce fait dérouté. Aussi, indépendamment du compère, le médium précité employait tantôt un doigt de caoutchouc rempli de gaze ou d'ouate et enfoncé si profondément dans le rectum qu'il échappait à l'examen anal, tantôt, dans d'autres circonstances, ses souliers, sa bouche, des chaises, les rideaux comme lieux de dissimulation, et, enfin, comble d'ironie, la poche des expérimentateurs. En ce cas, voici comment il opérait : il arrivait dans la salle de déshabillage avec son matériel ectoplasmique souvent constitué de moignons d'ouate enduits de graisse d'oie, et, pendant qu'il se dévêtait, il le déposait dans les poches des médecins qui l'examinaient nu. L'examen fini, il reprenait tranquillement ses accessoires et les cachait d'abord dans sa bouche puis dans les vêtements qu'on lui avait fait endosser et qui étaient fournis par les expérimentateurs. C'était là de l'excellente et audacieuse prestidigitation.

Quoi qu'il en soit, l'emploi toujours possible de compères montre que, dans les séances à effets physiques, il est indispensable de contrôler sérieusement les personnes qui accompagnent le médium, et, le mieux, quand on le peut, est évidemment d'expérimenter avec le médium seul.

Bien entendu, les expériences où le contrôle est impossible n'ont aucune valeur. L'aventure du médium Blaise de Mantes l'a surabondamment prouvé. Ce médium produisait d'extraordinaires matérialisations dans un cercle formé de gens convaincus et où tout contrôle était absolument interdit. Le métapsychiste Charles Quartier, de l'I.M.I., et le journaliste J. Masson, passant outre, démasquèrent facilement le pseudo-médium dans une séance mémorable, tragicomique, où les deux amis de la vérité furent houspillés d'importance par les habitués du cercle, furieux de voir leurs rêves s'écrouler.

Pareille mésaventure arriverait, sans doute, aux médiums qui sévissent actuellement dans un certain groupe spirite parisien (où le moindre contrôle est également défendu) si un observateur courageux saisissait une apparition au collet et inondait de lumière la salle où les fantômes évoluent. Mais, ici encore, il est probable que les dupés satisfaits feraient passer un mauvais quart d'heure à qui tenterait de détruire leurs illusions.

La matérialisation et la dématérialisation instantanées d'un fantôme peuvent se faire à l'aide d'un voile noir ou de la lampe à phosphore.

Le médium, déguisé en fantôme et recouvert d'un voile

noir léger, sort du cabinet médiumnique et se place devant les assistants. Dans une obscurité quasi totale ou à la lumière rouge très faible, il est absolument invisible. Brusquement, il arrache son voile et apparaît aussitôt. Sa disparition a lieu par la manœuvre inverse : en se revêtant du voile noir, il s'évanouit. Ce principe est utilisé dans les séances d'illusionnisme dites de « Magie Noire ».

L'emploi d'une lampe à phosphore permet d'obtenir un résultat analogue et peut-être même plus spectaculaire. La lampe, qui est ovoïde et de la grosseur d'un œuf, est cachée sous le grand voile blanc qui recouvre le médium. En ouvrant la lampe, elle s'illumine et l'apparition devient visible; en la fermant le fantôme disparaît. De plus, la lampe, tenue dans le creux de la main, permet d'éclairer le visage d'une belle lueur bleuâtre spectrale.

Si le médium désire produire une matérialisation se formant progressivement, il enveloppe préalablement sa lampe à phosphore d'une vingtaine de tours de gaze légère, et, en déroulant lentement l'étoffe, il donne l'illusion d'un esprit qui se matérialise peu à peu. Un point légèrement lumineux apparaît, grandit, augmente d'intensité, puis le médium, travesti en fantôme, devient visible. A mesure qu'une main déploie le rouleau de gaze l'autre main l'enroule en une sorte de turban autour de la tête.

En ce qui concerne les apparitions fantomatiques humaines ou humanoïdes obtenues à l'aide d'un mannequin, il peut sembler difficile de faire accepter un objet inerte pour un fantôme. Il n'en est rien, grâce au subterfuge suivant. En certaines séances, le médium se fait voir en même temps que le mannequin qu'il tient à la main. Les expérimentateurs ont alors la certitude que médium et fantôme sont deux êtres distincts; en revanche, ils peuvent avoir des doutes sur la « vitalité » du spectre. En d'autres séances, le médium revêtu de l'accoutrement de l'apparition paraît seul (et pour cause) : celle-ci est alors parfaitement « matérialisée », quitte le cabinet médiumnique, converse avec les assistants, distribue des apports, etc. Les expérimentateurs ont maintenant l'assurance que le fantôme a tous les attributs de la vie. Les deux notions, indépendance et vitalité du fantôme, acquises séparément, finissent, au bout d'un certain temps, par se confondre en une seule dans l'esprit des expérimentateurs. D'ailleurs, au cours de la même séance, le médium peut employer successivement les deux procédés. Ainsi, avec Miller, on voyait parfois une boule blanchâtre et vaguement luminescente apparaître sur le plancher, puis un fantôme se former progressivement, semblant surgir du parquet. Ensuite, le fantôme se déplaçait et conversait avec les assistants. Le prodige s'accomplissait vraisemblablement ainsi : Miller jetait, en avant du cabinet, un morceau de tulle phosphorescent roulé en boule, le développait doucement dans le sens de la hauteur soit à l'aide de la main, soit au moyen d'une baguette, puis se substituait enfin à l'apparition en disposant le voile sur ses épaules. Le fantôme présentait alors tous les attributs de la vie.

En d'autres cas, le médium simule l'apparition et dispose habilement ses vêtements sur sa chaise, et, s'il y a lieu, les bandelettes luminescentes destinées à repérer sa position de façon à laisser croire qu'il est resté en place; il peut aussi, à cet effet, employer une sorte de mannequin de soie et de caoutchouc qu'il gonfle en une minute et recouvre d'une jupe et d'un châle. Mais ces trucs peuvent être découverts à la longue, aussi profite-t-il de la première circonstance favorable pour faire jouer à un complice le rôle de fantôme cependant que lui-même se montre ostensiblement. C'est ainsi, croyons-nous, que procédait Florence Cook dans ses expériences avec William Crookes.

Après avoir lu attentivement la plupart des récits des apparitions de Katie King, nous sommes en effet arrivé à cette conviction que, dans certains cas, Katie n'était autre que Florence Cook affublée en fantôme et que, dans d'autres cas, une complice figurait l'apparition.

Notons d'abord que les comptes rendus de W. Crookes sont peu précis. On ne sait jamais exactement où se passent les expériences ni quels sont les assistants. Ainsi, après avoir parlé de séances réalisées dans sa bibliothèque, W. Crookes écrit sans transition : « Je passe maintenant à la séance tenue hier soir à Hackney. » Le lecteur non averti ne prête guère attention à ce changement de lieu. Or, Hackney était la résidence de Miss Cook. Les conditions dans lesquelles se déroulèrent les expériences se trouvèrent donc radicalement changées.

En tout cas, nous remarquons que, chez lui (sauf exception?), l'illustre physicien n'a jamais pu voir en même temps le médium et le fantôme.

« En retournant à mon poste d'observation, écrit W. Crookes, Katie apparut de nouveau et dit qu'elle pensait qu'elle pourrait se montrer à moi en même temps que son médium. Le gaz fut baissé et elle me demanda ma lampe à phosphore. Après s'être montrée à sa lueur pendant quelques secondes, elle me la remit dans les mains en disant : « Maintenant, entrez, et venez voir mon médium. » Je la suivis de près dans ma bibliothèque, et, à la lueur de ma lampe, je vis Miss Cook reposant sur le sofa exactement comme je l'y avais laissée. Je regardai autour de moi pour voir Katie, mais elle avait disparu. Je l'appelai, mais ne reçus pas de réponse.

« Je repris ma place et Katie réapparut bientôt et me dit que, tout le temps, elle avait été debout près de Miss Cook. Elle demanda alors si elle ne pourrait pas elle-même essayer une expérience, et, prenant de mes mains la lampe à phosphore, elle passa derrière le rideau, me priant de ne pas regarder dans le cabinet pour le moment. Au bout de quelques minutes, elle me rendit la lampe en me disant qu'elle n'avait pas pu réussir. »

Il est inutile de souligner le caractère suspect de la requête faite par Katie. Sans doute, W. Crookes ajoute plus loin : « Mon fils aîné, un garçon de quatorze ans, qui était assis en face de moi dans une position telle qu'il pouvait voir derrière le rideau, me dit qu'il avait vu distinctement la lampe à phosphore paraissant flotter dans l'espace au-dessus de Miss Cook et l'éclairer pendant qu'elle était étendue sans mouvement sur le sofa, mais qu'il n'avait pu voir personne tenir la lampe. »

Mais, outre que ce fait ne prouve rien, le médium allongé pouvant fort bien tenir la lampe à phosphore à bout de bras cependant que le bras demeurait invisible dans l'obscurité, quel crédit peut-on raisonnablement accorder aux observations d'un enfant de quatorze ans?

En revanche, à deux séances, dont l'une fut celle des adieux, tenue le 21 mai 1874, W. Crookes vit simultanément le médium et Katie, mais, et ce mais est terriblement gênant pour les défenseurs de l'authenticité des apparitions, *ces deux séances eurent lieu chez Miss Cook en présence de plusieurs membres de sa famille.* Le cabinet à matérialisations était la propre chambre à coucher du médium et les assistants furent invités par Miss Cook elle-même. Il est évident que dans ces conditions expérimentales déplorables une tierce personne pouvait facilement simuler le fantôme.

D'autre part, il est à remarquer que Miss Cook craignait fort la présence d'expérimentateurs perspicaces et exigeants :

« Elle m'interrogeait souvent, écrit W. Crookes, au sujet des personnes présentes aux séances et sur la manière dont elles seraient placées, car, dans les derniers temps, elle était devenue très nerveuse à la suite de certaines suggestions malavisées qui conseillaient d'employer la force pour aider à des modes de recherches plus scientifiques. »

On comprend mal cette crainte dans le cas de phénomènes authentiquement paranormaux; en revanche, elle s'explique fort bien si l'on admet qu'ils étaient simulés.

Enfin, argument important, sinon décisif, Miss Cook, devenue plus tard Mrs veuve Corner, fut prise en flagrant délit de fraude un très grand nombre de fois.

Faux moulages ectoplasmiques

Au problème de l'ectoplasmie simulée se rattache étroitement celui des pseudo-moulages ectoplasmiques.

On sait que des expérimentateurs hardis, Aksakof, le Pr Denton, Reimers et Oxley, Zöller, Morselli, Chiaïa et surtout Geley, ont cherché à obtenir des moules de membres ectoplasmiques (mains et pieds) ou de visages à l'aide d'un procédé relativement simple : un récipient, rempli d'eau très chaude sur laquelle surnage une couche de paraffine fondue, est placé au voisinage du sujet. On demande aux entités ectoplasmiques de plonger leurs mains ou leurs pieds dans le bain, de les retirer et de déposer les moules de paraffine après dématérialisation du membre. Il ne reste plus qu'à couler du plâtre dans les moules pour avoir des moulages.

Les métapsychistes précités ont-ils vraiment réussi à obtenir des moules authentiquement paranormaux ? En dehors du cas des moules du Dr Geley, que nous estimons paranormaux, il est difficile de répondre à cette question, car, ainsi que nous le soulignons plus loin à propos des photographies truquées, les éléments d'un rapport d'expérience sont souvent insuffisants pour permettre un jugement sûr. Si les expérimentateurs ignorent la prestidigitation (et c'est souvent le cas), la fraude a pu se glisser dans leur expérimentation et rester inaperçue.

Quoi qu'il en soit, il est possible, à l'aide de procédés normaux, de fabriquer des moules ayant un aspect paranormal.

Le problème à résoudre est celui-ci : obtenir un moule sans raccords et se présentant de telle sorte que le retrait normal d'une main ou d'un pied ayant servi à le préparer soit apparemment impossible.

Pour fabriquer un tel moule, différents procédés peuvent être utilisés. On peut d'abord préparer un moulage avec du sucre fondu ou de la glace refroidie, le plonger plusieurs fois et rapidement dans la paraffine, puis faire dissoudre le sucre ou fondre la glace en mettant le moule et son contenu dans de l'eau. On obtient ainsi un moule sans raccords, à ouverture étroite, semblant provenir d'un membre ectoplasmique qui se serait dématérialisé après trempage dans la paraffine.

Ce moule sera placé par le médium, ou, mieux, par un compère, dans une boîte *ad hoc*, et, au cours de la séance médiumnique, plongé rapidement et superficiellement dans la paraffine de l'expérimentateur afin de présenter un moule chaud et imprégné, s'il y a lieu, d'une substance chimique quelconque que l'opérateur aura pu ajouter secrètement à sa paraffine afin de la caractériser. Toutefois, l'expérience nous a montré que le moule flotte, qu'il se déforme et qu'il est partiellement détruit par fusion s'il est mince comme l'étaient les moules obtenus par le Dr Geley. En outre, la substance chimique ne se trouve que dans les zones superficielles du moule, ce qui n'est pas le cas pour les moules du Dr Geley où, comme nous l'avons dit, nous avons décelé du cholestérol dans toute l'épaisseur du moule.

On peut également préparer des moules de paraffine à l'aide de résine qui est soluble dans l'alcool, de gélatine, soluble dans l'eau, de gutta-percha, soluble dans le chloroforme, de caoutchouc, soluble dans la benzine.

Quelques auteurs ont préconisé l'emploi de mains de cadavres pour fabriquer des pseudo-gants paranormaux, mais le procédé est compliqué et peu commode.

Ainsi qu'il arrive souvent en illusionnisme, ce sont les techniques les plus simples et auxquelles on ne pense généralement pas qui se révèlent les plus pratiques. Le procédé suivant, que nous avons imaginé et expérimenté, présente justement ce caractère; il a de plus l'avantage, sur les méthodes précédentes, de pouvoir être employé au cours même d'une séance médiumnique.

On commence d'abord par se garrotter le bras puis on le laisse pendre après s'être enduit la main de glycérine; la circulation veineuse se trouve réduite et la main se gonfle progressivement. Après une attente d'une dizaine de minutes, on plonge la main dans la paraffine fondue et l'on recommence plusieurs fois l'opération afin que la pellicule du gant soit suffisamment épaisse. Lorsque l'opération est terminée, on desserre le garrot et la main reprend son volume normal; alors, par de brusques secousses faites de haut en bas, on décolle le gant. Quand la paume arrive au voisinage de l'ouverture correspondant au poignet, on contracte la main et le passage se fait aisément. Aussitôt la main libérée, on resserre légèrement le gant dans la région du poignet afin de rétrécir l'ouverture. On a alors un moule ayant toutes les caractéristiques d'un moule d'origine paranormale. Mais, bien entendu, il a les dimensions d'une main normale et est relativement épais.

Ajoutons que des empreintes ectoplasmiques faites sur l'argile, le mastic, le noir de fumée, etc. peuvent être facilement obtenues à l'aide d'objets en sucre moulés à la forme voulue; le médium avale ceux-ci après emploi. Un médium-femme cachait, — dans un endroit particulier de son corps —, des moulages de sucre représentant un pouce, un doigt, une bouche, réalisait l'empreinte au milieu de râles et de gémissements, puis absorbait tranquillement l'objet après usage. On conçoit que vomitifs et examens somatiques des plus sérieux étaient absolument inefficaces après l'expérience.

Pseudo-dématérialisations

La dématérialisation, qui est le phénomène inverse de la matérialisation, peut porter sur des objets ou sur le médium lui-même.

Les expériences dites de dématérialisation d'objets, que

l'on pourrait appeler aussi expériences de passage de la matière à travers la matière, consistent le plus souvent à placer un objet dans une boîte cadenassée et scellée et à le retrouver, quelque temps après, en dehors de la boîte. Ce résultat peut laisser supposer que l'objet a été dématérialisé lors de la traversée des parois de la boîte, puis rematérialisé.

L'un des procédés employés pour réaliser cette illusion, avec une boîte non truquée, consiste à escamoter l'objet (qui est généralement une pièce de monnaie) avant la fermeture du couvercle et à faire croire, par le bruit entendu obtenu en secouant la boîte fermée, que l'objet s'y trouve encore. En fait, ce bruit est produit de la façon suivante : on a placé dans une boîte d'allumettes de taille convenable ou dans une petite boîte quelconque un objet analogue à celui qui a été mis dans la boîte utilisée pour l'expérience puis on a fixé au poignet, à l'aide d'un anneau de caoutchouc, la petite boîte ainsi préparée.

La boîte dans laquelle l'objet est censé se trouver étant saisie et agitée avec la main portant l'accessoire que nous venons de décrire, le spectateur a l'impression que le bruit provient de la boîte qu'il a devant les yeux.

Il suffit de déposer ensuite, en un endroit quelconque, l'objet que l'on avait subrepticement soustrait.

Un autre procédé, qui ne peut être utilisé que dans l'obscurité, consiste à enlever, à l'aide d'une pince, les goupilles des charnières de la boîte dans laquelle est placé l'objet, à le retirer et à remettre les goupilles en place mais, à vrai dire, peu de charnières, à moins qu'elles soient préparées à l'avance, se prêtent à cette manœuvre.

Le médium, lui-même, avons-nous dit, peut aussi se « dématérialiser ». Opérant dans une salle, on le retrouve dans une autre comme s'il avait la faculté de traverser les murs à la suite d'une dématérialisation totale. En réalité, les faits de ce genre ne résistent généralement pas à l'examen critique. En ce qui concerne tous ceux que nous avons envisagés, il apparaît que, à un moment donné de la séance, le médium se fait remplacer par un compère, échappe ainsi au contrôle, et se rend alors tout simplement par les moyens ordinaires dans une pièce voisine.

De même, la fameuse « dématérialisation partielle » de Mme d'Espérance, relatée par Aksakof, semble se réduire à bien peu de chose.

Au cours d'une séance tenue à Helsingfors (Finlande) en 1893, le médium, assis sur une chaise, aurait eu ses deux jambes dématérialisées. L'expérience ayant eu lieu dans une obscurité à peu près complète — « la chambre était si obscure, écrit l'ingénieur Schoultz, que je ne pouvais distinguer les personnes éloignées d'environ 4 à 6 pas » —, Mme d'Espérance fit tâter par les assistants le siège de sa chaise sur lequel elle aurait dû être assise. Les témoins ne découvrirent que la robe du médium cependant qu'ils apercevaient vaguement son buste au-dessus du siège. « Mme d'Espérance, écrit le témoin déjà cité, prit mes deux mains avec les siennes, les posa l'une sur l'autre, et les pressa à plusieurs reprises contre le coussin du siège, et demanda ce que je sentais. « Une robe seulement sur le siège », répondis-je. Après cela, elle me repoussa sans me permettre le moindre examen, et un autre prit ma place. Un moment après, je vis Mme d'Espérance se mouvoir lentement, bien que je ne puisse affirmer qu'elle se levât; mais je remarquai qu'elle mettait ses mains autour de sa taille, comme si elle arrangeait quelque chose à sa robe. Après quoi, Mme d'Espérance dit : « J'ai de nouveau mes jambes », et, sur ce, la séance finit. »

On a bien l'impression que l'ingénieur Schoultz n'est pas très convaincu de la réalité de la dématérialisation du médium. Un autre témoin, le général Sederholm, est plus affirmatif encore et donne du phénomène une interprétation que nous faisons nôtre :

« Comment doit-on expliquer ce miracle, note-t-il, qu'un être humain, sans corps ni jambes, flottant en quelque sorte dans l'air, puisse parler et toucher les mains de ceux qui examinèrent la chaise? Tout simplement! Si vous portiez une blouse, mes lectrices, et que, comme le fit Mme d'Espérance, vous vous placiez derrière une chaise dont vous recouvririez le dossier avec votre robe et vos jupons, vous feriez le même miracle, car celui qui examinera la chaise avec ses mains (dans l'obscurité naturellement) la trouvera couverte avec votre robe et vos jupons. Mais, où est le corps? Celui-là a disparu; il s'est dématérialisé.

« Aucun des croyants de Mme d'Espérance ne voudra prétendre qu'elle était debout derrière la chaise, car ce serait se méfier, douter d'elle et de ses manifestations d'esprits. »

A ces phénomènes de dématérialisation, on pourrait rattacher le phénomène d'*apport* qui, dans la terminologie métapsychique, est la pénétration inexplicable d'objets dans la salle de séances ou, en général, dans une enceinte close, mais nous n'en ferons pas état, car nous estimons que, présentement, c'est-à-dire d'après les rapports d'expériences « classiques » : expériences de Crookes avec Miss Fox, de Stainton Moses, d'Ochorowicz avec Stanislawa Tomczyk, de Zöllner avec Slade, de Mme Frondoni Lacombe avec la comtesse Castelwitch etc., etc., le phénomène est terriblement suspect et ne peut être considéré comme paranormal.

D'autre part, sous sa forme frauduleuse, il est si facilement réalisable et son mécanisme si aisément décelable, qu'il nous semble inutile d'en indiquer le *modus faciendi*, lequel d'ailleurs se confond en partie avec les procédés employés en pseudo-matérialisation.

3

EFFLUVIOGRAPHIE ET PHOTOGRAPHIE DITE SUPRANORMALE

Effluviographie

L'emploi de la plaque sensible et de l'appareil photographique a donné lieu, en psychisme, à d'innombrables erreurs, fraudes et illusions.

Bien que le problème de l'effluviographie n'appartienne que de très loin au paranormal et que rares furent les chercheurs qui truquèrent leurs propres expériences, nous le signalons néanmoins dans cet ouvrage parce que, d'une part, il se rattache étroitement à la question de la photographie supranormale où la fraude abonde et que, d'autre part, les partisans du magnétisme animal font du « fluide vital » la base de tous les phénomènes psychiques.

On sait probablement que les magnétiseurs prétendent que l'organisme humain émet des effluves dits magnétiques, particulièrement par les extrémités digitales.

Fixer le rayonnement en question sur la plaque photographique serait évidemment prouver définitivement son existence. Aussi, dès la découverte de la photographie, d'innombrables expérimentateurs s'employèrent à obtenir ce résultat.

Dès 1850, le chevalier Reichenbach prétendit avoir

réussi. En 1882, le commandant Darget tenta également l'expérience et affirma avoir obtenu un résultat positif. Peu après, le Dr Luys confirma les travaux du commandant Darget. Ensuite, de très nombreux expérimentateurs parmi lesquels on peut citer MM. Brandt, Chaigneau, David, Colombès, Majewski, Delanne, Girod, Bonnet, Lefranc, Lancelin, Durville, le professeur russe Narkeviez-Iodko et surtout le Dr Baraduc proclamèrent à leur tour, avec, semble-t-il, preuves à l'appui, qu'il était possible, en employant diverses techniques, d'imprimer des effluves sur la plaque photographique.

Ces techniques peuvent se grouper en deux catégories principales : la *méthode sèche* et la *méthode humide*.

La première a été surtout employée par le commandant Darget qui entourait une plaque sensible d'une première enveloppe de papier imprimé ou manuscrit, d'une seconde enveloppe de papier noir, et, enfin, d'une troisième enveloppe de papier quelconque. La plaque, ainsi préparée, était placée, pendant une heure ou deux, sur le front ou sur l'estomac. Développée dans un révélateur ordinaire, elle portait l'écriture de la première feuille de papier; cette écriture était positive ou négative et parfois colorée en rouge, en jaune, en vert, en bleu, en violet.

D'après le commandant Darget, ce résultat était produit par le fluide vital.

Mais il fallut vite déchanter : G. de Fontenay, de Saint-Albin et Warcollier démontrèrent en effet expérimentalement que le phénomène se réduisait à un simple décalquage dû à des actions physico-chimiques : chaleur, humidité, secrétions sudorales, etc.

Le Dr Baraduc employa un procédé qu'il estimait distinct du précédent : le sujet était placé dans un champ électrostatique avec une plaque sensible sur le front, puis une tierce personne approchait sa main de la plaque. Toute étincelle était évitée et, affirme le Dr Baraduc, « l'électricité ne pouvant franchir le verre de la plaque, c'était la force vitale seule qui pouvait la pénétrer et impressionner les sels d'argent ».

En fait, et contrairement à ce que pensait le Dr Baraduc, l'expérience ainsi conduite n'était guère différente de celle du commandant Darget, si ce n'est qu'elle était « aggravée » par l'emploi d'un champ électrique. Aussi, les critiques que l'on peut faire à la première s'appliquent à celle-ci.

Précisément, pour répondre à ces critiques, qui ne manquèrent pas, le Dr Baraduc employa d'autres méthodes : ou bien la plaque était protégée par un châssis de bois ou encore la main était placée à une certaine distance de la plaque.

Quel que soit le procédé employé, les plaques étaient plongées fort longtemps dans le bain révélateur.

Le Dr Baraduc obtint ainsi des images diverses, des sortes de halos qu'il appela : « boules mentales », « expirs fluidiques », « élémentaux de vie », etc.; une photographie appartenant à la catégorie des halos fut faite à Lourdes. Le docteur plaça une plaque sensible dans son chapeau et eut sur positif une large tache qu'il baptisa : « la radiation du Saint-Sacrement au moment d'une guérison miraculeuse! »

Or, ces images, comme l'a fait remarquer G. de Fontenay, sont dues à un développement trop poussé : « On peut toujours faire venir quelque chose sur une plaque photographique, ne fût-ce que le voile de fabrication, écrit le perspicace métapsychiste; c'est au cours du surdéveloppement excessif que peuvent se manifester toutes les actions faibles, action du papier, des vapeurs métalliques, actions mécaniques, etc., qui passent généralement inaperçues lorsque la plaque n'a pas à supporter un traitement anormal. »

Les méthodes par voie humide consistent à placer dans un révélateur une plaque photographique vierge, gélatine en dessus ou en dessous, et à mettre la main soit sur la plaque, soit à une certaine distance de celle-ci. Après une pose de 15 à 30 minutes, la plaque est retirée du bain et l'on constate qu'elle porte une sorte de photographie de la main avec effluves et auréoles.

Mais ces impressions de prétendus « effluves magnétiques » ne sont produites que par des variations thermiques ou par d'autres causes physico-chimiques. La preuve la plus topique, écrit G. de Fontenay, auquel il convient toujours de se référer en question de photographie paranormale, en a été fournie par Paul Yvon : « Il fait agir une main de cadavre, en même temps qu'une main vivante, sur un grand nombre de plaques photographiques, tantôt du côté verre, tantôt du côté gélatine, dans l'obscurité complète, à la lumière rouge, etc. La main vivante donna les fameux effluves que vous connaissez; la main morte ne les donna point. Alors, on réchauffa la main morte à une température de 35° C que l'on entretenait constante au moyen d'un réservoir à acétate de sodium. Et, nous apprend Paul Yvon, dans ces nouvelles conditions, les impressions obtenues avec la main morte réchauffée furent au moins aussi accentuées et aussi nettes que celles dues à la main vivante. »

Le Dr Ménager, reprenant les expériences de photographie fluidique, en a fait une critique remarquable (*Revue Métapsychique*, n° 2, 1926 et n° 3, 1928). Il montre, avec preuves à l'appui, que les effluves dont on fixe l'image ne sont que de pseudo-effluves conditionnés par la chaleur agissant en tant que chaleur et comme force motrice.

En employant l'une ou l'autre des deux méthodes de photographie fluidique, on obtient parfois, non seulement des halos, des taches plus ou moins informes, mais aussi des images qui rappellent un objet d'une forme déterminée. Si l'expérimentateur a préalablement pensé à l'objet reproduit, il ne manquera pas d'établir une relation de causalité entre les deux catégories de faits et parlera de « photographie de la pensée ». C'est ainsi que le commandant

Darget affirma avoir obtenu l'image d'une tête d'aigle, d'une canne et d'une bouteille.

« Une bouteille venant d'être utilisée, je pris une plaque, écrit-il en substance, la mis dans un bain et la touchai côté verre et non côté gélatine. Je pensai d'abord à une table, puis ma pensée glissa sur l'image d'une chaise, qui s'évapora encore, pour s'attacher enfin à l'image de la bouteille que je venais d'employer. J'obtins ainsi l'image d'une bouteille. La photographie de la canne a été créée à Vouziers; c'est une canne à bec dont je me servais habituellement; je l'avais mise sur mon bureau où je faisais mes photos le soir. Quant à l'aigle, voici sa production. Mme Darget était dans mon bureau étendue sur mon canapé, vers 10 heures du soir. Je lui dis : « Je vais éteindre la lampe et essayer de faire un cliché fluidique au-dessus de mon front. Je vais vous passer une plaque pour en faire autant. »

« Donc, je lui passai la plaque qu'elle tint avec ses deux mains à un pouce environ au-dessus de son front. Quelques instants après, soit 10 minutes environ, elle me dit : « Je crois que j'ai dormi; je suis très fatiguée; je vais me coucher. » Et à tâtons, dans l'obscurité, elle me passa la plaque.

« J'allai tout de suite la développer et j'eus la surprise de voir une étonnante figure d'aigle. »

En réalité, ici encore, ces images étaient dues à un développement exagéré, à l'action physico-chimique de la main tenant ou touchant la plaque et, leur analogie avec un objet pensé, une pure coïncidence. Au surplus, on voit souvent sur ces images floues ce que l'on désire y découvrir. Le commandant Darget ayant en effet renouvelé l'expérience de la bouteille obtint une épreuve sur laquelle il trouva une bouteille, mais, dit-il, le « lendemain, quand nous avons tiré la photographie sur papier, ce qui nous a le plus frappés a été une figure de femme avec une coiffe caractéristique ».

Il convient toutefois de noter que si ces différentes expériences ont été mal interprétées, il n'en demeure pas moins que le corps humain émet un rayonnement, très faible sans doute, mais mesurable. On peut le détecter au moyen d'un cristal d'iodure de potassium qui a la propriété de scintiller lorsqu'il est frappé par un rayon gamma. Si ce cristal est dans l'obscurité, la lumière dégagée par le minuscule éclair peut être convertie en une impulsion électrique à l'aide d'un tube photomultiplicateur. On a ainsi constaté que 250 atomes au moins de corps radioactifs dérivés du radium et 200 000 atomes de potassium explosent chaque minute dans le corps de l'homme en émettant des radiations. En outre, on a vu, à l'aide d'autres méthodes, que celui-ci est, par minute, le siège de 190 000 désintégrations de carbone 14.

Photographie dite supranormale

Ainsi que la plaque sensible, l'appareil photographique peut être une source d'illusions. Les deux principales erreurs résultant de son emploi sont le doublement de l'image et la double exposition.

Le doublement de l'image produit près du personnage photographié une sorte de silhouette plus ou moins transparente qui a été considérée par nombre d'auteurs, de Rochas, Durville, Lancelin, Delanne, etc., comme étant le « double fluidique » extériorisé.

Des causes multiples sont susceptibles de produire un tel phénomène. La plus courante est un trou minuscule dans le soufflet de l'appareil photographique; un déplacement latéral du sujet, accompagné d'une double exposition, peut donner également un « corps astral extériorisé ».

Avec la double exposition, employée sciemment, nous entrons dans le domaine du truquage proprement dit.

Supposons que le mystificateur veuille produire un fantôme à côté d'un personnage réel. Il placera un modèle vivant ou un mannequin drapés d'étoffes claires devant un fond noir et en lumière faible. Il prendra alors de la scène un instantané rapide. Ensuite, il se servira de la plaque ou de la pellicule ainsi préparées pour photographier le « client » qui désire obtenir, près de lui, une forme paranormale. Bien entendu, il aura préparé, pour servir selon les besoins, des plaques avec fantômes d'enfants, de femmes, d'hommes et même d'animaux.

Le portrait d'un fantôme reproduisant les traits d'une personne déterminée est plus difficile à obtenir que l'image d'un fantôme anonyme. Un certain « flou » réalisé par une mise au point volontairement imparfaite permet de suggérer des ressemblances qui suffisent souvent à contenter le chaland. Si le truqueur a pu se procurer une photographie du personnage à évoquer ou encore une gravure le représentant, la ressemblance est évidemment parfaite : la tête du mannequin a été remplacée par celle de la photographie ou de la gravure originales. Le cas peut se présenter lorsque le visiteur, en quête d'une forme supranormale, est connu du médium ou se trouve être une personnalité marquante; en ce qui concerne cette dernière circonstance, les journaux fournissent souvent les documents voulus.

Buguet, qui a longuement défrayé autrefois la chronique métapsychique... et judiciaire, a largement employé le procédé décrit ci-dessus. Il possédait, si l'on peut dire, une certaine conscience professionnelle, car il fournissait à ses clients d'honnêtes fantômes répondant à la tradition, avec tête, tronc et membres, abondamment drapés et se tenant droit près du consultant. En revanche, nombre de mystificateurs contemporains n'ont plus ce souci « artisanal » et ne produisent pas toujours des fantômes complets et voilés. Ils se bornent souvent à faire apparaître sur la plaque photographique des têtes qui semblent provenir de décapités, des bustes que l'on croirait coupés net avec des ciseaux, tant leur base est rectiligne. De plus, ces figures sont « plaquées » près du sujet et on a l'impression qu'elles voltigent dans l'espace. En fait, elles résultent, sans discussion possible, d'une double exposition à partir de figurines découpées.

Parfois, cependant, les « extra » semblent procéder d'une formation ectoplasmique ou d'un dégagement fluidique issus du consultant ou du médium. Une tresse d'ouate, un morceau de tulle entourant grossièrement le visage ou le buste à faire apparaître, un peu de craie blanche, de l'écume de savon, un halo produit par une substance chimique, sont à l'origine de ces apparences.

Si, comme il arrive souvent, l'image utilisée pour obtenir l' « extra » est une gravure découpée dans un magazine, la trame apparaît sur une photographie et le truquage est patent. C'est ainsi qu'une trame très nette est visible sur une prétendue photographie supranormale obtenue par sir Conan Doyle avec le médium Hope et que l'illustre auteur des aventures de Sherlock Holmes a bien voulu soumettre au contrôle de l'*Institut Métapsychique International.*

Mais les faussaires habiles font disparaître la trame grâce à l'emploi judicieux de cire, de poudre de graphite, ou mieux à l'aide d'un décalquage préalable sur papier recouvert de paraffine.

Au surplus, en photographie dite supranormale, outre les plaques, tout le matériel employé peut être truqué : la chambre photographique, l'objectif de l'appareil qui produira une image surnuméraire, le châssis dont l'un des volets, imprégné d'une matière phosphorescente, impressionnera la plaque; enfin, les rideaux, qui servent de fond lors de la prise du cliché, pourront cacher, eux-mêmes, quelque artifice; il est facile d'y peindre des silhouettes avec des solutions de sulfate de quinine, d'éosine, de fluorescéine ou des décoctions d'écorce de marrons d'Inde, de frêne, etc. Invisibles à l'œil, les silhouettes apparaîtront sur la plaque, si l'on prend le cliché à la lumière produite par une cartouche de magnésium.

Précisément, afin de montrer combien il est difficile de se garantir de la fraude en matière de photographie psychique, un ingénieur anglais, Mac Carthy, réalisa naguère l'étonnante expérience que voici :

La commission chargée de diriger et de contrôler l'expérience en question comprenait quelques métapsychistes, un photographe professionnel et un diplômé de l'Université de Cambridge.

Mac Carthy accepta, sans discussion, les conditions qui lui furent imposées : choix par la commission du local où devait avoir lieu l'expérience; achat par la commission de l'appareil photographique et des plaques; interdiction absolue de toucher aux plaques et à l'appareil, avant, pendant et après l'expérience.

Toutes ces modalités furent amplement observées : les opérations de prises de vue furent exécutées par les expérimentateurs sur des plaques préalablement marquées par eux, et, pendant les manipulations, l'ingénieur, auparavant fouillé, fut placé dans un coin de la chambre, les poignets liés.

Et cependant, malgré ces mesures draconiennes, Mac Carthy impressionna les plaques après avoir indiqué quels seraient les négatifs sur lesquels il exercerait son action et dans quelles parties de ceux-ci des « figures d'esprits » apparaîtraient.

De plus, deux des « extra » furent reconnus comme étant respectivement la mère et un parent de deux des assistants.

Fait plus extraordinaire encore, la commission ayant demandé qu'un verset de la Bible s'inscrivît sur une plaque et qu'il soit écrit en chinois, le verset choisi apparut effectivement dans la langue des Célestes sur la plaque désignée.

Tous ces prodiges donnent évidemment l'impression du paranormal et il semble bien que leur réalisation dépasse les pouvoirs de la prestidigitation. Il n'en est rien cependant ainsi qu'il ressort des explications fournies par Mac Carthy lui-même.

Tout d'abord les « extra » furent obtenus grâce à un minuscule appareil de projection à rayons ultraviolets de la forme et de la taille du petit doigt.

L'appareil dissimulé échappa au contrôle et, pendant la séance du développement des plaques, fut fixé à la face inférieure de l'index au moyen d'un anneau de caoutchouc couleur chair. En lumière rouge très atténuée, l'appareil était totalement invisible.

Pour impressionner les plaques, Mac Carthy s'arrangea pour faire quelques observations banales et, ce faisant, pointait l'index dans la direction des plaques en même temps qu'il allumait l'appareil dont le flux actinique était, bien entendu, invisible.

Le film projeté, préparé à l'avance, était un microfilm dont chaque image atteignait à peine les dimensions d'une tête d'épingle. Les images avaient été puisées dans de vieux albums photographiques et l'expérimentateur avait choisi des épreuves présentant quelque ressemblance avec des parents décédés de l'un ou l'autre des contrôleurs, parents que Mac Carthy avait connus autrefois ou dont il avait eu la description.

Enfin, le verset de la Bible, imprimé en chinois, avait été découvert dans un livre par Mac Carthy et microphotographié. Grâce à d'adroites suggestions et selon des procédés d'ordre psychologique employés par les prestidigitateurs, ce verset avait été, en fait, imposé par le pseudo-médium alors que les membres de la commission avaient eu l'impression de l'avoir choisi. Il en fut de même pour la désignation de la langue dans laquelle le verset devait être écrit.

A vrai dire, les procédés de suggestion, qui, selon

l'expression employée en prestidigitation, permettent le « choix forcé », ne réussissent pas toujours, mais tout habile prestidigitateur ne manque pas de se ménager une ou plusieurs positions de repli qu'il utilise en cas d'échec. Ainsi, dans l'expérience qui nous occupe, un ecclésiastique avait proposé que le texte apparût en langue hébraïque et Mac Carthy se disposait déjà à changer ses batteries, lorsque, sous ses habiles insinuations, d'autres expérimentateurs jugèrent qu'il serait plus difficile de faire apparaître le verset en chinois.

La leçon qu'il convient de tirer de cette extraordinaire expérience est qu'on ne saurait être trop prudent en photographie dite supranormale. Le fait d'obtenir des « extra » dans des conditions de contrôle apparemment rigoureux n'est pas un critère suffisant pour conférer aux dites photographies un caractère paranormal. L'examen détaillé des épreuves fera souvent mieux apparaître le truquage que la connaissance des modalités de leur obtention. Au reste, ces modalités sont parfois mal connues par la simple lecture des comptes rendus relatant les expériences, car, si le témoin n'est pas lui-même prestidigitateur, le geste suspect, la manipulation invisible, qui faussent complètement les résultats, lui échapperont certainement.

Même si l'on a suivi avec la plus grande attention les opérations d'un illusionniste (qu'il se présente comme tel ou sous une étiquette médiumnique quelconque) il est à peu près impossible, surtout si l'on n'est pas soi-même prestidigitateur, de pouvoir dire, après séance, s'il a fait tel geste, s'il a, par exemple, pris un objet de la main droite ou de la main gauche. Or, l'importance d'un détail de ce genre peut être très grande puisque des expériences de prestidigitation comme « la pluie d'argent », « les cartes à la manche », certaines mystifications de pseudo-médiumnisme sont presque exclusivement basées sur le principe de la substitution. A ce propos, le prestidigitateur Alber rapporte un dialogue typique montrant bien que le spectateur néglige toujours quelque détail décisif dans une série de gestes.

« *Le spectateur :* — L'objet n'a pas quitté ma main!

« *L'illusionniste :* — Vous en êtes sûr?

« *Le spectateur :* — Oh! absolument!

« *L'illusionniste :* — Très bien, et comment teniez-vous cet objet?

« *Le spectateur :* — Mais dans un foulard.

« Généralement, note le prestidigitateur Alber, j'en reste là dans mon investigation, suffisamment renseigné, mais si je pousse la question à fond, j'arrive au résultat suivant :

« *L'illusionniste :* — Et qui avait mis l'objet dans le foulard?

« *Le spectateur* : — Mais c'est l'opérateur.

« *L'illusionniste :* — Donc, ne serait-ce qu'une seconde, l'objet a quitté vos mains. »

Or, le crédule spectateur ne sait pas que cette seconde a suffi, et au-delà, à préparer le mystère.

En tout cas, après avoir examiné attentivement un très grand nombre de photographies avec « extra » (réalisées en France ou dans les pays anglo-saxons), nous sommes arrivé à cette conclusion qu'aucune d'entre elles ne présentait un caractère paranormal. A notre avis, la photographie dite supranormale n'est que fraude ou illusion. C'est pourquoi nous n'avons pas ouvert de chapitre sur la photographie authentiquement paranormale.

Bien entendu, les photographies de formations ectoplasmiques, que celles-ci soient réelles ou truquées, n'entrent pas dans cette catégorie. Ces formations sont à la fois vues par les assistants et photographiées.

4

LES MAISONS HANTÉES

Avec le métapsychiste et spirite italien Ernest Bozzano, qui a naguère apporté une contribution remarquable à l'étude des maisons dites « hantées » puisqu'il en a sélectionné 532 cas, on peut définir les phénomènes de hantise comme étant « un ensemble de manifestations mystérieuses dont le trait caractéristique essentiel est de se rattacher, d'une façon spéciale, à un lieu déterminé ». Connus de tout temps, ces phénomènes, qui peuvent affecter la vue, l'ouïe, le toucher et l'odorat, ne posent pas, en général, de problèmes différents de ceux que la métapsychique objective nous propose. Des objets se déplacent ou semblent se déplacer tout seuls, des bruits inexplicables se font entendre, des fantômes apparaîssent, toutes sortes de phénomènes physiques, sans cause apparente, ont lieu. Les métapsychistes allemands désignent ces phénomènes sous le nom de *Poltergeist*, mot qui dérive de *poltern*, faire du bruit, et de *Geist*, esprit, fantôme.

Les objets déplacés peuvent être des meubles plus ou moins massifs ou des ustensiles de cuisine. La vaisselle est souvent projetée et brisée. Les draps sont violemment arrachés des lits et ceux-ci sont renversés. Les portes et les fenêtres s'ouvrent et se referment d'elles-mêmes. Quelquefois, des sonnettes s'agitent bruyamment, même après la suppression des cordons. Ou bien ce sont des jets de pierres qui parcourent des trajectoires insolites, tombent lentement en dépit de la pesanteur et achèvent leur parcours en un point précis et sans rebondir comme si elles étaient transportées par une main invisible. Elles sont quelquefois chaudes et même brûlantes.

Les bruits entendus vont du simple craquement au tapage assourdissant. De même que les raps des séances médiumniques, ils sont souvent imitatifs et rappellent le bruit provoqué par la chute d'un meuble, d'un objet de vaisselle, par une porte ou une fenêtre que l'on ferme, par des chaînes traînées par terre, par une scie coupant un morceau de bois, etc. Quelquefois, ce sont des bruits de pas plus ou moins furtifs ou un frou-frou de robe qui se font entendre. En certaines circonstances, les témoins des hantises perçoivent ou croient percevoir des sanglots, des gémissements, des murmures, des voix humaines, des chants, des concerts musicaux.

Ces bruits peuvent être objectifs ou subjectifs. Dans le premier cas, leur production est liée à une cause physique ou mécanique. Dans le second cas, cette cause n'existe pas. Ainsi, le bruit d'une porte qui s'ouvre peut accompagner l'ouverture réelle de la porte. En revanche, un bruit de vaisselle qui se brise peut se faire entendre bien que celle-ci soit retrouvée intacte.

Les fantômes des maisons hantées revêtent toujours, semble-t-il, une forme humaine. « Loin de se montrer entourés du blanc linceul spectral, écrit Ernest Bozzano, les fantômes visualisés sont vêtus des costumes de l'époque à laquelle ils vécurent. Généralement, ils se présentent d'une manière si réaliste qu'on pourrait les croire vivants; quelquefois, ils se montrent distinctement mais transparents; en d'autres cas, ils ne sont que des ombres avec forme humaine. Souvent, ils s'évanouissent sur place comme de la vapeur ou, même, ils s'en vont en passant à travers une muraille ou une porte fermée. Parfois, ils marchent, d'autres fois, ils glissent, suspendus en l'air. Dans la plupart des cas, ils se manifestent durant une longue série d'années, par intermittence, avec de longues périodes de relâche, et, en certaines circonstances, à des dates fixes; mais il arrive que la durée de la hantise n'excède pas quelques mois, ou même seulement quelques jours. Leur manifestation est presque toujours précédée par le sentiment vague d'une « présence » qui saisit le percipient et l'amène à se retourner du côté où se trouve le fantôme; si celui-ci s'approche, le percipient ressent comme une sorte de vent glacé. L'un des traits caractéristiques les plus fréquents que présentent les fantômes, c'est leur apparente indifférence vis-à-vis des vivants qui les contemplent, ou, plutôt, leur apparente ignorance du milieu dans lequel ils évoluent. Ils montent un escalier, traversent un corridor, pénètrent dans une chambre sans aucun but manifeste et sans se soucier des personnes qu'ils rencontrent; ou bien, ils vaquent à quelque fonction domestique, font des gestes de désespoir, s'accroupissent à côté du feu, en des conditions évidentes d' « absence psychique », comme si les actions qu'ils accomplissent se déroulaient par automatisme somnambulique. Tout cela n'empêche aucunement que cette règle comporte un certain nombre d'exceptions dans lesquelles le fantôme montre qu'il aperçoit les assistants auxquels il s'adresse souvent intentionnellement par des gestes et des paroles. »

Enfin, parmi les autres phénomènes qui auraient été parfois observés dans les hantises, on peut signaler des lueurs plus ou moins diffuses, des sensations de poids ou de pression sur quelque partie du corps, des impressions de froid glacial, des contacts désagréables de mains laissant des empreintes de brûlure, des odeurs puantes, cadavériques, ou, au contraire, suaves comme le parfum de violette.

Sans doute, dans ces étranges et invraisemblables manifestations, il peut y avoir, il y a même certainement, dans beaucoup de cas, comme nous le verrons plus loin, une part de supercherie, de plaisanteries d'un goût douteux, d'affabulations, de coïncidences fortuites ou de faits naturels interprétés sous l'angle du paranormal. Mais ces causes d'erreurs ne peuvent vraisemblablement pas, à elles seules, expliquer toutes les hantises. Comme le dit très justement Jacques Chevalier, doyen de la *Faculté des lettres de Grenoble* : « La croyance très générale et persistante aux fantômes et aux revenants semblerait difficilement explicable si elle était dénuée de tout fondement réel. Il faut donc examiner impartialement les faits. »

Ces faits ont été précisément recensés et il est facile d'en trouver la narration dans les revues métapsychiques ou dans les ouvrages de Lombroso, de sir Ernest Bennett, de Carrington, de Bozzano, de Camille Flammarion (1), de Thomas Bret, d'Emile Tizané, etc.

Mais, malheureusement, l'examen critique des phénomènes qui sont rapportés dans ces revues ou dans ces ouvrages n'est pas toujours fait d'une façon satisfaisante. C'est ainsi que, très souvent, il n'a pas été institué d'enquête sérieuse, d'ordre psychologique, sur les témoins des hantises, afin de fixer approximativement le degré de crédibilité que l'on peut accorder à leurs récits.

Toutefois, les rapports de hantise que l'on va lire, celui de Mlle G. Renaudot et ceux du commandant de gendarmerie Emile Tizané échappent à cette objection. C'est pourquoi nous les avons retenus. Les observations du Pr Hans Bender sont également très probantes.

Enfin, nous avons eu à nous occuper de quelques phénomènes de hantise dont l'un d'eux, dont nous donnons plus loin la relation détaillée, est littéralement fantastique.

1. Lire dans la même collection *Les maisons hantées,* de Camille Flammarion, A. 247**.

Observation de Mlle Gabrielle Renaudot

Ce premier récit de hantise, certainement authentique quant aux faits observés, a été rapporté par Mlle Gabrielle Renaudot devenue, par la suite, Mme Camille Flammarion.

Mlle Renaudot ayant été invitée, en avril 1918, par le Dr Bonnefoy, alors veuf et remarié, à venir passer quelques jours à Cherbourg au 13 de la rue de la Polle, il lui échut une chambre renfermant de nombreux objets ayant appartenu à la défunte Mme Bonnefoy, et, en particulier, le lit dans lequel elle était décédée. Des liens d'affection profonde avaient uni Mme Bonnefoy et Mlle Renaudot.

« Il se trouva, écrit Mlle Renaudot, que je reçus, sinon la chambre de Mme Suzanne Bonnefoy, du moins son lit transporté du rez-de-chaussée où elle était morte, dans une chambre du premier étage, qui avait été sa chambre de jeune fille. C'est un grand lit breton, très ancien, en bois sculpté, fort beau, surmonté d'un dais garni de tapisserie. Toute la chambre est meublée de vieux bois artistiques, table de nuit, bonnetière, pupitre d'église; en face du lit, un portrait de Mme Bonnefoy, agrandissement photographique d'une ressemblance frappante.

« J'en fus assez impressionnée. Le souvenir du passé me revenait constamment. Je revoyais mon amie, alors qu'elle semblait si heureuse d'une vie à la fois active et harmonieuse, entièrement consacrée au bien, et je l'imaginais aussi, telle qu'elle devait être sur ce même lit qui avait été, pendant deux jours et trois nuits, son lit mortuaire.

« La première nuit, du 25 au 26 avril, je ne dormis pas, songeant à elle, à son passé et au présent actuel de sa maison. J'étais d'ailleurs un peu souffrante.

« Le lendemain, je me promis une bonne nuit. Vers 11 heures du soir, je m'endormis, chassant mes anciens souvenirs.

« A 4 heures du matin, le 27, un bruit formidable

m'éveilla; à gauche du lit, des craquements terribles se faisaient entendre dans le mur. Ils se propageaient dans la table de nuit et autour de la chambre. Et puis des craquements plus doux, semblables à ceux d'une personne se retournant dans un lit, se produisirent à plusieurs reprises. Le bois de mon lit grinçait aussi. Enfin, j'entendis un bruit de pas léger et glissant partant à gauche du lit, le contournant au pied et allant s'évanouir dans le salon à droite où Mme Bonnefoy avait l'habitude de se tenir en écoutant son mari jouer de l'orgue ou du piano, en excellent musicien.

« Ces bruits m'impressionnèrent tellement que mon cœur se mit à battre à m'étouffer, et j'avais la mâchoire serrée.

« Dans mon émotion, je me levai, j'allumai une bougie et je m'assis sur un panier se trouvant contre la porte d'entrée de la chambre donnant sur le palier. Là, je cherchai à me rendre compte de la production de ces bruits. Or, ils continuèrent avec plus de force encore, mais il fut impossible de rien voir.

« A 5 heures, en proie à une terreur irraisonnée et n'y tenant plus, je montai chercher la cuisinière, Marie Thionnet, qui couchait au troisième. Elle descendit avec moi. Dès son arrivée, nous n'entendîmes plus rien. Il n'est peut-être pas inutile de remarquer que le caractère de la cuisinière ne s'accordait pas du tout avec celui de Mme Bonnefoy.

« Vers 6 heures, le docteur, au second étage, s'est levé et est allé dans son cabinet de toilette : les bruits qu'il fit en se levant et en marchant ne ressemblaient nullement à ceux que j'avais entendus une heure auparavant.

« Dans la journée, je cherchai l'explication du phénomène : chats, rats grimpant le long des murs... j'examinai le mur à gauche du lit : très épais, garni extérieurement d'ardoises, sans aspérités, donnant sur une cour. Mauvais terrain pour chats ou rats; de même pour le mur de façade donnant sur la rue de la Polle. D'ailleurs, les bruits mystérieux étaient très différents de ceux qui auraient pu être produits par ces animaux.

« Le samedi 27 avril, je me couchai à 11 heures moins le quart du soir, inquiète et nerveuse.

« A 11 heures, les bruits recommencèrent comme le matin. Aussitôt, en proie à la plus vive émotion, je montai chercher la cuisinière. Elle descendit et s'étendit sur le lit à côté de moi. Nous laissâmes nos bougies allumées. Pendant une demi-heure, les bruits continuèrent et consistèrent en de formidables craquements dans le mur de gauche et en coups frappés dans le portrait de Mme Bonnefoy ou derrière ce portrait, ceux-ci étant si forts que nous craignions, à tout instant, de voir tomber le cadre. En même temps, des pas glissants parcouraient la chambre. La cuisinière entendit tout cela comme moi et en fut aussi impressionnée. Elle est âgé de vingt-six ans.

« A 11 heures et demie, les bruits cessèrent.

« Ces manifestations étant extrêmement désagréables, surtout parce que l'on sait que l'on a affaire à une cause inconnue, incompréhensible, je me recueillis dans la journée du lendemain, et, supposant que la morte pouvait y être associée, puisque cela se passait chez elle, je la suppliai de m'en épargner la douloureuse émotion.

« Je suis restée dans cette maison jusqu'au samedi 4 mai. N'ayant plus rien entendu et étant redevenue plus calme, j'ai alors prié la morte de se manifester et de me faire savoir d'une manière quelconque ce qu'elle pouvait désirer.

« Mais je n'ai rien observé depuis, malgré mon désir (mêlé d'effroi) de pouvoir mieux contrôler le phénomène et d'observer, si possible, l'explication de cette étrange manifestation. »

Voici, d'autre part, le récit de la cuisinière Marie Thionnet.

« Le samedi matin, 27 avril 1918, vers 5 heures, Mlle Renaudot est venue me chercher pour constater des bruits qu'elle entendait dans sa chambre. Je suis descendue et je n'ai rien entendu.

« La nuit suivante, dans la soirée du 27 avril, un peu après 11 heures, Mlle Renaudot est revenue me chercher pour constater les mêmes bruits qui se renouvelaient. Je suis descendue avec elle et voici ce que j'ai observé :

« Bruits derrière la table de nuit, comme si quelqu'un grattait le bois. Et, de là, comme si quelqu'un glissait très vite sur le parquet, de la table de nuit à la porte, et aussi comme si quelqu'un avait frappé des coups très violents derrière le portrait de Mme Bonnefoy. Ces bruits ont duré environ une demi-heure. J'avoue que j'ai eu très peur et que je n'ai pu surmonter cette peur, au point de claquer des dents.

« Il y avait deux bougies allumées dans la chambre et nous étions parfaitement éveillées, constatant à haute voix et localisant les bruits au fur et à mesure qu'ils se produisaient.

« La nuit suivante, à la demande de Mlle Renaudot qui n'osait plus rester seule dans sa chambre, tant elle avait été impressionnée, je suis redescendue et me suis couchée auprès d'elle. J'ai encore entendu quelques faibles bruits, mais j'ai eu beaucoup moins peur. Nous dormîmes d'ailleurs très bien. Puis tout cessa.

« Il semblait, du reste, que ma présence nuisait aux bruits, car ils se sont atténués après mon arrivée et ont cessé ensuite.

« Néanmoins, je ne les ai que trop bien entendus. Ils étaient très impressionnants et m'ont été extrêmement désagréables.

« J'ai encore couché dans le lit de Mme Bonnefoy auprès de Mlle Renaudot, les nuits de lundi, mardi et mercredi, mais nous n'avons plus rien entendu. Heureusement, car, pour mon compte, je ne voudrais pas repasser par la demi-heure du 27 avril. »

A propos de ces récits, il n'est pas inutile de faire remarquer que Mlle Renaudot, alors jeune astronome à l'Observatoire de Juvisy, mathématicienne distinguée, secrétaire du Conseil de la *Société astronomique de France* et directrice de son bulletin mensuel, membre de l'*Association des journalistes parisiens,* rédacteur à plusieurs revues scientifiques, était accoutumée aux sciences exactes et était très sceptique en ce qui concerne les phénomènes psychiques. En outre, elle n'était pas impressionnable dans les circonstances ordinaires, et, elle, qui n'avait jamais connu la peur, qui passait des nuits entières dans la solitude des observations astronomiques sous la coupole silencieuse, qui traversait seule, à minuit, les avenues solitaires d'un parc et les rues obscures, a subi cette nuit-là, et ceci la seule fois, de sa vie, une peur épouvantable!

D'autre part, la cuisinière Marie Thionnet était une personne calme, pas du tout portée vers le mysticisme.

Rapports de gendarmes

Voici maintenant quelques extraits de lettres ou de procès-verbaux de gendarmes ayant eu à intervenir dans des affaires de maisons hantées, persuadés qu'ils étaient de trouver rapidement la clef de l'énigme, c'est-à-dire la mystification, car on ne croit guère au surnaturel dans la gendarmerie. Ces documents ont été recueillis avec beaucoup d'autres du même genre par le commandant de gendarmerie Emile Tizané qui, d'ailleurs, observa lui-même de visu des phénomènes de hantise.

Les lieux et les départements sont indiqués par leurs initiales.

J. (M., 1934).

Extrait de la lettre adressée au commandant de gendarmerie Tizané par le chef de brigade de gendarmerie de B...

« ... Le soir même, je commandai deux gendarmes pour aller voir ce qui se passait dans cette maison. Le lendemain matin, ils sont venus me rendre compte de leur mission, mais ce n'était plus deux gendarmes que j'avais devant moi, c'était deux automates. Ils avaient, comme tout le monde, entendu des coups, tantôt d'un côté, tantôt de l'autre, et c'était tout. Impossible de leur tirer autre chose sur cette histoire incroyable qui demeure en somme impénétrable. »

A. (V., 1935).

Extrait du procès-verbal n° 11 du 8 janvier 1935. Brigade de gendarmerie d'A.

M. M. J. déclare : « Quelque chose d'anormal se passe à mon domicile : la nuit, à partir de 21 heures, une main invisible frappe contre les murs de séparation des chambres. »

Les gendarmes écrivent : « L'agent de police I., entendu à 12 heures, nous a déclaré qu'en effet, le 7 janvier, il s'était rendu au domicile de M. M. J. et qu'il avait entendu des coups frappés aux cloisons mais qu'il n'avait pu déterminer la cause de ces manifestations. »

V. (S., 1945).

Extrait du rapport du brigadier de police L. au commissaire de police de V, en date du 13 mars 1945.

« ... D'un seul coup (en pleine lumière), les gardiens L. et L. ont nettement vu une chaise changer de place alors que personne ne la touchait. »

M. (M.-et-M., 1946).

Extrait du procès-verbal n° 29 du 29 janvier. Brigade de gendarmerie de J.

Les gendarmes enquêteurs écrivent : « A 20 h 45, la

porte fut secouée violemment comme si quelqu'un tenait la poignée. Des lampes de poche éclairèrent immédiatement la porte et rien ne fut remarqué trahissant la présence d'un individu ou d'un artifice pouvant secouer la porte. A 21 h 15, le même phénomène se produisit ainsi qu'à 21 h 30, moins violent que la première fois. Le bruit pouvait être perçu à 200 m au moins. Nous pouvons certifier qu'aucun individu n'a été vu ou entendu à proximité. »

S. (N., 1946).

Extrait de la lettre adressée le 19 août 1946 au commandant de gendarmerie Tizané par le brigadier de police de S.

« ... Voyant cela, je pris la décision de placer un agent à la fenêtre, à l'extérieur de la maison D.; moi, je me mis à cette fenêtre, mais à l'intérieur. Les coups recommencèrent dans la fenêtre et nous n'avons rien vu... Nous sommes restés environ une demi-heure à inspecter la fenêtre et, durant ce temps, des coups violents furent frappés plusieurs fois et tellement forts que le volet étant fermé s'est ouvert violemment. Après quoi, nous avons de nouveau fouillé la maison mais nous n'avons trouvé aucun indice. »

Une clinique hantée

Les phénomènes que nous examinons sous ce titre se rapportent essentiellement à de mystérieux jets de pierres qui se sont produits en 1963 dans une clinique d'Arcachon. Ils ont été relatés dans la *Revue Métapsychique* de juin 1966 par le Dr Cuénot, propriétaire et directeur de cette clinique. Voici des extraits du compte rendu du Dr Cuénot, ancien interne des hôpitaux de Nancy, médaille d'or de l'internat, lauréat de l'*Académie de Médecine* et fils du grand savant que fut le biologiste Lucien Cuénot, membre de l'*Académie des Sciences* :

« De la mi-mai jusqu'au début de septembre 1963, écrit le Dr Cuénot, la *Clinique Orthopédique d'Arcachon* fut harcelée par la projection de cailloux, de morceaux de moellons, de fragments de brique dont l'origine est demeurée inconnue. Ce type de phénomène assez inhabituel, on en conviendra, sans que l'on ait pu surprendre un coupable pendant une durée assez longue, a déjà été signalé dans l'imagerie traditionnelle des maisons hantées. J'y portais, pour cette raison, d'autant plus d'attention que cela se produisait, presque chez moi, dans une clinique spécialisée dans le traitement des tuberculoses osseuses, que je dirigeais à Arcachon depuis plus de vingt-trois ans, donc dans un cadre que je connaissais parfaitement. En dehors du caractère inexpliqué de cette agression et du problème policier qu'elle posait, cette affaire m'a permis d'observer, sur le vif, les réactions psychologiques des personnes au courant, mais non concernées, des témoins directs qui reçurent les pierres, et, surtout, d'une jeune fille qui semblait particulièrement visée. J'ai pu noter cette espèce de refus systématique qui est presque l'inverse d'une suggestion collective : tout le monde se refusant à admettre une explication irrationnelle, puis, devant l'impossibilité d'une interprétation satisfaisante, s'efforçant de ne plus y penser en s'abstenant de tout commentaire.

« Pendant cette période, les malades hospitalisés à la clinique, la plupart allongés sur des voitures, reçurent approximativement deux à trois cents cailloux de tous calibres. Parfois très petits, parfois du volume d'une demi-brique, ces projectiles étaient donc parfaitement inoffensifs ou parfaitement capables de tuer quelqu'un. La trajectoire des pierres, la direction du tir, la vitesse, le nombre et la nature des projections furent très variables. L'horaire de la chute des pierres fut, lui aussi, très capricieux. Celles-ci tombaient à toute heure du jour mais particulièrement à la nuit tombante. Jamais il n'y eut de malades blessés et si deux d'entre eux furent touchés, ils ne le furent que très légèrement.

« La seule condition, apparemment nécessaire et suffisante au déclenchement des phénomènes, était la présence, dans les parages, de Jacqueline R. âgée de dix-sept ans, ce qui autorisait tous les soupçons la concernant. Mais, malgré l'étroite surveillance de la part des autres malades, jamais rien dans ce sens ne put être mis en évidence. Au contraire, dans de multiples circonstances et devant de nombreuses personnes, elle fut lapidée copieusement tout en étant visiblement parfaitement innocente de ce qui lui arrivait. »

Le Dr Cuénot signale ensuite que la chute des pierres commença au moment où le personnel et les malades de la clinique apprirent que celle-ci allait être fermée ou vendue et que, à cette époque, une malade, Angelina M., qui était particulièrement visée par les cailloux, était probablement l'agent inconscient de ces jets de pierres; ce n'est qu'après le départ d'Angelina de la clinique, le 7 juillet 1963, que Jacqueline R. prit, en quelque sorte, le relais de cette malade, en ce qui concerne la cause probable des phénomènes.

« Loin de cesser après le départ d'Angelina, écrit-il, les chutes de cailloux devinrent de plus en plus fréquentes avec une prédilection toujours marquée pour l'environnement immédiat de Jacqueline. Visiblement, c'était elle qui était désormais visée. Il lui suffisait de se trouver quelques minutes en un lieu quelconque des terrasses extérieures pour que les cailloux se mettent à tomber autour d'elle. Si elle s'absentait de la clinique, les jets de pierre cessaient. Dès qu'elle réapparaissait, ceux-ci reprenaient après une latence de 5 à 10 minutes chaque fois.

« En même temps, le poids, la force et le nombre de pierres lancées sur les malades augmentèrent rapidement pour devenir inquiétants en juillet et août : certains jours, il y en eut une trentaine. D'autres jours, tout s'arrêtait sans motif pour reprendre quelque temps plus tard, à la condition que Jacqueline R. soit présente. Le diamètre des cailloux lancés fut, à toutes les périodes, très divers. Comme leur volume, leur nature était aussi extrêmement variée. Parfois, il s'agissait de très petits cailloux arrondis comme on en trouve mêlés aux sables des plages, d'autres fois c'étaient de véritables galets de rivière comme ceux utilisés pour le béton. Il y eut également des fragments de brique, des éclats de moellons ou de ciment.

« Les pierres, visiblement lancées d'assez haut, atteignaient le sol, sauf de rares exceptions, à la verticale, et souvent en traversant le feuillage de trois platanes qui ombrageaient une partie du parc. Ce tir aveugle, à travers les feuilles de ces trois gros arbres sous lesquels s'abritaient souvent les malades allongés sur leur voiture, aurait pu être dangereux surtout lorsque les pierres étaient grosses. Contrairement à ce qu'il était permis de craindre, il n'en fut rien, presque personne ne fut touché et ce ne fut pas le moins surprenant de l'affaire. Evidemment, quand le bombardement était trop intense, les malades rentraient précipitamment à l'intérieur du bâtiment pour se mettre à l'abri, mais, même en tenant compte de cette précaution bien naturelle, cette bénignité méritait d'être notée.

« Si, au début, personne ne fit attention aux petits cailloux reçus par les malades depuis plusieurs semaines, c'est en juillet et en août, en raison du nombre, du poids et de la vitesse des projectiles, que le phénomène attira l'attention de l'ensemble des malades hospitalisés, au point même de devenir presque l'unique sujet de conversation des pensionnaires entre eux.

« Cette affaire bénéficia donc, au début, d'une sorte de conspiration du silence, personne ne voulant attirer l'attention sur ce qui était considéré comme l'œuvre d'un mauvais plaisant. La directrice n'en fut avisée par Jacqueline R.

qu'au début du mois d'août, mais elle, non plus, n'attacha aucune importance à ces contes à dormir debout. Ce n'est que le 28 août que M. C. m'avertit, et, de mon côté, à seule fin de couvrir ma responsabilité civile, j'informai la police locale qui, suivant l'usage, ne fit rien sinon me prendre pour un fou. C'est dans ces conditions que j'avertis mon confrère, le Dr M. Martiny, président de *l'Institut Métapsychique International*, qui voulut bien m'envoyer un enquêteur, M. Robert Tocquet, particulièrement au courant de ce genre de manifestations.

« Lorsque les malades furent interrogés par M. Tocquet, les uns déclarèrent n'avoir jamais observé de chutes de pierres, d'autres n'en avoir vu tomber que deux ou trois à côté d'eux sans y prêter attention. Certains refusèrent même de déposer. D'autres enfin, les plus nombreux, une quinzaine ou une vingtaine, confirmèrent purement et simplement les faits. Certains témoins avaient reçu, autour d'eux, de 10 à 20 cailloux. L'un d'eux en avait compté 17 en cinq minutes. Quatre joueurs de bridge signalèrent avoir reçu un jour une grosse pierre qui aurait pu facilement blesser l'un d'eux sur leur table de jeux. Un allongé, un jour, en avait reçu une sur sa voiture, d'autres, dans leur cabinet de toilette; plusieurs déclarèrent être rentrés précipitamment certains jours dans leur chambre, la situation devenant intenable sur les terrasses.

« Tout en reconnaissant le rôle déterminant de Jacqueline R. dans l'apparition des chutes de cailloux, personne ne put déclarer l'avoir surprise en train de lancer quoi que ce soit ou avoir découvert chez elle une attitude tant soit peu suspecte. Sa mise en vedette la rendait d'ailleurs vulnérable. Elle fut très surveillée par tous les autres malades et, dans cette situation, aurait été bien en peine d'intervenir d'une façon active sans être immédiatement repérée.

« Parmi tous ces interrogatoires, à peu de choses près identiques, on relève pourtant quelques précisions intéressantes :

« Un soir d'août, alors que les cailloux tombaient en abondance sur la terrasse nord, un malade, M.T. André, agent de police à Paris, leva la tête au moment précis où une grosse pierre, d'environ 200 à 300 grammes, était lancée par la fenêtre d'une chambre du deuxième étage du bâtiment, côté est, désaffecté. Il ne vit ni bras, ni tête, ni personne, mais vit seulement un caillou qui sortait de ladite fenêtre pour tomber sur le sol comme s'il était lancé du fond de la pièce par quelqu'un se cachant. L'étage, immédiatement exploré, fut trouvé vide et la porte de ladite chambre fermée à clef comme toutes les chambres inutilisées.

« Un autre soir, vers 21 heures, trois malades se trouvaient sur la terrasse avec Jacqueline R. lorsque les jets de pierres recommencèrent, venant visiblement toujours du même bâtiment. Pour en avoir le cœur net, les quatre amis montèrent au troisième étage, ouvrirent la porte de l'étage fermé à clef de l'extérieur et ne virent personne. Redescendus sur la terrasse, les pierres continuèrent à tomber, ils remontèrent examiner cette fois le deuxième étage où toutes les portes des chambres étaient également fermées, loquets enlevés. Pour la seconde fois, leur démarche fut infructueuse même après avoir pris la peine d'ouvrir chaque pièce avec un loquet de secours.

« Un certain jour, où M. C. était allongé sur la terrasse nord, sur sa voiture, les cailloux se mirent à pleuvoir en telle quantité que, pris de colère, il se mit à crier à la cantonade :

« — Il y en a assez! Cet imbécile ne peut-il pas s'arrêter? »

« Aussitôt les chutes de pierres cessèrent pour ne reprendre que timidement une demi-heure plus tard.

« Un autre témoin signale que, un jour où le temps était particulièrement beau, tous les malades, sans en excepter un, descendirent de leur chambre pour passer l'après-midi sur la terrasse. Ce jour-là, il ne manquait à l'appel ni un malade ni un membre du personnel, et, jamais, il n'y eut autant de pierres lancées, ce qui devait entraîner la conviction de tous qu'aucun malade ni aucun membre du personnel ne pouvait être soupçonné.

« Parmi les informations qu'apportèrent ces dépositions, nous devrons encore citer le témoignage de C. qui soulève d'autres difficultés. Un certain soir pendant lequel ce malade, rigoureusement allongé en raison d'une double coxalgie, avait été particulièrement visé, celui-ci, avant de regagner sa chambre, demanda à Jacqueline R., qui l'accompagnait, de ramasser les quelques pierres tombées autour de lui. Il les déposa en un petit tas à côté de sa chambre pour me les montrer. Le lendemain matin, le tas avait disparu et il fut impossible de savoir qui l'avait enlevé. Les femmes de chambre prétendirent qu'elles n'avaient rien vu, les malades non plus. »

C'est alors que, le 1er septembre 1963, le Dr Cuénot, constatant que Jacqueline R. était au centre et l'agent probable de ces manifestations, résolut de lui faire subir un interrogatoire psychologique et psychanalytique. Il apprit ainsi que, bien qu'âgée de dix-sept ans, elle était déjà désabusée de tout, qu'elle n'aimait pas flirter, qu'elle avait été fière lorsqu'elle avait été réglée à onze ans, qu'elle ne voulait pas d'enfants, qu'elle adorait qu'on s'occupe d'elle, qu'elle riait volontiers aux enterrements et pleurait aux mariages, etc., etc.

Or, chose curieuse, après cet interrogatoire qui fut, pour Jacqueline R., une sorte de confession et de « décharge » psychologique, les jets de pierres cessèrent mais furent remplacés par d'autres phénomènes.

Ainsi, le 1er septembre 1963, à minuit, la porte de Jacqueline R., donnant sur le couloir, s'ouvrit lentement et sans bruit. C'est le heurt de la porte contre le lit de Mme T. qui réveilla tout le monde. Comme, ce soir-là, il y avait un fort vent, les malades refermèrent la porte sans plus.

Le 2 septembre 1963, les malades de la chambre de Jacqueline venaient, depuis une demi-heure, d'éteindre leur lumière lorsque, vers 23 heures, il y eut un fort coup de poing frappé contre la porte de cette chambre. Quelques secondes plus tard, une infirmière, qui était chargée de veiller les malades, leur déclarait qu'elle n'avait vu personne à proximité de la porte.

Le 3 septembre 1963, c'est à 4 heures du matin que la porte, qui pourtant fermait bien, s'ouvrit de nouveau et vint heurter le lit de Mme T. qui s'éveilla. A ce moment, les autres occupants de la chambre, dont Jacqueline R., étaient dans leur lit. D'autre part, il est à signaler que la porte entrouverte n'avait aucune tendance à s'ouvrir spontanément.

Le 4 septembre 1963, sur la demande des malades, un verrou est placé à l'intérieur de leur chambre.

« Depuis, écrit le Dr Cuénot, il n'y eut plus d'ennui de ce côté et, à part quelques ouvertures de portes aux heures de télévision et quelques coups frappés, à 4 heures du matin, quelques jours plus tard à la porte de l'enquêteur de l'*Institut Métapsychique International*, tous les phénomènes cessèrent définitivement. »

Voici précisément un extrait du rapport que je fis à ce sujet et que je remis au président et à mes collègues de l'*Institut Métapsychique International.*

« En septembre 1963, je me suis rendu à la clinique du Dr Cuénot, à Arcachon, afin de procéder à une enquête sur des jets de pierres et sur quelques autres phénomènes qui s'y produisaient depuis cinq mois environ. J'y interrogeai le personnel et tous les malades (soit une trentaine de personnes) qui ne purent me préciser la cause probable des phénomènes dont ils avaient été témoins. Présumant que leur auteur, vraisemblablement involontaire, était Jacqueline R., je m'installai dans une chambre contiguë à celle de cette jeune fille afin d'être, à l'occasion, témoin d'un phénomène.

« Or, au cours de la première nuit que je passai dans

cette chambre, à 4 heures du matin exactement, quatre coups, relativement violents, séparés par des intervalles de 5 ou 6 secondes, furent frappés sur la porte de ma chambre. Au troisième coup, je me levai et j'ouvris brusquement la porte qui donnait sur un couloir parfaitement éclairé par des lampes électriques. Personne ne s'y trouvait. C'est alors que retentit le quatrième coup comme s'il avait été produit par un poing invisible, cependant que je sentis vibrer la porte que je tenais de la main gauche.

« Il est à remarquer — et ce détail était inconnu du Dr Cuénot et de ses malades — que, tous les jours, je me réveille entre 3 h 30 et 4 heures du matin et que je suis alors parfaitement conscient. C'est, en effet, à partir de ce moment que je procède mentalement à l'examen des travaux que je dois effectuer dans la journée.

« Deux ou trois minutes après avoir entendu le quatrième coup, je passai rapidement un vêtement et allai frapper à la porte de Mlle Jacqueline R. Elle ne me répondit qu'au bout de quelques minutes, et, quand elle ouvrit sa porte, elle semblait visiblement sortir d'un sommeil profond.

« En définitive, et c'est ce que j'ai écrit dans le compte rendu des interrogatoires, je crois qu'il est difficile d'expliquer la plupart des jets de pierres par la mise en jeu de facteurs normaux et j'estime que les quatre coups frappés à la porte de ma chambre étaient d'origine paranormale. »

La fantastique aventure de Mme V.

Cette extraordinaire hantise, dont je dois le récit à Mme V. qui a bien voulu me confier ses notes écrites, au jour le jour, à mesure que se déroulaient les phénomènes, et qui, sur mes suggestions, tenta quelques courageuses expériences, a eu pour théâtre une grande maison du XVIIe siècle, « Le Prieuré », à S., qui était autrefois le domicile du prieur de S., chef d'une communauté religieuse expropriée à la Révolution.

Mme V. ayant, avec ses deux fils (âgés respectivement de vingt et trente ans, et que je désignerai, comme le fait leur mère, par leur prénom Jean et Gaston), emménagé en cette sorte de gentilhommière le 6 juillet 1955, quatre jours après, un fantôme lui apparut dans sa chambre à coucher qui avait été celle du Prieur.

« Que s'est-il passé, écrit-elle, depuis cette nuit du 10 juillet 1955, où, pour la première fois, j'ai vu se glisser dans ma chambre une ombre floue, formée de brouillard opaque, derrière laquelle il semblait y avoir une lumière?

« Cette ombre, de forme humaine, portait une longue robe et une pèlerine et avait la tête recouverte d'un capuchon.

« L'ombre s'est avancée lentement vers moi. Saisie de frayeur, je me suis assise sur mon lit, le dos collé au mur, la gorge sèche. J'étais glacée, et, cependant, je suais. J'ai voulu me lever, appeler, mais aucun son n'est sorti de ma gorge : une terreur indescriptible me tenait clouée là où j'étais.

« L'ombre s'est avancée jusque devant la cheminée puis s'est agenouillée et j'ai alors entendu le bruit de ses genoux rencontrant le parquet. Elle s'est prosternée trois fois, les mains jointes, dans un geste d'imploration. Après être restée longtemps agenouillée, elle s'est prosternée de nouveau trois fois, s'est relevée lentement et s'est dirigée vers la porte donnant sur un petit cabinet qui se trouve au pied d'une alcôve. Quelques secondes ont passé puis j'ai entendu nettement comme la chute d'un corps sur le carrelage du cabinet.

« Mon trouble était indescriptible, mon cœur battait à se rompre, tout mon sang affluait à mes tempes. Mais, heureusement, le jour finit par se lever, ce qui me permit de descendre dans le parc : tout était si calme par ce radieux matin d'été que je me suis alors demandé si je n'avais pas rêvé, si je n'avais pas été le jouet d'un cauchemar ou d'une hallucination. »

Cette idée d'un rêve hallucinatoire s'impose de plus en plus à Mme V. car, au cours des semaines qui suivent, aucun phénomène anormal ne se produit au Prieuré.

« Je me morigénais intérieurement d'avoir pareillement perdu mon sang-froid, continue Mme V., lorsque, une nuit, la porte de ma chambre s'ouvrit, livrant passage à la forme qui m'avait tant terrorisée la première fois. Malgré tout ce que je m'étais promis, la peur, une peur qui me paralysait, s'empara de moi. La forme fit exactement ce qu'elle avait fait la première fois que je l'avais vue, s'agenouilla devant la cheminée, et, après être restée longtemps ainsi, s'en alla cette fois par où elle était venue.

« Encore une fois, je n'ai pas eu le courage de réagir. mais je ne pouvais plus douter : c'était certain, une forme humaine venait parfois prier devant la cheminée de la chambre du Prieur. Devant cette évidence, je me demandai si cette forme n'était pas venue tous les jours pendant mon sommeil et bien avant que nous habitions cette maison. Etait-elle ce qu'on appelle un revenant, un fantôme, un spectre? En tout cas, elle ne ressemblait en rien aux fantômes dont j'avais vu l'image dans certaines revues (squelettes recouverts d'un drap). Non! Cette forme rappelait celle d'un moine paraissant très vieux! J'étais poursuivie par cette idée : Qui est cette forme, d'où vient-elle? »

Des semaines s'écoulent encore et Mme V. s'en vient à regretter de n'avoir pas tenté d'entrer en conversation avec l'apparition fantomatique et, inconsciemment, elle souhaite la revoir. Ce vœu, non formulé, ne devait pas tarder à être exaucé.

« Un soir, écrit-elle, alors que je venais d'éteindre ma lumière et de m'étendre dans mon lit, je vis soudain la porte de ma chambre s'ouvrir doucement et l'ombre du moine s'avancer vers moi. Il paraissait vieux, ce pauvre moine, et une forte odeur de moisi, qui me prit à la gorge, est entrée avec lui. Comme d'habitude, il s'est agenouillé après s'être dirigé à pas lents vers la cheminée. A mon grand effroi, j'ai entendu qu'il pleurait et j'ai vu ses épaules secouées par de gros sanglots. Puis, se courbant complètement, il cogna par trois fois le front contre la terre. A chaque fois, une voix bizarre, indescriptible, qui semblait venir de loin, s'élevait en disant : « Mon Dieu, miséricorde, ayez pitié de moi, ayez pitié, mon Dieu, pardonnez-moi, Jésus. »

« Les minutes que j'ai vécues à ces moments sont indicibles. J'avais tant éprouvé la crainte de ne pas revoir le fantôme que je crois en avoir eu moins peur. Et puisque j'avais entendu une sorte de voix, je résolus de lui parler. Mais comment l'interpeller? Quelle réaction allait-il avoir? N'allais-je pas l'éloigner à jamais? Tant pis, j'en aurai le cœur net! Je me suis alors assise sur mon lit, et, à ce mouvement, il a tourné la tête mais n'a pas semblé attacher d'importance à ma présence. Un bon moment après, il s'est relevé, s'est arrêté devant mon lit et m'a dit :

« — Que faites-vous ici, pourquoi êtes-vous ici? Personne n'a le droit de troubler la quiétude de cette maison qui a été construite par des religieux pour des religieux et pour servir à la plus grande gloire de Dieu.

« J'étais très émue, une petite sueur fine me glaçait, mais j'ai répondu :

« — Vous-même, mon Père, pourquoi êtes-vous ici? Etes-vous un être normal? Pourquoi venez-vous prier dans cette maison?

« — Ma pauvre enfant, répondit-il, il y a des siècles que je prie ici et je ne prierai jamais assez pour effacer mes péchés, pour faire oublier les souffrances dont je suis responsable et les crimes que j'ai laissé commettre au nom de Dieu et de la religion.

« Par moments, il tombait à genoux et gémissait; c'était poignant. J'aurais voulu le consoler, faire quelque chose pour lui, mais j'étais paralysée par l'effroi. Il se calmait, priait en latin, puis, tout d'un coup, se relevait, les bras tendus vers le plafond, en disant :

« — Je souffre, mon Dieu, que je souffre. Les hommes veulent dépasser Dieu et se précipitent vers les abîmes. Le globe terrestre éclatera, l'Europe, l'Asie, l'Afrique seront submergées. Seule, la partie sud de l'Amérique émergera.

« C'est alors qu'il me demanda :

« — Avez-vous donné à boire au prisonnier?

« — Quel prisonnier et où est-il?

« — Dans le cachot à côté du réfectoire du couvent.

« Il me raconta la longue et pénible histoire d'un homme mort de faim, de soif et de froid dans ce cachot. Il me dit les remords qu'il éprouvait d'avoir, par sa lâcheté, facilité et toléré ce martyre. Par moments, il se prosternait jusqu'à terre en implorant : « Mon Dieu, pardonnez-moi, Jésus, miséricorde. »

« C'est aussi cette même nuit qu'il me demanda :

« — Pourquoi laissez-vous la statue de Notre-Dame-au-Flambeau parmi les gravats, les détritus?

« — Mon père, je n'ai jamais vu la statue dont vous me parlez!

« — Elle se trouve aux environs de l'oratoire. Cherchez, vous en trouverez les morceaux. Bien qu'elle ait été décapitée, mutilée, remettez-la à sa place dans la niche de l'oratoire. C'est là que, pendant des siècles, les foules sont venues l'honorer, l'implorer les jours des fêtes mariales. Les guérisons et les grâces qui, par son intermédiaire, furent accordées, ont été innombrables. Rendez-lui la place et le culte dont elle avait été entourée jusqu'à ce qu'elle fût massacrée par des vandales.

« Je promis de chercher cette statue et, si je la trouvais, de la placer dans sa niche. Le moine fit alors une génuflexion et s'en alla.

« Je restai longtemps éberluée sans volonté et à bout de forces, puis je me mis moi-même à sangloter, me demandant ce que signifiait cette voix grésillante et lointaine.

D'où venait-elle? Où étais-je? Parmi les vivants ou les morts? Tout tournait dans mon cerveau, j'étais absolument anéantie, incapable de penser. »

Jusqu'alors, Mme V. n'avait parlé à personne de ces apparitions et c'est sous un prétexte futile qu'elle demanda à ses deux fils de rechercher s'il n'existait pas une sorte de réduit dans les souterrains fort étendus du Prieuré. Effectivement, ils découvrirent rapidement, le long du mur de la chapelle, un réduit ayant une allure de cachot. Il semblait donc que, à ce sujet, le moine avait dit vrai. La suite des événements montra que ses informations étaient également exactes en ce qui concerne la statue de la Vierge.

Pendant onze nuits consécutives le fantôme apparaît et Mme V. commence à s'habituer à sa présence. Un soir, cependant, la peur la reprend. « J'essayai, dit-elle, d'entraîner mes deux chiens dans ma chambre, mais ils refusèrent d'y entrer eux-mêmes. Les y ayant forcés, leurs poils se hérissèrent et ma chienne Djebelle se mit à hurler. Je leur ouvris la porte et ils se sauvèrent tous les deux en aboyant. Cette scène me surprit et la panique me saisit de nouveau. Le soir même, le fantôme est entré dans ma chambre et s'en est allé comme d'habitude. »

Cependant, certains faits ne devaient pas tarder à éveiller l'attention des deux fils de Mme V. D'abord, l'extrême fatigue, l'air préoccupé et l'amaigrissement de leur mère. Puis, sa décision de quitter la chambre du Prieur, cependant très belle et très grande, pour s'installer dans une autre chambre moins confortable. Enfin, et surtout, toute une série de bruits inexplicables.

« Avant-hier soir, note Mme V., alors que j'étais couchée depuis 9 heures et que les bruits habituels s'étaient tus dans la maison, j'entendis des bruits sourds et me demandai d'où ils pouvaient provenir. Vers 11 heures ils se firent de plus en plus fréquents et violents. Devant leur insistance et leur intensité, Jean et Gaston se levèrent et firent irruption dans ma chambre. Ils me demandèrent ce que cela signifiait. Je leur répondis que je n'en savais rien. Violents et sourds à la fois, ils semblaient provenir du premier étage. Les jeunes gens y montèrent, inspectèrent partout, mais ne virent rien d'anormal. Craignant que ce soit une fenêtre ou une porte mal fermée qui, en cognant, les aurait occasionnés, bien qu'il n'y eût absolument pas de vent cette nuit-là, ils allèrent partout s'assurer que tout était bien clos. Ils montèrent même dans les combles, afin de voir si aucun animal ne s'y était réfugié. Rien d'apparent, et, cependant, les bruits persistaient de plus belle. Cette fois, mes deux incrédules (qui ne croyaient ni à Dieu, ni au Diable, ni au surnaturel) étaient très intrigués. Mais je me gardai bien de leur raconter ce qui s'était passé dans la chambre du Prieur et ne fis aucune réflexion. Le lendemain, de plus en plus intrigués, ils allèrent de nouveau visiter minutieusement toutes les pièces, les placards et les moindres recoins, de la cave au grenier, mais ne remarquèrent rien de suspect.

« Plusieurs fois, dans les nuits qui suivirent, les mêmes bruits violents et sourds, vraiment inexplicables, se firent entendre, et, malgré une chasse acharnée, Jean et Gaston n'en trouvèrent pas l'origine. Ils firent toutes sortes de suppositions, pensant que, peut-être, quelqu'un s'introduisait dans notre maison par les souterrains, surtout que, depuis quelque temps, le journal de la région publiait des articles relatifs à la découverte d'un trésor qui avait été faite en creusant des sous-sols d'une propriété de B.

« Mais, sur ces entrefaites, un matin à 6 h 10, un grand coup sourd, suivi d'un autre très violent, firent ébranler la porte du placard situé entre le couloir et la salle à manger. Mes deux chiens, qui, depuis l'apparition des premiers froids, couchaient dans ma chambre sur un divan, furent saisis d'une frayeur intense. Le chien Zam sauta à la tête de mon lit, m'emprisonnant littéralement dans les couvertures. Cette grosse bête, si téméraire d'ordinaire, tremblait de tous ses membres. Quant à la chienne, elle se mit à hurler d'une manière affolante. Je me levai précipitamment, n'osant donner la lumière ni ouvrir la porte qui donne sur le couloir face au placard. La nuit était très noire, il faisait un froid intense, j'étais paralysée par la peur et je n'osai pas franchir les quelques mètres qui me séparaient de la porte communiquant avec la salle à manger et la chambre de mes fils. Ce n'est qu'à 8 heures, quand Jean est venu me dire bonjour, que j'ai pu lui raconter ce qui s'était passé. Il m'a dit qu'il avait entendu un bruit sourd et la chienne hurler, mais qu'il n'y avait pas prêté attention, ces sortes de bruits étant devenus fréquents dans la maison.

« Le lendemain, vers 10 heures, alors que Jean était en ville et que je bavardais avec Gaston, de grands bruits se produisirent tout à coup au premier étage. Gaston bondit vers la porte, gravit l'escalier quatre à quatre, mais, une fois de plus, il ne vit absolument rien. »

C'est alors que survint un fait nouveau. Cependant que les bruits mystérieux continuaient à être entendus par tous, le plus jeune des fils de Mme V., Jean, qui ne se doutait absolument pas de l'existence des manifestations fantomatiques dont sa mère était l'objet, dit un soir en rentrant de la ville où il était allé faire des courses :

— C'est drôle, j'ai eu le sentiment d'être suivi. Je me suis retourné et je n'ai pourtant rien vu.

A quelques jours d'intervalle, il fait la même réflexion et ajoute :

— En me retournant, j'ai eu l'impression que quelque chose de noir flottait à côté de moi.

Ce qui fait dire à Mme V. sur un ton mi-badin, mi-sérieux :

— C'est peut-être un fantôme?

— Penses-tu, rétorque Jean, cela n'existe pas!

Pendant quelque temps, le calme revient au Prieuré jusqu'au jour où, au cours d'une matinée, un fantôme, qui, semble-t-il, n'était pas celui du vieux moine, apparaît à Mme V. qui procédait alors à des rangements.

« Je restai figée sur place, écrit-elle, cependant que l'ombre s'avançait très lentement en étendant les bras. Je sentis mes jambes se dérober, la sueur m'inonder. J'essayai de crier, mais ce n'est qu'un son rauque qui s'échappa de ma gorge; je reculai épouvantée, m'appuyant sur la porte qui se referma.

« L'ombre s'avança encore et je sentis sa main glacée s'appuyer sur la mienne, puis j'entendis une voix rauque qui m'enjoignait :

« — Allez-vous-en, allez-vous-en, cette maison n'est pas la vôtre; elle a été soustraite aux religieux qui l'habitaient.

« L'ombre s'est alors reculée et est allée s'appuyer sur la cheminée.

« Cette fois, je n'ai pas eu la force de dire un mot. Cette ombre n'était pas celle du vieux moine qui venait habituellement. Elle était grande, large et n'était pas habillée comme celui-ci. Elle ressemblait à un évêque car j'ai nettement distingué la mitre et la chasuble. »

Ce fantôme fait à Mme V. un certain nombre de prédictions générales dont quelques-unes se sont, semble-t-il, réalisées. Celle-ci, par exemple : « La France, sous l'égide d'un grand Français, connaîtra, après bien des difficultés, une ère de renouveau et de rayonnement. »

Cependant, émotionnée au-delà du possible, Mme V. fait, le lendemain, une forte crise de jaunisse et doit s'aliter. Affaiblie physiquement et moralement déprimée, elle décide alors de tout raconter à ses fils. A ce moment, les deux filles de Mme V. viennent passer quelques jours de vacances au Prieuré.

Mais Mme V. se heurte à l'incrédulité de ses deux garçons qui ne cessent de lui répéter : « Tu as rêvé. Il n'y a pas de fantômes. » Les deux jeunes filles n'ont pas d'opinion bien arrêtée, mais, péniblement frappées par l'amaigrissement de leur mère, elles pressentent que quelque chose d'anormal s'est produit au Prieuré.

Quoi qu'il en soit il est convenu que les deux fils occuperont la chambre du Prieur, que Mme V. s'installera dans une pièce attenante et que les deux chiens coucheront dans cette chambre sur des coussins.

Pendant quelques jours rien d'anormal ne se produit. « Mais une nuit, écrit Mme V., Gaston, qui depuis un moment entendait un bruit étrange rappelant celui d'une machine à écrire ou d'une rotative d'imprimerie ou plutôt le tic-tac d'un alphabet Morse, se leva, essaya de réveiller son frère pour qu'il entende aussi. Mais Jean dormant profondément ne s'éveilla que quelques instants et se rendormit. De mon côté, je me levai et écoutai. En effet, dans le mur, à l'encoignure de la cheminée, juste où se trouve la tête du lit de Gaston, on entendait très distinctement une sorte de cliquetis provenant indéniablement de l'intérieur du mur. Cependant, aucune pièce n'est adossée à cet endroit qui correspond à la facade de la maison.

« Plusieurs fois ces bruits recommencèrent. Jean, qui les entendit également, se fâchait et répétait à tout instant : « Que peut-il se passer là-dedans! »

« En avril, des coups plus violents que jamais se firent entendre dans les murs, nous réveillant tous, et, malgré tout ce qui fut tenté, il fut impossible d'en déceler la cause. »

Excédée par tout ce tintamarre, Mme V. pense à avertir la police, mais s'étant rendue à Paris près de ses deux filles celles-ci lui conseillent d'aller plutôt consulter un « professeur » de sciences occultes. A vrai dire, celui-ci, dont le nom n'est pas donné dans les notes de Mme V., lui fournit des explications qui ne la satisfont pas, bien que, à notre avis, assez justes dans l'ensemble. Rentrée à S., Mme V. confie ses ennuis à une personne de l'endroit qui lui dit :

— Vous venez de retrouver la voie au sujet d'une question que bien des personnes se sont posée. Il faut vous dire que, avant votre arrivée, il y a environ un an, la maison que vous occupez était habitée et qu'elle avait été louée pour trois ans. Les locataires ont sans doute été comme vous visités par un spectre car ils quittèrent précipitamment le Prieuré. En outre, votre présence ici suscita, parmi les héritiers et les administrateurs du domaine, un mécontentement très vif. Aussi, madame, les bruits tenaces et persistants que vous entendez ne seraient-ils pas provoqués par quelque quidam résolu à vous faire peur afin que vous quittiez le Prieuré comme ce fut probablement le cas pour les locataires qui vous ont précédée? Dites-vous bien qu'avec les moyens scientifiques actuels, il est peut-être possible de reproduire une sorte de fantôme.

« Tout cela, remarque Mme V., ne me renseignait guère. Je voyais bien que mes fils, et d'autres personnes avec eux, ne croyaient pas aux fantômes mais pensaient plutôt à une énorme farce qui était faite dans un but précis. Cependant, j'étais certaine de ce que j'avais vu et j'espérais que mes fils, puisqu'ils couchaient dans la chambre du Prieur, verraient un jour ou l'autre l'apparition. »

Cela devait effectivement arriver.

Tout d'abord, une première fois, le plus jeune fils de Mme V., Jean, rentrant un soir de la ville, aperçoit à la fenêtre de la chambre du Prieur une forme humaine indécise.

En second lieu, un matin, cependant que Mme V. et son fils Gaston prenaient ensemble leur petit déjeuner, ils voient venir à eux Jean, tout essoufflé, livide, et s'écriant :

— Venez vite, vite, vite, je viens de voir le fantôme, il a traversé le hall et s'est dirigé vers la bibliothèque!

Tous trois se rendent rapidement vers la pièce indiquée, mais ne découvrent rien d'anormal. Fait singulier cependant : les chiens refusent d'y pénétrer.

Jean précise alors qu'il a vu l'ombre traverser tranquillement le hall et se diriger vers la bibliothèque.

— Vous ne pouvez vous imaginer, ajoute-t-il, l'impression que cela m'a fait. C'est alors que je me suis précipité vers vous afin de vous avertir.

Mme V. note alors : « Je ne peux dissimuler la joie que cette constatation me cause. Mon fils Jean l'incrédule a vu lui aussi le fantôme. J'en suis heureuse car il s'est assez moqué de moi. J'écris immédiatement à mes filles pour les informer de la grande victoire que je viens de remporter. »

Cette fois, Jean ne doute plus de l'existence du fantôme car il a décidé de le photographier, mais des semaines s'écoulent sans que l'apparition se manifeste.

« Nous vivions ainsi tranquillement, écrit Mme V., quand, une nuit, nous sommes réveillés, Jean et moi (Gaston était absent du Prieuré), par les hurlements de nos deux chiens. Littéralement fous, ils sautaient d'un lit à l'autre, nous écrasant de leur poids. Jean cria : « Que se passe-t-il? » En plein désarroi j'empoignai une robe de chambre et me levai. Bien que tremblant de tous mes membres, je pus faire quelques pas et je pénétrai dans la chambre de Jean, c'est-à-dire dans celle du Prieur. Je vis alors le fantôme agenouillé devant la cheminée et murmurant des prières. Je braquai ma lampe électrique dans la direction du lit de Jean et vis mon fils debout, la bouche ouverte, les yeux écarquillés. Quant aux chiens, ils s'étaient réfugiés devant la fenêtre et gémissaient doucement. »

Le fantôme se mit alors à parler et une extraordinaire conversation, dans laquelle il fut question de livres et de parchemins, s'engagea entre les trois protagonistes de cette scène étrange. Après quoi le fantôme disparut. Mais Jean était atterré.

« J'avais l'impression, écrit Mme V., qu'il était devenu fou.

« — Où sommes-nous, disait-il, que s'est-il passé?

« — Mais rien qui ne se passe d'habitude, mon pauvre Jean!

« Le lendemain, Jean était livide et ne parlait pas.

« — Je lui dis : Tu vois, nous n'avons pas pensé à la photographie.

« — J'avoue que j'ai été saisi, reconnut-il, mais ce sera pour la prochaine fois.

« Pendant les deux jours qui suivirent cette apparition, Jean ne prononça pas vingt paroles. Lui, qui, d'ordinaire, ne pouvait rester à la maison, ne sortit pas et passa la majeure partie de ces deux jours assis dans un fauteuil au coin de la cheminée. Parfois, il semblait dormir, parfois, il prenait sa tête entre ses mains. A la fin du deuxième jour, je lui demandai ce qu'il avait. Il me répondit : « Il me semble que je deviens fou. Que s'est-il passé? Que se passe-t-il ici? Comment as-tu pu tenir des mois dans une ambiance pareille? »

« — J'ai tenu parce que j'ai admis ce qui ne peut être nié, tandis que toi, tu te cabres, tu ne peux arriver à reconnaître que des choses pareilles puissent se produire. Cependant tu vois que malgré toute ta volonté elles se manifestent sans que tu puisses les en empêcher. »

Il est alors décidé que Jean ira passer une quinzaine de jours à Paris pour se remettre de ses émotions, qu'il reviendra ensuite au Prieuré pour être remplacé par Gaston et ainsi de suite. Ce qui fut fait. Il s'ensuivit que Mme V. restait parfois seule au Prieuré, parfois en compagnie de l'un de ses fils. Elle se rendait également de temps en temps à Paris. Jean, maintenant complètement rétabli, est absolument résolu à trouver la clef des mystérieuses apparitions. Au cours de ses séjours au Prieuré, et alors qu'il est seul à l'habiter, il inspecte minutieusement la chambre du Prieur, les deux petits cabinets y attenant, ainsi que les deux pièces qui donnent dans cette chambre. Il sonde de nouveau les murs, les boiseries, visite la chapelle, et recherche s'il ne serait pas possible de créer, par un procédé quelconque, une forme plus ou moins évanescente, et de faire entendre une voix à l'aide d'un microphone habilement dissimulé. Mais, encore une fois, il ne découvre rien de suspect et ses suppositions apparaissent entièrement gratuites.

Après quelques semaines, où rien de saillant ne se produit, quelques faits troublants ont lieu : d'abord la découverte d'une partie de la statue de la Vierge à l'endroit indiqué par le fantôme, puis, semble-t-il, une nouvelle apparition de celui-ci.

En effet, un jeune homme, K., qui était venu se reposer au Prieuré et qui occupait la chambre du Prieur, est, au cours d'une nuit, trouvé assis sur la pelouse. On lui demande pour quelle raison il a quitté sa chambre. Il répond d'abord qu'il a trop chaud, puis, enfin, (alors qu'on lui fait remarquer qu'il fait plutôt froid), qu'il a peur, car, dit-il : « J'ai vu par trois fois un fantôme; je l'ai suivi dans l'escalier et l'ai vu descendre jusqu'au palier où il s'est évaporé. » Ne sachant rien des apparitions précédentes, il demande, le lendemain, l'autorisation de desceller la dalle où, trois fois de suite, il a vu le fantôme s'évanouir. Mais il ne trouve que la maçonnerie de l'escalier.

Pendant quelque temps, c'est encore le calme, lorsque, le matin du 28 octobre 1956, Jean, qui était seul au Prieuré, téléphone à sa mère alors à Paris : « Rentre tout de suite, je n'en peux plus. Cette nuit, j'ai eu une nouvelle visite, et, sur le matin, j'ai pu photographier l'apparition. J'ignore si le cliché est bon car j'étais affolé, énervé par tout ce que m'a dit le fantôme. Rentre vite, car je sens que je deviens fou. »

Effectivement, Mme V. trouve son fils prostré. Elle le renvoie à Paris, et, après quelques allées et venues de Jean entre Paris et S., finit par se trouver seule au Prieuré.

Jusqu'au soir du 12 janvier 1957 rien ne se produisit, « lorsque soudain écrit Mme V., en pénétrant dans le couloir, je vis le fantôme debout sur les dernières marches de l'escalier ».

Ce fut alors une longue conversation dans laquelle Mme V. s'entend reprocher de n'avoir pas reconstitué entièrement la statue de Notre-Dame-au-Flambeau. « Retrouvez-la, dit le fantôme, et, quand vous l'aurez retrouvée, priez-la beaucoup pour moi. Elle seule me délivrera de mes tourments. »

Or, quelque temps après, Mme V., passant près du bas de l'escalier de la terrasse, heurte une pierre qui dépassait le sol. Immédiatement, elle a l'intuition qu'il s'agit de la partie manquante de la statue. Avec mille précautions, elle dégage cette pierre et constate qu'elle représente le corps d'un Enfant Jésus et un fragment de draperie. Le tout s'adapte parfaitement aux autres parties de la statue : Notre-Dame-au-Flambeau reconstituée est placée sur la cheminée du Prieur et entourée de feuillage et de luminaires.

Après quelques mois de calme, le fantôme réapparaît, donne des explications historiques concernant le Prieuré et fait quelques prédictions générales. Il indique, en particulier, que de graves inondations allaient avoir lieu, ce qui effectivement se produisit.

Des mois passent encore, au cours desquels le fantôme apparaît quelquefois, lorsque, en juillet 1959, et grâce à l'amabilité de M. J.C., directeur d'un périodique et journaliste de grand talent, j'entre en relations avec Mme V. qui m'apprend tout ce qui s'était jusqu'alors produit au Prieuré. Malheureusement, mes obligations professionnelles ne me permettant pas, à ce moment, de me rendre à S., et Mme V. désirant que l'affaire du Prieuré ne soit pas ébruitée, je me contentai d'inciter vivement Mme V. à photographier l'apparition, et, si possible, à la toucher.

L'occasion de réaliser le premier de ces deux désiderata devait se présenter le 26 octobre 1959.

« C'était l'après-midi, écrit Mme V. En sortant d'un débarras, et au moment où je m'y attendais le moins, je me trouvai en face du fantôme qui venait sans doute de l'escalier. J'avais l'impression qu'il regardait par terre. C'était la première fois que je le voyais ainsi en pleine lumière du soleil. Je n'avais pas du tout peur et je pus détailler sa silhouette. Il ressemblait à une épaisse vapeur gris clair et ne bougeait absolument pas.

« A ce moment, mes chiens firent irruption et restèrent

un instant figés sur place, puis se mirent à hurler en reculant.

« Jean, qui travaillait dans le cellier au pied de l'escalier, se doutant immédiatement de ce qui se passait, prit l'appareil photographique qui était accroché en permanence à une porte voisine, monta doucement, et put photographier l'apparition. Elle se retourna, et, majestueusement, si je puis dire, se dirigea vers la chambre du Prieur. Je la suivis à quelques pas, mais, quand j'arrivai à l'angle du petit couloir qui mène à cette chambre, elle avait disparu. »

Le film me fut confié et je le développai. Les épreuves furent relativement nettes et en tout cas beaucoup moins floues que la photographie obtenue le 18 octobre 1956 qui ne montrait qu'une sorte de traînée grisâtre, à peine visible.

La deuxième partie du programme, que j'avais proposé à Mme V., fut accomplie quelques semaines plus tard.

« C'est vers la fin novembre, relate Mme V., une nuit, vers 2 h 10 du matin, alors que je rentrais de Moulins où j'étais allée accompagner mon fils Gaston au train de 1 h 30, qu'il m'arriva la chose la plus bouleversante que j'aie vécue.

« Cette nuit-là, j'étais pourtant bien loin de penser au fantôme, je venais de quitter mon fils et j'avais le cœur gros. Je précédais Jean qui rentrait sa voiture au garage, quand, en ouvrant la porte, je vis le fantôme debout sur le petit palier, à l'endroit même où, un an plus tôt, il m'était apparu, et où, terrorisée, j'étais restée figée sur place.

« Résolument, cette fois, je montai l'escalier, et, après que le fantôme eut prononcé quelques paroles, je fermai les yeux et je plongeai mes mains à l'horizontale au travers de la forme à la hauteur de la ceinture.

« Je ressentis aussitôt un très violent choc au même endroit de mon corps. Puis, un froid glacial, qui me fit suffoquer, absolument indescriptible, m'envahit, cependant que la forme se désagrégeait devant moi et que Jean, qui, d'en bas, avait assisté stupéfait à la scène, me criait :

« — Ma pauvre mère, qu'as-tu fait là?

« Je dus m'appuyer à son bras pour remonter dans mon appartement.

« Presque aussitôt, mes mains se mirent à enfler et à me brûler intensément comme s'il se fût agi de brûlures de froid. Je plongeai mes mains dans de l'eau tiède que Jean renouvelait. Petit à petit, les douleurs se firent moins intenses; je me couchai brisée et réussis à m'endormir.

« Le lendemain matin, je ne pouvais plus du tout remuer mes doigts, tant mes mains étaient gonflées, et, avec d'infinies précautions, Jean dut scier les deux bagues que je portais.

« Pendant au moins deux mois mes mains restèrent enflées et de bizarres petites brûlures parallèles, ressemblant à des griffures, furent visibles sur mes mains. Depuis, la peau de mes mains et de mes avant-bras reste très abîmée : elle est très épaisse.

« Très souvent, je ressens encore des douleurs aux endroits où mes mains ont traversé le fantôme. Je ne regrette cependant pas d'avoir fait cela, car, depuis longtemps, je voulais savoir si, sous ce brouillard, il y avait un squelette. Mais j'ai constaté qu'il n'en était rien et que le fantôme était formé d'une sorte de vapeur glaciale, légèrement visqueuse. »

J'ajouterai que un mois environ après cet événement, j'ai effectivement constaté, lors d'un court séjour de Mme V. à Paris, des traces de brûlures sur ses mains et une certaine enflure des poignets.

C'est à ce moment que j'ai demandé à deux de mes collègues de l'*Institut Métapsychique International,* MM O. et M., de se rendre à S. et de passer au moins une nuit dans la chambre du Prieur. Ils s'y rendirent aussitôt, et, au cours de la deuxième nuit de leur séjour, quelques « tic-tac » et une sorte de claquement de fouet produit au milieu de la salle furent entendus. « Ils annonçaient, note Mme V., que le moine était là, tout près », mais celui-ci ne se manifesta pas visiblement. Malheureusement, mes collègues, contraints par des obligations professionnelles, durent quitter S. après n'y être demeurés que deux jours, ce qui était notoirement insuffisant. « Je crois, écrit Mme V., que, s'ils étaient restés plus longtemps, nous aurions réussi à voir le vieux moine. J'étais navrée, mais qu'y faire? »

L'un des fils de Mme V., Gaston, confia à mon collègue M. M. qu'il avait un jour déchargé son fusil sur le moine et que celui-ci n'avait pas réagi (ce fait n'est pas signalé dans les notes de Mme V.). M. M. a vu les traces des chevrotines dans le mur devant lequel se trouvait l'apparition.

Enfin, une fois encore, et peut-être la dernière, le moine devait apparaître à Mme V.

« C'était le dernier dimanche de mars 1960, écrit-elle. J'étais seule au Prieuré, lorsque, tout à coup, mes chiens hérissèrent leurs poils cependant que Djebelle se mettait à hurler et à baver. Je regardai autour de moi : il n'y avait absolument rien de visible. J'enfermai les chiens et je sortis jusqu'au hall. Ils ne s'étaient pas trompés : le fantôme était là sur le petit palier, levant en l'air ses moignons de bras sans mains et implorant : « Délivrez-moi du carcan. »

« Je fis quelques pas dans sa direction et lui dis :

« — Mon Père, comment faire?

« — Je suis mort, répondit-il, sans le secours de la religion. J'ai été tué ici par des reîtres à quelques pas de l'endroit où, par lâcheté, j'ai laissé martyriser et mourir un homme. J'ai eu les mains coupées et j'ai été enfoui, avec d'autres religieux, entre l'église et les bâtiments... Je vous en prie, faites sur moi de grands signes de croix, aspergez-moi d'eau bénite. »

« A ma grande confusion, je dus lui avouer que je n'en avais pas ici, mais que j'allais m'en procurer. Je suis allée aussitôt chercher la petite croix qui est sur la cheminée, mais, quand je suis revenue, le moine avait disparu.

« Depuis bientôt un an je ne l'ai pas revu. »

★

Ainsi s'achèvent les notes de Mme V. à qui nous en laissons, bien entendu, l'entière responsabilité, et que nous soumettons purement et simplement, sans commentaire, à l'appréciation de nos lecteurs. Comporteront-elles un additif qui nous permettra peut-être de juger définitivement les phénomènes qu'elles relatent? L'avenir seul nous le dira.

La cause des hantises

Il faut d'abord souligner que l'hypothèse de l'hallucination collective, que l'on a parfois alléguée pour expliquer les hantises, a, en fait, un domaine d'application extrêmement limité. Au reste, la plupart des hantises s'exprimant, comme pour celles que nous avons relatées, par des faits objectifs, ou laissant des traces matérielles indubitables, la théorie hallucinatoire est le plus souvent inadéquate.

Pour beaucoup de spirites, c'est un défunt qui vient dans les maisons hantées témoigner de sa survivance. Selon eux, l'homme serait composé de trois éléments : le corps qui, après la mort, se désagrège et fait retour au monde matériel, l'esprit qui est la source de la conscience, de l'intelligence, de la volonté, et qui est immortel, et le périsprit, ou corps spirituel, qui serait un organisme fluidique formé d'une sorte de matière quintessenciée intermédiaire entre la matière proprement dite et l'esprit. Il survivrait plus ou moins longuement à la mort corporelle et servirait d'enveloppe et d'instrument à l'esprit. C'est grâce à lui que le décédé pourrait se manifester physiquement. Le périsprit d'un mort, inquiet, outragé ou repentant, produirait tous les phénomènes que l'on observe dans les maisons hantées. Pour le calmer, il suffirait de l'interroger avec déférence, de lui demander ce qui l'agite et comment il convient de l'apaiser. Après s'être conformé à ses exigences, les phénomènes cesseraient d'eux-mêmes. Effectivement, en agissant ainsi, les phénomènes disparaissent généralement.

D'autres spirites, avec F. Myers (*Proceedings of the S.P.R.* vol. VI) et E. Bozzano, ne font pas intervenir directement le périsprit. Ils admettent que les hantises sont provoquées par une impulsion télépathique due à un défunt. Elle engendrerait, par l'intermédiaire d'un médium, soit des perceptions d'ordre hallucinatoire (Myers), soit des phénomènes objectifs (Bozzano).

Les occultistes et les théosophes formulent une hypothèse plus complexe. Selon eux, il existerait dans l'univers sept zones ou plans qui s'interpénétreraient. Par ordre de densité décroissante nous aurions : 1° le plan physique qui est notre monde habituel; 2° le plan astral ou émotionnel qui est celui où nous irions chaque nuit pendant le sommeil et aussi après ce que nous appelons la « mort »; 3° le plan mental qui est celui de la pensée; 4° quatre autres plans parmi lesquels les plans boudhique et nirvanique.

L'homme posséderait plusieurs corps ou véhicules correspondant à ces différents plans : 1° le corps physique dense et visible doté d'un double éthérique qui absorberait la vitalité solaire; 2° le corps astral ou émotionnel qui serait l'instrument des émotions, des désirs, des passions et qui élaborerait la sensation ressentie ensuite par le corps physique; 3° le corps mental qui produirait la pensée exprimée par le cerveau; 4° le corps causal, ou individualité, appelé aussi âme ou ego. Alors que le corps physique est mortel et que les corps astral et mental seraient également périssables et ne dureraient qu'une incarnation, le corps causal serait immortel et persisterait à travers toutes les incarnations. Il transmettrait aux personnalités successives toutes les capacités et les qualités acquises dans les incarnations précédentes. Quant aux autres attributs de l'homme, ils ne seraient, à notre stade évolutif actuel, qu'à l'état de germes.

Bien entendu, si, avec la plupart des occultistes, on considère ces corps astral, mental et causal comme des médiateurs plastiques, l'hypothèse est difficilement défendable du point de vue scientifique. En revanche, elle devient plausible si on les assimile à des centres de forces.

Le plan astral, qui nous intéresse particulièrement ici, serait le lieu où évolueraient, non seulement ceux que nous appelons les « morts », pas encore délivrés de leurs illusions terrestres, mais aussi toutes les « coques », tous les « vêtements » psychiques abandonnés par les esprits passant sur les plans supérieurs. Ces « résidus » d'âmes, si l'on peut s'exprimer ainsi, finiraient, à la longue, par se diluer et se refondre dans le « Tout » universel, mais ils lutteraient contre leur anéantissement final en provoquant, par un dernier effort, ces phénomènes incohérents que l'on observe dans les maisons hantées.

En outre, le plan astral posséderait des individualités autonomes appelées « élémentals » qui seraient soit des êtres cosmiques, soit des pensées plus ou moins malfaisantes d'origine humaine. Ce peuple bizarre, à demi conscient, malicieux ou maléfique selon la nature des entités, serait à l'origine des plaisanteries burlesques ou méchantes, si fréquentes dans les maisons hantées.

D'après quelques auteurs il est inutile, comme le font les spirites, les occultistes et les théosophes, de faire intervenir l'au-delà pour expliquer les hantises.

Selon Frank Podmore, qui s'est efforcé de ramener à la

télépathie tous les phénomènes paranormaux, les choses se passeraient ainsi : Un des occupants de la maison qui va devenir « hantée » éprouve une hallucination purement subjective, visuelle, auditive ou autre, provenant de son état mental anormal, ou engendrée par une cause purement matérielle et fortuite mal interprétée. Dès que l'hallucination s'est produite une fois, elle tend à se répéter chez le même sujet, grâce à l'association des idées, et, en outre, peut se communiquer, par télépathie, de ce premier sujet à d'autres personnes habitant la même maison, et ainsi de suite, par une sorte de contagion psychique.

Mais il est évident que cette hypothèse, qui a été d'ailleurs combattue par Frédéric Myers dans le volume même des *Proceedings* (vol. VI) où F. Podmore l'a émise, n'est probablement qu'assez rarement valable, car elle est incapable de rendre compte des phénomènes matériels observés dans les hantises par de nombreux témoins.

L'hypothèse « psychométrique », d'après laquelle les hantises seraient suscitées par une véritable imprégnation psychique, paraît devoir s'appliquer à un bien plus grand nombre de cas. La matière brute, ainsi que nous l'avons déjà signalé, aurait la propriété d'enregistrer toutes sortes de vibrations, physiques, vitales, psychiques, qui seraient ensuite perçues et interprétées par le subconscient de sujets particulièrement sensibles. En l'occurrence, ils éprouveraient des « hallucinations véridiques » dans les lieux où des événements dramatiques se sont produits. Toutefois, outre l'objection précédente concernant les phénomènes matériels, on peut rétorquer, d'une part, que la grande majorité des endroits qui ont été le siège d'événements dramatiques ne sont pas hantés, et, d'autre part, qu'il existe des hantises dans des immeubles neufs.

Une hypothèse, assez curieuse, consiste à attribuer certaines hantises à une action psychique volontaire réalisée dans le but de nuire, par un sujet entraîné à ce genre d'influence mentale. Elle s'appuie sur des expériences dites de « dédoublement », au reste très discutables parce que insuffisamment authentiquées, qui ont été surtout décrites par les magnétiseurs tels que A. de Rochas, Hector Durville, Lancelin, Laflèche et Théo Matthys.

Voici, à titre documentaire, le récit à peu près intégral d'une expérience relativement récente effectuée par ce dernier auteur qui est un commerçant de Gand. On le dit doué de facultés remarquables de magnétiseur-guérisseur, mais, étant donné sa situation financière aisée, il n'a jamais tiré systématiquement parti de ce don.

« Mon dessein, écrit M. Théo Matthys, était de visiter nuitamment la famille de K., à laquelle me liait une grande amitié. J'avais traité et guéri par le magnétisme les deux époux : le mari d'une pneumonie, la femme d'une tumeur.

« Je me proposai donc de visiter ces amis dans leur chambre, dont je connaissais la topographie. Je choisis pour mon expérience un mardi soir vers 10 heures, sachant que mes amis étaient au lit.

« Je fis précéder ma tentative d'un exercice prolongé de respiration profonde, 20 minutes environ.

« Me sentant suffisamment préparé, je me transportai mentalement à la demeure de mes amis, distante d'à peu près 150 mètres de la mienne. J'entrai... par la fenêtre du premier étage dans leur chambre à coucher, celle-ci donnant sur la rue. Je ne trouvai rien de mieux que de m'asseoir sur la chaise que je savais se trouver devant la fenêtre. Ensuite, je me dirigeai vers la glace en face du lit; me retournant, je me trouvai au pied du lit, face aux époux. J'examinai curieusement ceux-ci, car je les voyais parfaitement. Ils conversaient ensemble et je pus saisir le nom d'une rue qui n'était pas la leur.

« M. de K. s'arrêta net dans sa conversation et sembla regarder craintivement autour de la chambre, assez bien éclairée par le réverbère en face de leur maison. Sa femme se redressa brusquement et je la vis dans son lit, tout le haut du corps penché en avant, de la frayeur sur les traits. A son tour, le mari se dressa et je l'entendis prononcer à haute voix : « Est-ce toi, Théo? » J'essayai de répondre affirmativement, et fus bien étonné de ne rien entendre.

« Le lendemain, mon ami de K. vint me voir. Voici son récit : « Nous avons, ma femme et moi, passé la première partie de la nuit d'une façon bien étrange. Figurez-vous que, vers 10 heures et demie, nous causions encore de notre prochain déménagement, quand, tout à coup, une impression indéfinissable s'empara de moi; mes regards furent attirés d'une façon irrésistible vers la fenêtre. Tout d'abord je ne voulais en croire mes yeux, mais, peu à peu, je vis, avec une réelle émotion, une forme curieuse remplie d'innombrables petits points brillants qui se mouvaient dans une course vertigineuse, sans aller au-delà du contour de la forme. Celle-ci était comme assise sur la chaise près de la fenêtre et rappelait vaguement le corps imparfait d'un homme. Un grand froid régna dans notre chambre, malgré la saison (juillet).

« Quoique pas une parole ne fût échangée entre nous, ma femme était sous le coup de la même impression, son corps fut secoué de frissons continuels. Elle se pencha en avant et nous vîmes très bien la forme se placer devant la glace qui en reflétait faiblement les contours. Nous eûmes peur. L'apparition (car nous étions de plus en plus persuadés que c'en était une) se retourna et se tint, pendant un temps que je ne peux déterminer, au pied de notre lit.

« Jamais je n'oublierai ces regards curieux, qui semblaient sortir de deux ombres plutôt que d'orbites. Voulant rompre le silence, j'essayai d'articuler : « Est-ce toi, Théo? », mais pas un son ne parvint à sortir de mon gosier. J'avoue qu'alors je dus rompre de force le charme, et je fis de la lumière. L'apparition s'évanouit. Ma femme me certifia que, dès le début, elle avait eu conscience que c'était vous, mais que toute parole lui était interdite »...

« A noter que la phrase « Est-ce toi, Théo? » n'a pas

été prononcée, mais a été seulement *pensée*. Je l'ai saisie avec la même facilité que les bribes d'une conversation faite à haute voix par mes amis; je ne trouvai aucune différence dans le mode de perception. »

Enfin, pour la plupart des métapsychistes, les hantises sont dues à un sujet pourvu de facultés paranormales (généralement un adolescent faisant sa crise pubérale) et influencé par un local particulier.

En effet, chaque fois qu'on éloigne du lieu hanté le sujet que l'on soupçonne, avec raison, d'être l'instigateur de la hantise, elle cesse aussitôt pour se manifester de nouveau avec le retour de celui-ci. S'il change de local, les phénomènes l'accompagnent souvent.

Une observation personnelle du professeur W. Barrett met en évidence le rôle du sujet et l'inhibition de ses facultés lorsqu'il est en présence de personnes qu'il ne connaît pas. La première fois que W. Barrett entra dans une ferme où se produisaient des phénomènes mystérieux tels que bruits sans cause apparente, meubles déplacés, jets de pierres, tout s'arrêta pour reprendre après son départ. Lorsqu'il se fut familiarisé avec les hôtes de la maison, et tout particulièrement avec une jeune fille de vingt ans qui était l'agent probable des phénomènes, ceux-ci se produisirent de nouveau. Ayant mis ses mains dans ses poches, il demanda qu'il fût frappé autant de coups qu'il avait de doigts ouverts et les réponses correctes furent données.

Mais le sujet métapsychique n'est pas le seul facteur des hantises. D'autres éléments doivent intervenir parmi lesquels on peut citer, ainsi que nous l'avons dit, l'influence du lieu (comme dans le cas des manifestations observées par Mlle G. Renaudot) et, très souvent, des récits attribuant, à tort ou à raison, des phénomènes de hantise à un lieu déterminé. La hantise étant connue, et, en quelque sorte, traditionnelle, tout sujet métapsychique, placé dans l'ambiance immédiate de l'endroit « hanté », pourra élaborer subjectivement ou objectivement les phénomènes qui sont censés caractériser ce lieu. Si bien qu'une légende, même primitivement erronée, peut finir par devenir « vraie ».

Mais on conçoit, dans ces conditions, que les hantises soient rares, aussi rares que les véritables sujets métapsychiques à effets physiques, et, d'autre part, qu'elles soient soumises à des éclipses plus ou moins prolongées.

5

LES FAUSSES HANTISES

Les fausses hantises sont au moins aussi nombreuses que les véritables et l'on trouve dans cette branche du pseudo-paranormal les mêmes illusions, les mêmes supercheries, les mêmes mensonges que dans les recherches expérimentales de la métapsychique objective.

Ou bien les pseudo-phénomènes paranormaux résultent de l'imagination de ceux qui en ont été les soi-disant témoins, ou bien ils sont dus à des mystifications auxquelles se livrent généralement des enfants vicieux plus ou moins hystériques, ou encore ils sont produits sciemment par vengeance, par désir de nuire à autrui ou par intérêt, c'est-à-dire dans le but de déprécier des immeubles. Ils peuvent également résulter de phénomènes naturels où l'acoustique joue souvent le rôle essentiel. Peut-être aussi, comme le prétend G.-W. Lambert, sont-ils dus parfois, mais nous en doutons fortement, à des mouvements du sol provoqués en particulier par le mauvais temps et la marée. Enfin, mais le cas doit être rarissime, ils peuvent être produits par l'enquêteur qui s'est chargé ou qui a été chargé de vérifier qu'une hantise est véridique ou non. A ce propos, il semble bien que Harry Price, dont nous parlons dans les notices biographiques, se soit, à l'occasion de la hantise du presbytère de Borley en Angleterre, rendu coupable d'une grave mystification. C'est du moins ce qu'ont affirmé, avec quelques preuves à l'appui, mais à vrai dire d'inégale valeur, trois parapsychologues anglais : Dingwall, Goldney et Hall.

Une hantise vraie peut d'autre part donner lieu à de fausses interprétations. Ainsi, ayant été dernièrement sollicité à me rendre dans un village près de Chartres pour « désenvoûter » les habitants d'une ferme hantée (car ceux-ci croyaient que je possédais ce pouvoir) où l'on entendait des bruits violents, terrifiants et inexplicables, où les portes et les fenêtres s'ouvraient et se refermaient d'elles-mêmes, j'acquis rapidement la conviction, après une enquête sur les lieux (où je trouvai l'adolescent habituel, au surplus infirme et psychiquement déficient), que ces manifestations étaient réelles. Les voisins, les gendarmes, le curé du village en avaient été maintes fois les témoins. Ce dernier bénit même la maison et déposa des médailles de saint Benoît dans les tiroirs des meubles afin de faire cesser les phénomènes, mais cela sans résultats.

N'ayant moi-même rien observé, je m'apprêtais à quitter la ferme, lorsque survint le gendre de la fermière qui avait assisté à la plupart des manifestations. Il les tenait pour surnaturelles et elles avaient manifestement provoqué en lui un certain état névropathique.

Apprenant que je n'avais rien vu ni rien entendu dans la ferme de sa belle-mère, il me dit à peu près ceci : « Venez chez moi, vous entendrez, à coup sûr, des bruits inexplicables, beaucoup moins forts sans doute que ceux qui se produisent habituellement chez ma belle-mère, mais certainement de même nature. »

Rendu à sa maison, j'entendis effectivement des bruits dans la chambre principale, mais ils étaient incontestablement produits par des rats qui avaient élu domicile entre le plancher et le plafond de cette chambre et qui, tantôt déambulaient ou se livraient à de véritables galopades, tantôt grignotaient quelques noix. Le doute n'était pas permis.

Ainsi, une hantise, que je considère comme vraie, avait conduit à une interprétation incorrecte.

Notons au passage que, chose curieuse, les phénomènes cessèrent après ma visite à la ferme, sans que j'aie fait quoi que ce soit pour cela, mais, ainsi que je l'ai signalé, les fermiers et surtout la fermière étaient convaincus que j'avais, en qualité de membre du Comité de l'*Institut Métapsychique International*, le pouvoir de commander aux « forces maléfiques ».

En règle générale, il convient d'être toujours prudent dans l'appréciation des faits, car, dans une série de phénomènes authentiquement paranormaux, le « coup de pouce » peut être parfois donné par le médium au moment où il n'y a pas de manifestation. S'il est alors pris en flagrant délit de fraude par l'observateur, celui-ci est naturellement enclin à généraliser et à attibuer à la supercherie tous les faits constatés.

De plus, même lorsque les phénomènes sont inimitables et rigoureusement observés, le médium, qui, dans le cas des hantises, est, ainsi que nous l'avons fait remarquer, généralement un enfant, peut céder aux suggestions de son entourage ou des policiers et des journalistes, qui l'intimident généralement, et s'accuser de fraude alors qu'il est innocent.

Le fait suivant, rapporté par le commandant de gendarmerie Tizané, est, à cet égard, particulièrement significatif.

Maison hantée de M.A. à F.R.R. (D.-S). Sujet : Mlle A.G., 15 ans. Extrait du procès-verbal n° 321 du 24 novembre 1943, brigade de gendarmerie de F.R.R.

... « M.A.A. déclare : les draps se sont tendus et raidis puis redevenus mous. Le tout avec l'édredon s'est rassemblé au pied du lit. L'édredon s'est gonflé comme un ballon, le rideau qui cache le lit s'est allongé de 25 cm pour venir toucher le sol, la tringle support ayant cédé, j'ai voulu saisir ce rideau, mais j'ai senti qu'il était dur comme du bois. J'ai eu peur. Il est tombé brusquement à terre pour rebondir et aller se poser sur une chaise au pied du lit... J'ai entendu un choc et j'ai constaté qu'un baquet, posé sur un trépied, venait de quitter celui-ci. Nous étions, moi et ma petite-fille, à quelques mètres de ce baquet. »

« M.B.D. déclare : j'ai vu également un emballage d'un kilo de sucre se déplacer sur le parquet et sur une distance de 2 m environ. A aucun moment je n'ai vu la petite-fille de M.A. faire des gestes au moment du départ des objets que j'ai vu circuler.

« Lecture faite, persiste et signe. »

« Le 23 novembre à 13 h 30, M.A. nous fait savoir que sa petite-fille étant chez lui ne peut se tenir assise sur une chaise; dès qu'elle y est assise, elle tombe.

« Nous nous sommes rendus à son domicile.

« Le gendarme F. a parfaitement constaté que la jeune A.G. s'étant assise sur une chaise, les quatre pieds de cette chaise et les deux pieds de la jeune fille se soulevaient ensemble du sol en projetant celle-ci hors de son siège comme si des mains invisibles avaient saisi la chaise. Ce phénomène s'est répété quatre fois. Nous avons prié la jeune A.G. de regagner le domicile paternel afin de faire cesser cet état de choses.

« Le gendarme F. a parfaitement vu une chaussure de femme qui, de l'étagère où elle était déposée (2,50 m du sol environ), est allée choir sur le lit. Ce gendarme a vu la trajectoire mais n'a pas vu le départ. La jeune A.G. se trouvait à l'opposé du lieu de départ.

« Immédiatement, nous avons ouvert la porte. Ce même gendarme a vu un couteau venir se piquer dans le plancher sous la table. Il a vu également un sécateur et un petit rouleau de fil de fer tomber près du lit. A leur chute, ni le sécateur ni le rouleau de fer n'ont eu un mouvement de glissement ou de rebondissement. »

A titre privé, M. le capitaine T. est venu sur les lieux où il a passé la nuit dans la maison A.

Le 27 novembre à 11 heures, cet officier a déclaré au commandant Tizané :

« Après en avoir demandé l'autorisation à M. le chef d'escadron commandant la compagnie de gendarmerie, je me suis rendu le 26 novembre, à 15 h 20, à la maison A.

« Le commandant de compagnie qui avait voulu se rendre compte des faits est entré dans la maison en même temps que moi.

« Selon les instructions qu'elle avait reçues, Mlle A.G. s'est présentée à la maison de son grand-père à 15 h 40.

« Rien d'anormal ne s'est produit pendant la présence du commandant de compagnie.

« Vers 16 h 30, cet officier supérieur s'est retiré. A compter de cet instant, et après autorisation reçue, mon intention fut de rester seul dans la maison jusqu'au lendemain matin pour étudier les faits qui pourraient se produire durant la soirée et pendant la nuit.

« A 17 h étaient présents la grand-mère A., la jeune A.G. et moi-même. Comme un certain désordre régnait dans la pièce depuis le matin (bahut renversé), je dis aux deux femmes : « Nous n'allons pas passer la nuit dans ce désordre, relevons le bahut. Nous nous avançons tous trois et nous nous baissons pour effectuer le mouvement. A cet instant précis, un courant d'air glacé me pénètre et j'entends siffler à mes oreilles un objet qui va tomber à grand fracas à 4 m de là, derrière le lit, alors que quelque chose était perdu en route durant la course. Nous abandonnons le bahut et recherchons la cause. Nous découvrons le tiroir du moulin à café sur la table et le moulin à café contre le mur derrière le lit. Ce moulin parti de la cuisinière avait traversé toute la pièce.

« A 17 h 45, j'ai demandé à rester seul avec Mlle A.G. La porte est fermée à clé. Je dis à haute voix : « Ces bains glacés sont très désagréables; d'autre part, il commence à y avoir trop de casse dans cette maison; en conséquence, je vais rester à condition qu'il n'y ait plus de dégâts. » En disant cela, je me penche sur la table avec la jeune A.G. pour lui faire lire quelques lignes sur un papier. Un fracas épouvantable et nous recevons sur la tête des centaines de morceaux de porcelaine. L'abat-jour de la lampe a fait les frais de la casse. Nous cherchons la cause et nous trouvons par terre un couvercle de boîte métallique. Quant à la boîte, elle était sur le lit. Cette boîte, au dire de la jeune fille, était sur la cuisinière.

« Lecture faite, persiste et signe. »

Mlle A.G. déclare :

« Un manteau de mon grand-père, déposé par lui sur la rampe de l'escalier, s'est mis à se promener dans la cuisine en direction du lit. A cet endroit, il s'est affaissé. Le lendemain, alors que j'étais revenue chez mon grand-père, tous les objets se sont mis de nouveau à se déplacer. Mon grand-père à ce moment m'a dit : « Va-t'en, car tout va encore se casser. » Je vous affirme que ce n'est pas moi qui manœuvre à l'insu des gens. »

Episode de la bouteille. « Le dernier phénomène important (bris de l'abat-jour) avait eu lieu à 17 h 45. Le calme était prévu jusqu'au lendemain matin 9 heures; je m'installai près du feu avec la grand-mère et A.G. A 22 h 30, je m'écarte un instant du foyer pour aller déposer sur le buffet, dans un coin obscur de la pièce, un crayon sur une feuille de papier : je voulais contrôler si la « force inconnue » présente était capable, comme certains auteurs l'ont dit, d'écrire sur une feuille de papier laissée à sa disposition.

« Mon regard, pendant quelques dixièmes de seconde, abandonnant A.G., revint sur elle à temps pour l'apercevoir prenant sur la table, à pleines mains, une bouteille par le goulot et esquisser le geste de la briser sur la tête de la grand-mère assise tout près d'elle. Dès que mon regard rencontra celui de l'enfant, la bouteille fut posée sur la table et, à ma question : « Que faites-vous? » A.G. répondit : « Quelque chose me disait de prendre la bouteille et de la casser sur la tête de grand-mère. Lorsque vous m'avez regardée, cette même chose me commanda : pose la bouteille. »

Mystifications. « A 23 heures, je fis coucher les deux femmes. Je ne quittai pas des yeux la jeune A.G., car elle seule m'intéressait. A 23 h 15, j'entends des grattements très forts et sans arrêt dans le bois du lit côté tête des femmes. A 23 h 30, arrêt.

« J'ordonne à la grand-mère de prendre les mains de l'enfant et plus rien ne se produit.

« A 2 h 35, A.G. tombe du lit en disant : « Il n'y a donc plus moyen de rester dans le lit maintenant? » Je lui réponds : « Si tu ne t'étais pas mise aussi près du bord, tu ne serais pas tombée. »

Mlle A.G. ayant été conduite à l'hôpital de N. afin de l'éloigner de son milieu familial et de faire cesser les phénomènes, le capitaine T. porte comme additif à sa déclaration les éléments suivants :

« Hier soir, vers 19 heures, m'étant inquiété de savoir dans quelles conditions les indications d'éloignement de Mlle A.G. avaient été exécutées, j'ai appris du père que la petite avait été conduite à N., que l'hôpital avait bien voulu l'accepter et qu'elle allait y travailler durant un mois ou un mois et demi. Je lui ai fait préciser si elle accusait un trouble quelconque. Il m'a affirmé que non. Ayant demandé la communication téléphonique avec le Dr R., médecin psychiatre de l'hôpital, ce médecin m'apprit que la jeune fille venait d'avouer en sa présence et devant témoins qu'elle était l'auteur conscient de ces mystifications. Je m'attendais un peu à ces aveux qui sont le résultat de ce qu'elle n'a pas été prise sur le fait par un profane, car cela devait logiquement se produire.

« La brigade de F.R.R. sait très bien que, depuis le début des troubles, je l'avais informée que tout devait évoluer sous la forme de phénomènes incompréhensibles jusqu'au jour où l'enfant, si on ne l'éloignait pas du lieu troublé, serait prise par un témoin en action de mystification paraissant consciente... »

Aveux de mystification suivis de leur rétractation. Nous sommes à N., loin du lieu troublé, et, sur réquisition de M. le Procureur de la République de N., le maréchal des logis chef P. et le gendarme C. entendent Mlle A.G. à l'hôpital et prennent par écrit ses aveux de mystification.

Procès-verbal n° 1183 du 2 décembre 1943, Brigade de Gendarmerie de N.

Mlle A.G. déclare :

« Tous les faits qui se sont passés chez mes parents à F.R.R., aussi bien dans le courant du mois de mai que dans le courant du mois de novembre, ont été faits par moi. »

Suivent les détails explicatifs qui reflètent une imagination médiocre, et qui montrent surtout le désir qu'ont eu les gendarmes de N. de donner, à chacun des phénomènes relatés dans le procès-verbal de la brigade de F.R.R., une explication plausible.

Mais, à sa sortie de l'hôpital, Mlle A.G., n'étant plus soumise aux suggestions du médecin psychiatre, rétracte ses aveux. Elle déclare d'abord à un journaliste « qu'elle ne s'est pas du tout livrée à des actes de supercherie et qu'elle n'est pour rien dans les manifestations de « forces » qui se sont produites en sa présence », puis, le 18 février 1944, elle écrit spontanément la lettre suivante au capitaine T. :

« Je viens m'excuser auprès de vous, qui avez fait tout votre possible pour rétablir le calme chez ma grand-mère en novembre dernier, pour les aveux de supercherie que j'ai faits aux gendarmes de N. lorsqu'ils sont venus m'interroger à l'hôpital de cette ville.

« *Je sais très bien que tout ce qui s'est passé chez ma grand-mère s'est produit indépendamment de ma volonté; mais je m'étais rendu compte aussi que cela ne se produisait que lorsque j'étais présente sur les lieux.*

« J'en étais un peu fière et c'est sans doute pourquoi je me suis laissée aller à raconter que j'avais tout accompli de mes mains. Je ne m'explique pas ce qui m'a poussée à raconter de telles histoires.

« Parfois, je me sentais poussée par quelque chose à accomplir en cachette ce que je ne voyais plus se produire autour de moi, mais je me souviens n'avoir fait que le geste de la bouteille.

« Pour tout le reste, je ne peux donner aucune explication, étant totalement étrangère à ce qui s'est produit.

« Signé : A.G. »

« Approuvé par le père, signé : A.E. »

Cette rétractation est intéressante à un double titre. Elle montre tout d'abord que les personnes faibles et en particulier les enfants avouent tout ce qu'on désire leur faire avouer. Le fait est banal dans les annales judiciaires. En second lieu, elle contient cette importante remarque : « Je me sentais poussée par quelque chose à accomplir en cachette ce que je ne voyais plus se produire autour de moi. » Effectivement, et comme l'a déclaré Eusapia Paladino elle-même (voir notices biographiques), le médium tend à réaliser d'une façon ou d'une autre, c'est-à-dire, soit d'une manière paranormale, soit normalement (ce qui, en ce cas, est considéré par les expérimentateurs comme une fraude), les phénomènes que l'on sollicite de lui. D'où ce mélange fréquent de vrai et de faux. Au surplus, la simulation du phénomène paranormal, le geste normal sont parfois avantageux car ils amorcent l'action paranormale qui se trouve en être en quelque sorte le prolongement.

C'est ainsi qu'Eusapia lançait son poing vers la table d'expériences, arrêtait celui-ci à quelque distance du plateau, cependant que l'on entendait un bruit comme si le poing avait réellement heurté la table. De même, elle effectuait avec sa main refermée un mouvement de rotation, de torsion, à une certaine distance d'un bahut, et l'on voyait la clef du bahut tourner d'elle-même dans sa serrure, Enfin, chaque fois que ce sujet produisait une télékinésie, ses muscles se contractaient comme s'ils eussent été vraiment actifs. Malheureusement, des expérimentateurs mal avertis ont pris ces gestes apparemment suspects pour des tentatives de fraude, alors qu'elles n'en étaient pas. Ces gestes constituaient, en fait, des conditions favorables à la réalisation du phénomène paranormal : ils étaient, en quelque sorte, la répétition de l'acteur avant de jouer la scène.

6

ACROBATIES PHYSIOLOGIQUES STIGMATISATION GUÉRISONS PARANORMALES

Exercices psychosomatiques

Nous groupons sous ce titre un certain nombre d'exercices généralement exécutés par des yogis authentiques et impliquant une grande maîtrise du système musculaire, de l'appareil respiratoire, de l'appareil circulatoire, etc. Ces phénomènes, qui ne rentrent pas dans le faux fakirisme que nous voyons plus loin mais qui n'appartiennent pas non plus au paranormal, constituent en quelque sorte des acrobaties physiologiques qui peuvent être réalisées après un entraînement approprié. Celui-ci consiste essentiellement à imaginer l'action physiologique que l'organisme doit accomplir, sans se soucier des mécanismes nerveux ou humoraux mis en jeu pour cet accomplissement. Ainsi, il est relativement aisé de faire contracter son estomac. On s'allonge sur un divan, on place une main sur la région stomacale de l'abdomen et, après avoir obtenu un état de relaxation musculaire aussi général et aussi profond que possible, on imagine qu'il se forme un anneau de contraction dans la région moyenne de l'estomac et que cet anneau se déplace vers le bas, telle une onde contractile, traverse la portion horizontale (préantre), puis l'antre pylorique et vient mourir vers le pylore. Au bout d'une quinzaine de secondes environ, on recommence cet exercice mental, et, parfois, dès le premier essai, on est surpris de sentir l'estomac se contracter effectivement. Si l'expérience ne réussit pas tout d'abord, on la renouvelle le lendemain, de préférence à la même heure, et, après quelques tentatives, on obtient invariablement un résultat positif. D'une manière analogue, on peut faire déplacer une bulle gazeuse intestinale, dans un sens ou dans l'autre, sous l'action des mouvements péristaltiques et antipéristaltiques de l'intestin.

De même, l'accélération du rythme cardiaque est facile à réaliser. Il suffit de se mettre dans un état émotionnel convenable, par évocation d'un souvenir adéquat. Le ralentissement des battements est plus difficile à obtenir; on y parvint néanmoins par le truchement d'images suggérant le calme.

Nous avons remarqué que la représentation pure et simple de l'organe battant plus ou moins rapidement ne conduit pas commodément au résultat désiré.

Le Dr Thérèse Brosse, ex-chef de clinique cardiologique à la *Faculté de Médecine de Paris,* a étudié scientifiquement, chez des yogis, des phénomènes analogues à ceux que nous venons de signaler, mais beaucoup plus importants et beaucoup plus difficiles à réaliser, et les a enregistrés à l'aide de pneumographes, de cardiographes et d'électrocardiographes.

« La maîtrise de la respiration, considérée par le yogi comme un simple exercice préparatoire, écrit le Dr Th. Brosse, n'en est pas moins enregistrable, tant elle est poussée loin sans entraîner d'intolérance. Après des années d'entraînement, les phases d'apnée (ou peut-être de respiration tellement superficielle qu'elle en est inenregistrable) peuvent atteindre plusieurs heures... Au cours de nos examens, le pneumographe a enregistré à différentes reprises, pendant 10 à 15 minutes, ces phases d'apnée... Le yogi met ainsi son corps dans un véritable état de vie ralentie, comparable à celui des animaux hibernants, ainsi que nous avons pu le mettre en évidence par la recherche du métabolisme basal.

« Avant de rapporter les manifestations circulatoires, objets de nos enregistrements graphiques, nous signalons quelques prouesses physiologiques auxquelles nous avons assisté : la maîtrise du yogi sur son système musculaire strié permet, par exemple, le déplacement latéral des muscles verticaux de l'abdomen (grands droits) en vue d'un massage abdominal efficace. Mais cette autorité élective est aussi absolue sur les fibres lisses, réglant à discrétion les mouvements péristaltiques et antipéristaltiques, permettant en tous sens le jeu des sphincters anal ou vérical et assurant, par simple aspiration et sans le secours d'aucun instrument, la pénétration d'eau ou de lait dans la vessie ou le rectum.

« En ce qui concerne plus spécialement nos explorations cardio-vasculaires, nous n'insisterons pas ici sur une foule de détails dans les résultats, qui pourraient être l'objet d'autant d'examens spéciaux, qu'il s'agisse du changement de rythme de 55 à 150, de variations d'amplitude et de caractère du pouls (confirmant les expériences d'Occident), de phases d'apnée déjà signalées, de modifications du choc de la pointe ou même de paradoxes fréquents dans le rapport des différentes courbes. Nous n'insisterons que sur les phénomènes les plus suggestifs portant sur les modifications de l'électrocardiogramme et concernant des chutes de voltage, tantôt localisées à certaines ondes, tantôt généralisées. La diminution fut parfois si proche de l'abolition totale qu'il était difficile de repérer la place de la contraction et qu'on aurait pu porter, au vu de cette courbe, un pronostic des plus sévères; cependant, dans les instants précédents et suivants, la silhouette électrique était non seulement normale, mais présentait même une augmentation générale du voltage au gré du yogi (le millivoltmètre avait été contrôlé pour éviter des causes d'erreurs dans l'interprétation).

« En présence de ces faits, peu importe que nos hypothèses les attribuent soit à une concentration anormale du gaz carbonique dans le sang, soit à un changement de l'axe du cœur, soit à une modification de l'ionisation des tissus, soit à ces mécanismes combinés ou à d'autres insoupçonnés puisque l'état actuel de nos connaissances ne nous permet pas encore d'envisager la cause de modifications pour nous inhabituelles en tant qu'observation. Quel qu'en soit le mécanisme, ce qui, dans ce cas, est à bon droit stupéfiant, c'est que la chute extrême de voltage se produise précisément lorsque le yogi annonce qu'il va retirer de son cœur l'énergie vitale et que le retour à un voltage normal ou même exagéré survienne lorsqu'il déclare contrôler le bon fonctionnement de son cœur. »

Des rythmes cérébraux très particuliers sont également en corrélation avec certains états psychiques réalisés par des yogis authentiques. C'est ainsi qu'au *Colloque International des activités électriques du cerveau*, qui eut lieu à Marseille en 1955 sous la présidence de M. Alfred Fessard, professeur au *Collège de France*, l'éminent Pr N.N. Das, de l'*Université de Calcutta*, a présenté de nombreux électroencéphalogrammes de yogis. L'un de ces enregistrements, obtenu sur une femme yogi qui s'était plongée volontairement dans un état extatique, traduisait un extraordinaire accroissement des rythmes cérébraux. Tous les savants présents à la conférence s'accordèrent pour déclarer qu'ils n'avaient jamais observé un tel graphique dans leurs expériences.

Signalons enfin que deux hatha-yogis, les Drs Goswany et Parmanick, de passage en France en novembre 1950, ont réalisé, à la *Faculté de Médecine de Paris*, devant un aréopage composé surtout de médecins et de professeurs de la Faculté, des expériences prouvant qu'ils étaient capables de provoquer la contraction de muscles qui, normalement, échappent au contrôle de la volonté.

S'asseyant nu dans une cuvette remplie d'eau, le Dr Parmanick aspira un peu plus d'un litre de ce liquide par le rectum pour le rejeter ensuite par la même voie. Puis il absorba de l'air par l'urètre et le fit ressortir avec un bruit caractéristique. Pour convaincre les sceptiques, il recommença l'expérience avec du lait. Enfin, après quelques exercices respiratoires, il arrêta les battements de son cœur pendant soixante secondes.

Le cas Mirin Dajo

Les phénomènes présentés naguère par Mirin Dajo peuvent être rangés à côté des précédents. Ce sont, en effet, croyons-nous, des phénomènes psycho-physiologiques — étonnants sans doute — mais non des faits miraculeux ou même paranormaux comme le pensent les adeptes du mystique hollandais. Au reste, à l'heure où nous écrivons, quelques-uns sont reproduits, en public, par le fakir Kirokaya.

Mirin Dajo (maintenant décédé), qui de son vrai nom, s'appelait A. G. Henskes, est né à Rotterdam en 1912. Il fit ses études à l'*Académie des Arts plastiques de la Haye,* apprit plusieurs langues et exerça le métier de dessinateur-réclamiste à Zaandam, près d'Amsterdam. Un jour qu'il conduisait sa mère malade chez un magnétiseur d'Amsterdam, nommé Otter, ce dernier découvrit immédiatement chez lui des facultés « surnaturelles » et lui affirma notamment qu'il était invulnérable. La démonstration en fut faite, peu après, par un troisième personnage nommé de Groot. Apprenant l'expérience, le père de notre héros, vieil espérantiste, proposa à son fils le pseudonyme *Mirin-dulo* qui, en espéranto, signifie « l'être admirable », mais

A.G. Henskes préféra *Mirindajo* ou *Mirin Dajo*, qui veut dire la « chose admirable », pour bien marquer que ce n'était pas lui mais que c'était le phénomène qui était prodigieux.

Le trio : Mirin Dajo, Otter et de Groot émigra alors en Suisse où il donna d'abord des représentations publiques. Celles-ci ayant été interdites, des démonstrations furent faites à l'hôpital cantonal de Zurich, en présence du Pr Brunner et de nombreux médecins, puis au *Bürgerspital* de Bâle sous la direction du Pr R. Massini. Des photographies ordinaires, des photographies en rayons X, des électrocardiographies furent prises et le *Pathé-Consortium-Cinéma* réalisa un film qui fut projeté sur tous les écrans du monde.

Les transfixions spectaculaires de Mirin Dajo étaient effectuées par de Groot sous la surveillance d'Otter. De Groot employait un fleuret ou une épée de 70 à 90 cm de long. A l'aide de ces instruments, il transperçait Mirin Dajo soit à travers le thorax, soit dans la région abdominale. Epées ou fleurets n'étaient pas stérilisés. L'opérateur les faisait progresser lentement. Au début de l'expérience, Mirin Dajo pinçait les lèvres, transpirait fortement, rougissait, puis son visage reprenait bientôt son expression ascétique. Sous la poussée, les instruments émergeaient de 20 à 30 cm. Lorsqu'on les retirait, ils ne portaient aucune trace de sang et les plaies ne saignaient pas.

Un soir, en public, Mirin Dajo se laissa transpercer le milieu du corps et le cœur au moyen de trois épées creuses, dans lesquelles on fit passer de l'eau. A la clinique de Zurich, on le vit garder un fleuret à travers l'abdomen pendant vingt minutes, parcourir une salle de malades et gravir un escalier.

La radiographie permit de constater que plus de cinq cents transfixions avaient été faites et que, au cours des expériences, le péritoine, les reins, l'estomac, le foie, les poumons et le cœur avaient été traversés en tous sens.

Mirin Dajo se plaçait, pendant ses expériences, sous la protection divine : « La possibilité miraculeuse que je possède, nous a-t-il écrit, est la conséquence d'une soumission volontaire à la Puissance Supérieure qui régit le monde. Au moment où la pointe de l'épée touche mon corps, je me remets entre les mains de cette puissance. Je suis convaincu que la science matérialiste actuelle ne trouvera pas l'explication de ce phénomène. Ce sera la tâche de la parapsychologie. »

En réalité, et contrairement à cette affirmation, les phénomènes présentés par Mirin Dajo n'étaient pas, à notre avis, paranormaux et c'est bien la science « matérialiste » qui semble en avoir donné l'explication correcte.

Tout d'abord, toute idée de truquage fut exclue : l'accord a toujours été unanime sur ce point entre médecins, métapsychistes et illusionnistes (1). C'est donc vers une interprétation physiologique qu'il convenait de s'orienter en premier lieu. A cet effet, le Pr Bessemans, de la Faculté de médecine de Gand, lequel, par parenthèse, est un excellent prestidigitateur amateur, fit préparer une collection de tiges métalliques à pointes finement affilées, arrondies ou plates, lisses et sans arêtes coupantes. Il utilisa aussi deux canules à ponction lombaire munies de leur mandrin.

Sans désinfecter ces instruments, il les enfonça lentement à travers l'abdomen et le thorax de différents animaux : souris, cobayes, lapins et chiens. Les instruments, retirés prudemment, ne portèrent aucune trace de sang et les plaies, sans exception, ne saignèrent pas. L'examen radiologique ou l'autopsie montrèrent que le foie, l'estomac, les poumons et le cœur avaient été traversés, et, cependant, les animaux survécurent sans présenter d'infection. La douleur ne se faisait sentir qu'à l'entrée et à la sortie de l'objet acéré. Ces expériences furent ensuite reprises avec le même succès par le Pr Brunner de Zurich.

(1) Note en fin de chapitre, page 188.

Il en résulte, évidemment, que les transfixions de Mirin Dajo peuvent s'expliquer sans qu'il soit nécessaire de faire intervenir des facteurs paranormaux. L'introduction lente des épées produit une distension progressive des tissus et provoque l'écartement des gros vaisseaux sanguins dont les parois sont très résistantes, d'où l'absence d'hémorragies internes. « Quant à l'inexistence de complications infectieuses, écrit dans la *Presse Médicale* le Dr L. Rivet, elle doit tenir à ce que les instruments métalliques, lisses et propres, ne portent couramment que des microbes relativement peu nombreux et en majorité saprophytes qui sont abandonnés en grande partie dans la peau et l'hypoderme pendant les transfixions. D'autre part, les quelques germes qui peuvent pénétrer profondément succombent sous l'action virulicide des humeurs. »

Malheureusement, la carrière de Mirin Dajo s'acheva prématurément et d'une façon inattendue puisque notre fakir décéda à la suite d'une intervention chirurgicale. Le 13 mai 1948, Mirin Dajo avale une aiguille de 35 cm de longueur. Le 15, à la suite de violentes douleurs gastriques, Mirin est opéré par le Pr Brunner. Le processus cicatriciel opératoire est très rapide et l'opéré rentre chez lui. Quelques jours après, pris d'un malaise subit, Dajo tombe en catalepsie et meurt sans avoir repris connaissance. L'autopsie est faite et le médecin diagnostique : « mort consécutive à une infection générale non imputable à l'opération. »

Bien entendu, malgré les explications physiologiques rationnelles qui ont été données des transfixions, il n'en demeure pas moins que les exploits de Mirin Dajo n'étaient pas ordinaires au sens propre du mot et qu'il fallait pour les accomplir un grand courage et une confiance absolue dans les forces mystiques invoquées. De plus, un élément psychique, probablement de nature suggestive, se superposait certainement aux facteurs physiologiques de cicatrisation, car la guérison des plaies était extrêmement rapide.

Enfin, il reste également que les expériences du mystique hollandais ont eu l'avantage de mettre en relief certains aspects encore peu connus de la physiologie des organes, aspects dont les conséquences pourront être fort importantes aux points de vue scientifique, médical et chirurgical. En particulier, elles tendent, pensons-nous, à démontrer que l'organisme est susceptible de s'adapter aux blessures graves et aux traumatismes qui seraient mortels sans entraînement préalable : les humeurs acquièrent vraisemblablement un pouvoir bactéricide accru, les artères et les veines, la faculté de se contracter et peut-être aussi de se rétracter lorsqu'elles sont effleurées par un objet acéré, ce qui évite sa pénétration.

Mirin Dajo fut un croyant illuminé par une ardente foi de penseur. Il ne présentait aucun point de contact avec les fakirs de music-hall, genre Tahra Bey. Ses exhibitions théâtrales n'étaient faites que pour attirer l'attention, son but véritable, très noble et éminemment sympathique, étant d'offrir aux hommes une métaphysique et les moyens de guérir leur corps et de « sauver » leur âme.

Il croyait en la toute-puissance de l'Esprit, ultime réalité du Monde. Il pensait que pendant les transfixions, auxquelles il se soumettait afin de démontrer le bien-fondé de ses conceptions, la vie, par grâce divine, se retirait de son être et qu'une force plus subtile, plus mystérieuse, la remplaçait.

C'est sous le simple abri de cette croyance qu'il réalisait ses extraordinaires et dangereuses prouesses.

Nul n'est tenu de partager ses convictions et nous sommes précisément de ceux qui estiment pouvoir donner une explication rationnelle des phénomènes qu'il présentait naguère, mais chacun doit s'incliner devant cette grande figure et aura bénéfice à reprendre, pour son propre compte, les thèmes qu'il proposait à l'humanité.

La stigmatisation

La stigmatisation est le plus souvent un fait religieux, mais il existe également une stigmatisation expérimentale et probablement une stigmatisation que l'on peut qualifier de « diabolique » à cause de ses apparences.

En règle générale, les stigmates peuvent être de simples érythèmes, des lésions ouvertes de la peau avec exsudation de sang ou de liquide séreux, ou, encore, des excroissances du tissu conjonctif. Les stigmates des chrétiens figurent surtout les plaies du Christ. Ceux de quelques saints mahométans rappellent les blessures de guerre du Prophète. Quant aux sorciers moyenâgeux, ils furent souvent marqués de signes diaboliques ou considérés comme tels : excroissances, taches, égratignures, griffures, morsures.

Examinons ici les formations stigmatiques que l'on peut qualifier d' « expérimentales ».

De nombreuses expériences de brûlures, d'ecchymoses, de dermographie par suggestion ont été réalisées ou étudiées par Beaunis, Janet, Kraft-Ebbing, Rybalkin, Focachon, Binet et Féré, Wetterstrand, Podiapolsky, Burot, Voisin, Mabille, Moutier, Osty, etc. Elles montrent que la pensée peut non seulement agir sur les rythmes fonctionnels, ainsi que nous venons de le voir, mais qu'elle est capable également de provoquer des modifications somatiques profondes.

S'il est un traumatisme qui semble bien avoir une cause absolument matérielle, c'est incontestablement la brûlure. Presque toujours d'origine accidentelle, elle paraît échapper de la façon la plus absolue au psychisme. Et, cependant, plusieurs expériences établissent le rôle de la pensée dans la production de cloques.

C'est avec les névropathes que l'expérience se réalise le plus facilement. On annonce au sujet qu'il a une verrue ou un bouton quelconque dans le dos et on le persuade qu'il est préférable de faire disparaître la petite excroissance. On le fera, lui dit-on, avec une pièce de monnaie rougie au feu : l'opération sera extrêmement rapide et la souffrance faible. On prend alors une pièce de monnaie et on la fait juste tiédir de sorte qu'elle soit parfaitement supportable dans la main. On l'applique ainsi sur le dos du patient à l'aide d'une pince afin de laisser supposer qu'elle est très chaude. On la laisse deux ou trois secondes, on place un pansement avec sparadrap, et, après quelques heures, on constate parfois que la pièce a fait dans la peau une authentique brûlure avec cloque très apparente. Le sujet a cru que la pièce était rougie au feu et cette certitude a suffi à faire apparaître une brûlure.

On peut aussi susciter des hémorragies par suggestion. C'est ainsi que le Pr Artigalas ayant suggéré à un patient, sujet à des hémorragies naturelles par les oreilles et par les yeux, que le sang jaillirait des paumes de ses mains, la suggestion fut aussitôt suivie d'effet. Il fallut une nouvelle suggestion en sens contraire pour faire disparaître ces symptômes. Déjà, en 1885, les Drs Bourru et Burot présentaient au Congrès de Grenoble le cas d'un malade chez lequel ils arrivaient à provoquer par suggestion une dermographie intense suivie d'une exsudation sanguine. De son côté, le Dr Mabille obtint facilement, avec le fameux Louis Viré, l'apparition sur le bras d'un « *V* » sanguinolent.

Les récentes expériences faites par le Dr Adolf Lechler sur une jeune femme sont plus démonstratives encore. La malade était sujette à différents troubles plus ou moins graves : maux de tête, tremblements, ulcères, crachements de sang, etc. Par la suggestion, l'expérimentateur réussit à les faire disparaître et il en conclut qu'ils étaient de nature hystérique ou plus exactement psychosomatique. Mais, par une sorte de phénomène compensateur bien connu des médecins, les symptômes qui disparaissaient étaient remplacés par d'autres aussi graves : dépressions, paralysies, anorexies, hallucinations visuelles et auditives. Pour découvrir la cause réelle des phénomènes, Lechler eut l'idée de se servir de l'hypnose et de la psychanalyse. Il apprit ainsi que la malade était susceptible de contracter plusieurs maladies dont elle avait entendu parler. Parfois, il lui suffisait de voir une personne souffrante pour être atteinte du même mal. Fait particulièrement intéressant : après avoir, le Vendredi Saint de 1932, regardé un tableau représentant la Passion du Christ, elle eut les mains et les pieds gonflés et endoloris.

Cette constatation donna à Lechler l'idée de faire à sa malade quelques suggestions concernant les extraordinaires phénomènes présentés par la stigmatisée Thérèse Neumann. C'est ainsi qu'il lui demanda de penser pendant une nuit à l'idée suivante : « Aux endroits où je souffre, il apparaîtra des plaies. » Effectivement, dans la matinée, des plaies humides et légèrement sanguinolentes apparurent aux régions douloureuses.

Alors il lui persuada que ses plaies allaient devenir plus profondes. C'est ce qui eut lieu effectivement vers midi.

Quelque temps après cette expérience le médecin ordonna à la jeune femme de penser continuellement aux larmes de sang de Thérèse Neumann et il lui suggéra qu'elles ne tarderaient pas à apparaître aussi chez elle. De fait, deux heures après la suggestion, le sujet pleurait des larmes de sang. Une suggestion contraire les fit arrêter.

Lechler produisit également les stigmates en couronne de la tête et les fit saigner sous la seule influence de la pensée. Une fois, il demanda à la patiente de méditer sur le Christ portant sa croix. Elle le fit si bien que ses épaules devinrent rouges et douloureuses et que son corps prit une position inclinée comme s'il supportait une croix.

Ces expériences furent, bien entendu, conduites avec tout le soin désirable. La malade était surveillée de près soit par le médecin, soit par des infirmières spécialisées.

Dans un ordre de faits très voisin, le Dr Moutier, chef de laboratoire à la *Faculté de Médecine de Paris* et membre d'honneur du Comité de l'*Institut Métapsychique International,* a observé les deux cas suivants particulièrement curieux. Dans le premier, une vieille demoiselle, violemment émue de voir, au cours d'un voyage, son frère aîné pris d'un vomissement de sang, adjura le ciel, pour le cas où il devrait y avoir une nouvelle hémorragie dans la famille, de bien vouloir faire en sorte que cette hémoragie l'atteignît : huit jours après, au milieu de la nuit, cettte personne voyait, par une hémorragie considérable, se révéler un ulcère fraîchement formé. Le second cas concerne un prisonnier français pendant l'occupation allemande. Afin d'atténuer les rigueurs de la captivité il apprit d'un médecin la façon de simuler un ulcère d'estomac. L'ulcère, purement imaginaire, valut au pseudo-malade d'être hospitalisé, mais, lorsque le prisonnier fut libéré, apparut brusquement et se développa un ulcère, authentique cette fois, « le réel, écrit le Dr Moutier, venant ainsi copier l'imaginaire suggéré ».

Nous passons ainsi progressivement des lésions expérimentales à certains troubles psychosomatiques maintenant étudiés en psycho-physiologie classique.

Ainsi, des lésions herpétiques peuvent se produire par choc émotif. Les observations suivantes en font foi.

Une femme de soixante ans, anxieuse et phobique depuis un choc moral subi à l'âge de dix-huit ans (la mort de son fiancé), était sujette à l'herpès émotif. Au cours d'une séance psychanalytique, les Drs Heillig et Hoff réveillèrent chez elle le choc moral ancien, puis lui suggérèrent qu'elle éprouvait à la lèvre inférieure la sensation particulière de brûlure qui annonce l'herpès. Au bout de vingt-quatre heures, la malade commença à ressentir des picotements de la lèvre inférieure, et, après quarante-huit heures, elle présentait une éruption d'herpès, à la fois sur la lèvre inférieure et sur la lèvre supérieure.

Une seconde expérience du même genre concerne une anxieuse de trente-huit ans chez laquelle l'expérience fut conduite exactement comme précédemment et avec le même résultat.

Une troisième observation analogue est celle d'une femme de quarante-trois ans, également anxieuse de longue date, pour qui le simple rappel, à l'état de veille, d'une violente scène conjugale, suivie de la suggestion d'un herpès à la lèvre inférieure, déclenchait l'éruption d'herpès.

Au reste, tous les traités de dermatologie indiquent l'émotion comme l'une des causes des maladies de peau. Le Pr Gaucher écrit que le psoriasis émotif si tenace débute souvent à l'occasion d'un choc nerveux, d'une peur, d'un traumatisme. Le Dr Hartenberg, dans l'un de ses ouvrages, note qu'il soigna « une dame qui, à chaque émotion violente, se couvrait d'ecchymoses ». Une autre malade présentait, dans les mêmes conditions, des élevures d'urticaire géant. Une troisième faisait une éruption d'eczéma à chaque contrariété. Bateman constata deux cas d'impétigo à la suite d'une peur. Biett cite plusieurs faits semblables et signale qu'il a observé un cas de lichen agrius à forme grave dont l'apparition eut lieu dans les douze heures qui suivirent une mauvaise nouvelle. Enfin, très récemment, des revues médicales anglaises ont signalé le cas d'une fillette de Loughton (Angleterre) dont la peau se couvre de plaques rouges, ayant l'apparence de l'urticaire, chaque fois qu'elle se trouve en présence de garçons. Toutes les médications employées pour faire cesser cette sorte d' « allergie » sont restées sans effets.

D'autres phénomènes psychosomatiques affectant la peau, et également classiques, se rapprochent plus nettement de la stigmatisation.

Ainsi, en 1857, on présenta à l'*Académie des Sciences* une femme qui avait été surprise par l'orage alors qu'elle gardait une vache. Elle s'était réfugiée sous un arbre et la foudre était tombée peu après. La vache avait été tuée et la femme gisait par terre évanouie. On la fit revenir à elle et on s'aperçut qu'elle avait sur sa poitrine l'image de la vache tuée. On supposa que la vache avait été vivement éclairée par la foudre au moment où la frayeur s'emparait de la femme et qu'un réflexe psychique avait réalisé le stigmate.

De leur côté, les neurologues Hack Tuke et Toussaint Barthélemy rapportent qu'une dame, voyant son enfant passer par une porte de fer qui retombait derrière lui, craignit pour les pieds de son fils et eut, aux endroits correspondants de son propre corps et notamment aux chevilles, des raies rouges caractéristiques. Une autre mère eut sur le cou un cercle érythémateux parce qu'elle avait craint que le tablier de fer d'une cheminée se rabattît sur la nuque de son enfant.

Après avoir examiné ces faits qui, ainsi que nous l'avons dit, appartiennent plutôt à la psycho-physiologie classique qu'à la métapsychique, venons-en aux phénomènes beaucoup plus étonnants présentés par un sujet médiumnique, Mme Kahl, qui fut étudiée naguère par le Dr Osty et ses collaborateurs à l'*Institut Métapsychique International.*

De nationalité russe mais habitant Paris, Mme Kahl présenta, dès son enfance, des facultés paranormales. A l'âge de sept ans, elle proposait déjà, comme mue par un instinct, de dire leur avenir aux personnes de son entourage. « Et souvent, écrit le Dr Osty, elle disait juste. » A l'âge de quinze ans, elle indiqua sur une carte la position des plus riches filons d'une mine d'or. Les indications fournies se révélèrent exactes. A dix-neuf ans, elle perdit un collier de perles, ce qui la peina fort. Quelque chose se passa alors qui ne fut compris que plus tard : plusieurs taches rondes et rouges apparurent sur sa peau, et l'on crut à une éruption, mais on s'aperçut par la suite qu'il s'agissait de stigmates rappelant très précisément la forme et la grosseur des perles.

D'autres formations stigmatiques eurent lieu en de nouvelles circonstances et cela donna l'idée d'en provoquer l'apparition. Une amie raconta à Mme Kahl que des fakirs aux Indes faisaient apparaître sur leur peau des images auxquelles ils pensaient et elle la pria d'essayer d'en faire autant. Mme Kahl pensa à un rameau : en quelques secondes, des feuilles se dessinèrent en rouge sur sa peau.

« Ayant assisté un jour à Constantinople, relate le Dr Osty, à une séance dans laquelle les derviches hurleurs se perçaient les joues, elle en fut très émue. Tôt après, elle se plaignit de douleurs dans une joue. Un abcès se forma dans l'intérieur et perça. »

« A Paris, note également le Dr Osty, elle avale dans un repas une arête de poisson et croit la sentir accrochée dans sa gorge. Vive émotion. Aussitôt apparaît sur son cou, en rouge, la forme d'une arête. Un médecin assure que l'arête est descendue dans l'estomac. Ce n'est qu'après, au moins vingt-quatre heures, que le stigmate disparaît. »

Quelques années après cet incident, Mme Kahl est étudiée à l'*Institut Métapsychique International* par le Dr Osty assisté des membres du Comité de l'Institut et d'un aréopage de personnalités médicales. Dans la multiplicité des séances réalisées avec ce sujet, choisissons quelques comptes rendus particulièrement significatifs.

Séance du 29 octobre 1927. « Le 29 octobre 1927, en fin de séance, où, pour la première fois, je mettais à l'épreuve la faculté de connaissance paranormale de Mme Kahl, rapporte le Dr Osty, je lui demandai de bien vouloir me montrer son pouvoir d'inscrire sur sa peau ce que je pensais. Elle accepta, bien que déjà fatiguée par la séance qui venait d'avoir lieu.

« Je me représentai mentalement un mot en y prêtant forte attention. Mme Kahl me pria de lui serrer le poignet gauche, cependant qu'elle s'efforcerait de faire apparaître sur la face antérieure du même avant-bras ce à quoi je pensais. Le phénomène, après une quinzaine de secondes d'attente environ, tardant à son gré à se produire, elle fit trois ou quatre frictions rapides sur sa peau. Bientôt, sous mes yeux, des lignes rouges se dégagèrent sur le fond uniforme de la peau. Au bout de quelques secondes, elles dessinèrent un grand « *R* » occupant environ les deux tiers de la largeur de l'avant-bras, non loin du pli du coude. Quelques secondes après, la lettre « o » en minuscule s'inscrivit de la même manière sans que Mme Kahl ait eu recours à une nouvelle friction de la peau.

« Après environ une demi-minute d'attente et d'efforts, rien de plus ne s'inscrivant, Mme Kahl dit « Je suis trop fatiguée, il ne viendra plus rien. C'est *Rose* que vous avez dû penser. »

« J'avais pensé *Rosa.*

« *Ro* resta nettement visible pendant environ une minute puis disparut dans une rougeur diffusée à une large zone de la peau. »

Séance du 5 janvier 1928. Dans une vingtaine de morceaux de papier portant autant de dessins divers préparés d'avance, le Dr Osty en choisit un au hasard en prenant toute précaution pour que Mme Kahl n'en pût absolument rien voir. Il le regarde attentivement pendant deux secondes environ, le mêle ensuite aux autres dessins et appuie le tout sur le front de Mme Kahl.

Après une minute environ d'attente, on voit se former sur la peau de l'avant-bras du sujet deux lignes délimitant un angle. Le Dr Osty en fait le croquis. Après une quinzaine de secondes, les lignes du bras se fondent dans une rougeur diffuse. Mme Kahl prend alors un crayon et fait le dessin d'un triangle incomplet en disant : « C'est cela que vous avez pensé. » Effectivement, le dessin choisi par le Dr Osty était identique.

Séance du 22 janvier 1928. Mme Kahl ayant accepté de produire ses phénomènes devant quelques personnes, la séance eut lieu devant le Dr d'Espiney et trois personnes l'accompagnant.

Le Dr d'Espiney fut prié de penser à quelque chose. Bientôt, sur l'avant-bras tendu de Mme Kahl, en pleine lumière du jour, « nos regards attentifs, souligne le Dr Osty, virent se former des lignes dont je fis le croquis. On pouvait reconnaître les lettres *F R A N* . »

Tout d'abord, le tracé en fut d'un rouge faible, Mme Kahl pria alors l'une des personnes de l'assistance de faire une brève friction sur la peau pour aider à l'apparition du phénomène. Il en résulta une augmentation de la rougeur des lignes, mais nulle ligne nouvelle.

Le Dr d'Espiney fit connaître alors qu'il avait pensé *François.*

Après quelques minutes de repos, Mme Kahl proposa à Mme S., l'une des personnes accompagnant le Dr d'Espiney, de faire un essai. Elle lui demanda de se placer devant elle, de lui tenir une main et de penser un mot.

Au bout d'une quinzaine de secondes environ, comme à l'ordinaire, se traça la lettre « *Y* » occupant près du pli du coude toute la largeur de l'avant-bras. Regardant, comme l'assistance, ce qui allait apparaître, Mme Kahl suggestionnée sans doute par cette lettre dit : « C'est *Yvonne* que vous avez pensé? » Mme S. ne répondit pas. Bientôt, sur presque toute la longueur de l'avant-bras, se traça en rouge, bien visible pour tous : *Y lande.* Mme S. dit alors qu'elle avait pensé *Yolande.* Il manquait la deuxième lettre du mot à l'inscription dermographique, mais sa place y était.

« Ce remarquable succès avec Mme S., écrit le Dr Osty, nous engagea, dix minutes après, à lui faire effectuer un nouvel essai. Mme S. pensa quelque chose et l'on vit se former, sur l'autre avant-bras que Mme Kahl tendait sous nos yeux, une sorte de *X* couché.

« Quand il parut évident que l'inscription avait atteint son maximum, nous demandâmes à Mme S. ce qu'elle avait pensé. « J'ai pensé le chiffre *8* », répondit-elle.

« Nous regardâmes de nouveau la dermographie et, sous nos yeux, nous vîmes se tracer une ligne réunissant les

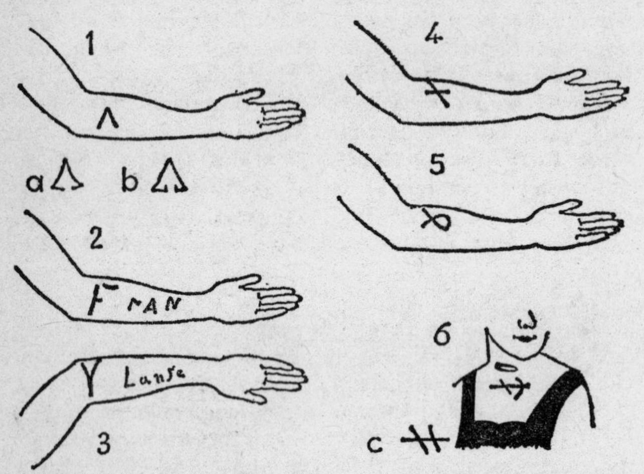

EXPÉRIENCES DE DERMOGRAPHIE RÉALISÉES AVEC MME KAHL. L'expérimentateur pense successivement : 1° à un triangle incomplet (a et b) ; 2° à François ; 3° à Yolande ; 4° et 5° à un huit ; 6° à une ligne horizontale coupée par deux lignes obliques (c).

extrémités inférieures de la première figure. Malgré ses efforts, Mme Kahl n'arriva pas au même résultat pour les extrémités d'en haut, de sorte que la partie supérieure du 8 ne fut pas fermée, mais Mme Kahl était très fatiguée. »

Presque aussitôt après cet essai, Mme Kahl s'adressant au Dr Osty lui dit : « Je veux faire une expérience pour vous. » Le Dr Osty se représente alors mentalement, sans dire un seul mot, une ligne horizontale coupée par deux lignes obliques parallèles. Immédiatement, une raie horizontale très marquée barre la poitrine de Mme Kahl sur une longueur d'environ 10 cm. Elle est ensuite très vite coupée par deux lignes.

Cette dermographie resta visible au moins une minute, puis une rougeur diffuse envahit la région.

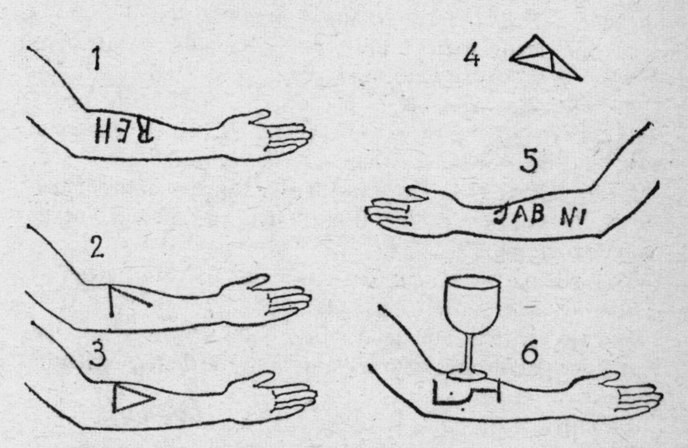

EXPÉRIENCES DE DERMOGRAPHIE RÉALISÉES AVEC MME KAHL (SUITE).

L'expérimentateur pense successivement : 1° à René ; 2° et 3° à un triangle (4) ; 5° à Sabine ; enfin, 6°, un verre à pied est placé sur le bras de Mme Kahl.

Séance du 29 janvier 1928. Assistants : Pr Charles Richet, Pr Santoliquido, Pr et Mme Cunéo, Dr Jean-Charles Roux, Dr Osty, M. Toukholka.

Le Dr Jean-Charles Roux prend un paquet de cartes sur chacune desquelles est une lettre de l'alphabet. Mme Kahl lui demande de penser un nom en regardant la lettre initiale, car elle prétend que la concentration de la pensée sur cette sorte d'écran qu'est une carte lui rend la pensée plus saisissable. Ayant, en cette condition, pensé ce qu'il a voulu, le Dr Jean-Charles Roux place le jeu de cartes entier sur le front de Mme Kahl, comme elle le demande.

« Vous avez, dit-elle, pensé deux noms mélangés dans un seul. » Puis, elle tend un des avant-bras, et, bientôt, des lignes rouges y apparaissent, sans signification du côté d'où on les regarde, mais qui, observées du côté opposé, forment « *R E H* ». Et le sujet prononce *René.*

Le Dr Jean-Charles Roux dit alors qu'il avait pensé *René.*

A noter que Mme Kahl est russe, qu'elle parle peu le français, et, qu'en russe, l'*N* s'écrit *H.* Il ne manquait donc à l'inscription cutanée que la dernière lettre.

Le Pr Richet et le Dr Jean-Charles Roux se retirent dans une salle voisine. Le Pr Richet trace un dessin sur un morceau de papier.

Tous deux reviennent dans la salle où Mme Kahl se trouve avec les autres assistants.

Sur l'avant-bras que tend Mme Kahl apparaissent deux lignes rouges droites réunies par l'une de leurs extrémités et formant angle.

Le phénomène ne se développant pas, le Pr Richet montre le dessin qu'il avait fait : un triangle dans lequel est inscrit un petit triangle. Dès que Mme Kahl le voit, une nouvelle ligne se forme réunissant les deux autres à leurs extrémités divergentes, délimitant ainsi un triangle. Elle s'efforce ensuite de faire apparaître le petit triangle inclus dans le grand mais rien de net ne se montre.

Mme Cunéo est priée, par Mme Kahl, de faire une expérience, Mme Kahl ayant l'impression qu'avec elle le résultat sera bon.

Mme Cunéo passe dans une pièce voisine. Elle en revient avec un papier plié et le remet au Pr Cunéo qui le met en poche.

Mme Kahl demande à Mme Cunéo de mettre un instant sa main sur l'avant-bras qu'elle tend. A peine Mme Cunéo a-t-elle retiré sa main que se dessinent, en rouge comme toujours, des lettres disposées comme suit : *SAB NI.*

Sur le papier que le Pr Cunéo déplie ensuite, Mme Cunéo avait écrit : *Sabine.*

L'S majuscule avait été reproduit dans sa forme bien spéciale. Deux lettres manquaient au mot, mais la place de l'*I* était ménagée et un peu de l'*E* final était ébauché. Il est à remarquer que lorsqu'il manque des lettres aux mots inscrits en dermographie, leur emplacement est réservé, comme s'il y avait eu seulement oubli du tracé.

Séance du 8 mars 1928. Ce jour-là, Mme Kahl étant très fatiguée dit : « Je ne suis pas aujourd'hui en état de faire quelque chose de bon. Il me serait facile de faire apparaître sur ma peau un objet que vous me montreriez. »

Cela, en effet, supprimait la phase de détection de pensée.

Aussitôt, quelqu'un présente un grand verre à pied, du type ballon. « Mettez-le, dit Mme Kahl, au-dessus de mon bras. » Ce qui est fait. « Très vite, note le Dr Osty, des lignes rouges apparaissent. Et, après quelques secondes, nous voyons s'inscrire sur 8 ou 10 cm de longueur, dans l'axe de l'avant-bras, comme couchée sur la peau, la silhouette fragmentaire mais très nette de l'objet. »

Ces extraordinaires expériences qu'aucun illusionniste ne serait capable de reproduire dans les mêmes conditions et qui ont été cependant réalisées à l'*Institut Métapsychique International* un grand nombre de fois, quasi à volonté, et à la façon d'expériences quelconques de physiologie normale, montrent, d'une façon indubitable, l'étonnante puissance de la pensée sur l'organisme ainsi que l'existence des pouvoirs paranormaux de l'esprit.

Ajoutons qu'elles sont inattaquables. Ainsi que nous avons pu le constater nous-même, les tracés dermographiques étaient *très nets* et ne pouvaient pas provenir d'une appréciation subjective comme il a été parfois suggéré par des théoriciens n'ayant pas observé de *visu* le phénomène.

Mécanisme de la stigmatisation

Nous estimons que la stigmatisation authentique, qu'elle soit religieuse, démoniaque ou métapsychique, est, en règle générale, de nature purement suggestive.

On peut en effet remarquer que la forme même des stigmates reflète précisément l'idée que le stigmatisé s'en fait : le catholique romain reproduit sur ses paumes les plaies qu'il pense être celles du Christ, alors que des travaux récents, comme le remarque justement Jacques Clair, apportent la preuve que les clous de la crucifixion furent nécessairement plantés au travers des poignets; le mahométan extériorise les blessures du Prophète; le sorcier est griffé, mordu par le Diable auquel il croit, et, enfin, le sujet métapsychique présente des stigmates dont l'aspect se rapporte à la suggestion donnée.

De plus, on peut constater que les protestants n'ont pas de stigmates parce qu'ils n'admettent pas que la stigmatisation soit un phénomène surnaturel. « Un protestant atteint de stigmates, écrit le Dr Bonjour, serait couvert de ridicule. » Cela est si vrai qu'une dame protestante, Mme Hélène Swart, écrivain néerlandais de marque, ayant vu apparaître sur ses mains et sur ses pieds des taches couleur de sang après avoir médité sur la Passion, fit disparaître par la pensée ce commencement de stigmatisation.

« L'année dernière (1929), écrit-elle, dans *Tijdschrift voor Parapsychologie*, après avoir longtemps médité sur la Passion de Jésus-Christ, je voyais apparaître sur mes mains et mes pieds des taches rondes, couleur de sang. J'avais l'impression que je pouvais empêcher ces taches de devenir sanguinolentes en dirigeant mes pensées sur d'autres sujets. Pour cette raison, je ne mis pas de crucifix dans ma chambre, comme j'en avais eu l'intention. Longtemps, la plante des pieds et la paume des mains restèrent couleur rouge sang et fort sensibles. Même à présent, elles le deviennent quelquefois après une émotion. »

Cette même personne a réussi, affirme-t-elle, à se libérer par la volonté d'un mal très douloureux mais non dangereux qui avait jusque-là résisté à tout traitement médical. Les interactions psychosomatiques semblent donc particulièrement nettes chez ce sujet.

Au reste, l'Eglise, avec les Drs Ferrand et Surbled, le R.P. Coconnier, le R.P. Gémelli, franciscain et médecin, directeur de l'*Université Catholique de Milan*, admet la suggestion dans la plupart des stigmates et même lorsqu'elle croit à une intervention divine, c'est-à-dire dans le cas des stigmates qu'elle appelle « mystiques ».

Reste à expliquer le mécanisme de cette suggestion. On sait que le physiologiste russe Pavlov interprète ses expériences en supposant qu'une voie nouvelle se forme entre les centres nerveux excités par les sensations qui provoquent le réflexe conditionné et la voie normale qui déclenche le réflexe absolu. Dans le cas des stigmates, il en serait de même. La vision hallucinatoire d'une plaie, qu'elle soit christique ou autre, les sensations douloureuses imaginaires qui en résultent permettent vraisemblablement à l'influx nerveux de s'ouvrir progressivement un chemin jusqu'aux centres cérébro-spinaux qui commandent, d'une part, l'irrigation vasculaire cutanée, et, d'autre part, les phénomènes de phagocytose. Il existe d'ailleurs des plaies, ayant l'apparence de stigmates, provoquées par une maladie de la moelle et ayant, par conséquent, une origine nerveuse. Bien entendu, on peut imaginer des relais variés, nerveux et endocriniens.

Quoi qu'il en soit, la sensation initiale provoquerait la congestion locale des vaisseaux, leur éclatement, et, lorsqu'elle a lieu, la destruction du derme par phagocytose, ce dernier phénomène pouvant d'ailleurs être plus ou moins suscité par le premier. Comme dans les expériences de Pavlov, où l'excitant conditionnel doit être maintes fois associé à l'excitant absolu avant de produire ses effets, une période plus ou moins longue de maturation apparaît souvent nécessaire avant que se forment les stigmates. Ce délai dure des mois et parfois des années chez les stigmatisés religieux et il correspond à une phase de violente exaltation où le mystique sollicite de toute l'ardeur de son âme la production sur lui-même des signes sacrés. Dans le cas des stigmates expérimentaux il peut être assez court.

Enfin, réflexes conditionnés et stigmatisation exigent des sujets spéciaux. La condition est beaucoup moins impérative en ce qui concerne l'obtention des réflexes conditionnés; néanmoins, les expérimentateurs qui ont étudié soigneusement la question ont constaté que la durée des expériences, nécessaire pour établir le réflexe, varie beaucoup avec les sujets; certains sont plus sensibles que d'autres. Dans l'étiologie des stigmates, la névrose semble indispensable : tous les stigmatisés, dont on connaît suffisamment la vie, eurent des crises nerveuses avant que les stigmates fissent leur apparition et l'on peut dire que si l'hystérie ne fait pas partie intégrante de la stigmatisation, elle en constitue certainement l'atmosphère. Cette opinion est corroborée par ce fait que la plupart des stigmatisés ayant présenté des stigmates religieux ou des stigmates expérimentaux furent des femmes plus suggestibles en général que les hommes et plus sujettes que ceux-ci à l'hystérie ainsi qu'aux troubles hormonaux.

Nous sommes donc ici en pleine psycho-physiologie normale, sinon courante. Où la stigmatisation prend une allure paranormale c'est lorsque se superposent, comme cela a lieu dans la dermographie de Mme Kahl, au reste extrêmement rare, deux sortes de phénomènes. D'une part, un phénomène physiologique étonnant, et, d'autre part, un phénomène paranormal.

Le premier consiste en une action sélective des cellules

du cortex cérébral. Il a été qualifié d' « impensable » par le Pr Lhermitte. Dans le cadre des connaissances anatomiques et physiologiques classiques, on imagine en effet difficilement la manière dont le cerveau puisse agir avec une telle précision sur la hiérarchie des centres cellulaires du système nerveux végétatif pour aboutir en définitive à provoquer la turgescence des seuls vaisseaux capillaires qui produisent une inscription, cependant que la circulation voisine continue à s'effectuer normalement. La précision atteinte est vraiment surprenante lorsqu'on sait que le lacis microscopique extrêmement serré qui répand le sang dans l'intimité des tissus couvrirait, si on l'étalait en surface, sept mille trois cents mètres carrés environ. Mais, néanmoins, cette précision existe.

D'ailleurs, des phénomènes de ce genre sont observables en biologie normale. Ce sont les phénomènes de mimétisme et d'homochromie qui constituent une sorte de stigmatisation naturelle. Ainsi la remarquable Phyllie (*Phyllium siccifolium*) simule les feuilles sur lesquelles elle se pose. Mais il y a mieux. Les fameux papillons *Kallima*, par exemple, dont les ailes imitent à s'y méprendre une feuille desséchée, reproduisent non seulement les nervures médianes et latérales mais aussi les taches que forment souvent les moisissures sur le limbe et jusqu'aux cicatrices transparentes que déterminent les insectes physophages, quand, mangeant le parenchyme, ils ne laissent subsister sur certains points de la feuille, que l'épiderme translucide. De même, les sauterelles-feuilles américaines du groupe des ptérochrozées copient au mieux une feuille tachée de brun par un champignon parasite. Certaines vont jusqu'à dessiner, par une tache blanche, une fiente d'oiseau, qui, accidentellement, peut être déposée sur les feuilles. Comme chez les *Kallima* des taches simulent des moisissures et des échancrures marginales imitent des morsures d'insectes. De plus, ainsi que sur les véritables feuilles où les taches de moisissure et les échancrures d'insectes s'agrandissent progressivement, les imitations de la pseudo-feuille évoluent : elles ont un développement logique et se présentent aux diverses étapes où elles passent lorsqu'elles sont réelles. Dans tous ces faits, il y a évidemment un luxe de détails qui, autant et même plus que la stigmatisation, confond l'imagination et dépasse l'entendement.

Les phénomènes d'homochromie changeante ne sont pas moins singuliers et se rapprochent plus encore que les précédents de la stigmatisation dermographique. Citons seulement ici le cas des poissons plats qui prennent la couleur du sable sur lequel ils vivent, et, à ce propos, rappelons les expériences de Mast qui montrent, de façon saisissante, l'adaptation des plies ou des soles aux fonds les plus variés. Plaçant ces poissons sur du sable fin, du gravier, des coquilles, un damier, il constata qu'ils reproduisaient les dessins des surfaces sur lesquelles ils se trouvaient. L'expérience fut particulièrement démonstrative lorsque la figure était un damier : l'animal présenta sur sa livrée des surfaces blanches et noires alternées.

On sait maintenant que ces phénomènes sont dus à des cellules pigmentaires de la peau, appelées chromatophores, qui peuvent se rétracter ou s'étaler sous l'influence du système nerveux.

Enfin, pour en revenir à Mme Kahl, un phénomène métagnomique s'ajoutait chez elle au phénomène physiologique puisqu'elle détectait la pensée d'autrui sans utiliser les voies sensorielles normales.

Guérisons paranormales

La question des guérisons extra-médicales, obtenues par des moyens purement psychiques tels que suggestion, imposition des mains, prières, etc., peut être rattachée aux phénomènes précédents car, comme eux, elle appartient au domaine des actions psychosomatiques.

Jusqu'à présent aucune enquête impartiale n'a été menée en France sur ce problème et sur celui des guérisseurs. Pour certains auteurs, les guérisseurs n'ont jamais guéri aucun malade : ce sont des charlatans; en revanche, pour d'autres, ce sont de « valeureux missionnaires de la santé, voués au secours des malheureux malades abandonnés par une médecine impuissante et vénale ». Et Pierre Neuville, l'un des plus ardents défenseurs de la « médecine parallèle », affirme que « le malade, dans 99 % des cas, ne va trouver le guérisseur que lorsqu'il a épuisé toutes les ressources de la médecine traditionnelle ».

Aussi, étant donné ces contradictions et la carence, à ce sujet, des milieux médicaux français (cependant, un membre éminent du *Conseil de l'Ordre des Médecins* nous a confié qu'il avait observé d'extraordinaires guérisons à l'actif de quelques guérisseurs), nous avons été conduit à nous référer aux conclusions d'une vaste enquête menée, à partir de 1954, par la *British Medical Association*. Or, ces conclusions sont positives : dans certains cas, affirme la célèbre société médicale britannique, les moyens « spirituels » (*Divine Healing*) provoquent ou semblent provoquer des guérisons.

Pour rester dans le cadre de notre ouvrage, examinons les causes probables de celles-ci.

Remarquons d'abord que l'organisme possède des forces réactionnelles qui tendent à rétablir son équilibre momentanément détruit. Ce sont ces « forces de vie », la *vis naturæ medicatrix*, qui agissent toujours lorsque se produit le retour à la santé, quelle que soit d'ailleurs la cause incitatrice de la guérison. Il arrive ainsi que certains malades, traités par un « guérisseur », qu'il soit hypnotiseur, magnétiseur, suggestionneur, psychothérapeute, thaumaturge mystique... ou médecin, guérissent spontanément sous le seul effet de la nature.

En second lieu, bien des troubles pathologiques sont purement névropathiques. La névrose peut prendre, en effet, le masque d'affections corporelles caractéristiques et il importe de souligner qu'il est une foule de faux malades. Il existe des paralysies et des contractures musculaires, dont la coxalgie « hystérique » est par excellence le type, qui relèvent de perturbations essentiellement psychiques, des œdèmes « hystériques » décrits, pour la première fois, par Sydenham, une fièvre névrosique, des atonies, des spasmes respiratoires, des aérophagies, des vomissements, des anorexies, des météorismes appendiculaires, des constipations avec spasme ano-rectal d'origine purement névropathique. Du côté de l'appareil génito-urinaire, outre l'hyperesthésie de l'urètre, de la vessie, de l'ovaire, de l'utérus, du vagin, du testicule, on observe aussi une polyurie nerveuse pouvant aller, dans les accès, jusqu'à des émissions atteignant vingt-cinq à trente litres d'urine par jour. Le symptôme contraire, l'anurie, peut être également « hystérique »; les urines sont émises en quantité insignifiante, pendant des semaines et des mois; elles peuvent même être supprimées complètement pendant quelques jours, d'où l'affolement de l'entourage du malade. Il existe également des albuminuries et des diabètes nerveux. En ce qui concerne l'appareil génital proprement dit, on sait que l'impuissance et la frigidité sont généralement des troubles névropathiques et chacun connaît les grossesses « nerveuses ».

Enfin, il est aussi de faux cardiaques, de faux malades du sympathique et des glandes à sécrétion interne. Il existe même des surdi-mutités et des cécités « hystériques ». On n'en finirait pas de citer toutes les formes de maladies, apparemment organiques, que peut prendre la névrose. Ce qui accentue encore la confusion c'est que, parfois, des examens de laboratoire viennent corroborer les signes cliniques. Ils révèlent certaines anomalies de la tension artérielle, des sécrétions gastriques, ainsi que des indices de déséquilibre neuro-végétatif et glandulaire. Cependant, tous ces symptômes ne sont que l'expression d'un trouble essentiellement psychique ou nerveux. Mais, le plus souvent, les examens somatiques et les analyses ne décèlent la moindre altération des organes dont l'intégrité est absolue.

On conçoit que ces maladies puissent donner lieu à des guérisons spectaculaires et d'apparence paranormale ou même miraculeuse. Mais celles-ci n'ont rien d'étonnant car les affectations névropathiques n'ont que de faibles assises organiques. Elles sont essentiellement fonctionnelles, c'est-à-dire qu'elles résultent d'une modification de l'énergie nerveuse dans un organisme que l'on peut considérer comme physiquement sain. Leur traitement peut donc être surtout ou même exclusivement psychique. Selon l'image saisissante du Dr van der Elst, « comme on voit s'ébranler un tramway en panne aussitôt que l'on rétablit le contact entre ses organes moteurs et sa source d'énergie », les symptômes morbides peuvent disparaître complètement et parfois instantanément si l'action du système nerveux, un moment interrompue en un point de l'organisme, reprend sous l'influence d'une thérapeutique convenable, la suggestion par exemple. Mais il ne faudrait pas croire que, pour tel ou tel névropathe, la méthode de traitement importe peu. Selon son intellect, ses croyances et son affectivité, le malade bénéficiera, par exemple, d'un traitement « magnétique » ou hypnotique alors que la psychanalyse ou la thérapeutique morale eussent été sans effets. En d'autres cas, la *Christian Science* ou les traitements religieux conviendront mieux. Parfois, les procédés magiques, avec mise en scène, seront plus adéquats. L'essentiel est que le malade accepte la suggestion, d'où qu'elle vienne. Elle ne sera possible que chez les esprits qui présentent momentanément, ou d'une manière plus ou moins durable, une dépression de profondeur moyenne atteignant le niveau des tendances réalistes et rendant, comme le souligne le Pr Pierre Janet, la « réflexion lente, difficile et courte ».

Aux troubles purement névrosiques, on peut rattacher les affections psychosomatiques, lesquelles ont une orgine psychique et un substratum organique. Elles constituent le terme de transition entre les manifestations que nous venons de signaler, à peu près dépourvues d'élément somatique solide, et les maladies proprement organiques. Ainsi, l'hypertension artérielle se rencontre souvent chez des individus repliés sur eux-mêmes; ils ont une agressivité constamment refoulée, qui, cependant, éclate parfois sous forme d'accès de colère; ils sont rancuniers mais déguisent leurs ressentiments sous des dehors de gentillesse et de soumission. Le conflit latent qui existe entre leur être véritable et le rôle qu'ils sont obligés de jouer crée un état de tension permanent qui provoque une sécrétion d'adrénaline laquelle entraîne, par l'intermédiaire du système nerveux sympathique, une constriction des muscles lisses des parois artérielles, génératrice de l'hypertension. De même, certaines formes d'ulcère gastrique, d'angine de poitrine, d'asthme, de diabète, d'anorexie nerveuse, de diarrhée, de constipation chronique, de maladies de peau, de troubles du métabolisme, etc. sont des troubles psychosomatiques.

Ici encore, la simple suggestion peut jouer un rôle important dans les processus de guérison.

La suggestion peut être également efficace dans le cas de maladies purement organiques, car elle est capable, ainsi que nous l'avons montré dans notre ouvrage *La Guérison par la Pensée*, en nous basant sur les expériences de l'école pavlovienne, d'agir puissamment et efficacement sur l'organisme par le truchement du système nerveux végétatif et des glandes endocrines. Elle peut, de la sorte, susciter des modifications physiologiques importantes, favoriser l'oxydation des réserves organiques, augmenter la thermogenèse, éliminer les toxines, activer les sécrétions gastrique, pancréatique, hépatique et celle des glandes hormonales, exalter les réactions de défense, le pouvoir antixénique du terrain, accélérer les processus de cicatrisation. On connaît son rôle dans la guérison des verrues.

La suggestion est donc, très vraisemblablement, l'habituel et le grand moyen des thaumaturgies. Qu'importe la méthode, qu'il s'agisse de traitements magiques, métaphysique ou d'hypnotisme, aucune n'a, semble-t-il, de vertu propre. Tous les procédés sont dans l'immense majorité des cas des agents de guérison par suggestion. Même lorsqu'il s'agit de guérisons à distance, la suggestion peut s'exercer car le guérisseur indique généralement au malade ou à son entourage l'heure à laquelle il doit intervenir. De plus, il demande souvent au patient de se recueillir, de penser à sa guérison possible.

Mais la suggestion n'agit pas à coup sûr. Le retour à la santé dépend de la nature du couple guérisseur-malade, sur lequel nous revenons plus loin, de la constitution physiologique et psychique du sujet, de ses aptitudes à réaliser l'idée de guérison et de ses capacités émotionnelles. Comme dans les réflexes conditionnés étudiés par Pavlov et son école, des phénomènes de dominance ou d'inhibition, provoqués par des facteurs internes ou externes, interviennent probablement. De plus, une période d'incubation semble nécessaire. Le malade languit depuis quelque temps; il a essayé d'innombrables traitements; aucun n'a réussi. Un jour, on lui apprend que tel guérisseur fait des merveilles et qu'il a rendu la santé à des personnes atteintes du mal dont il souffre. Ce premier témoignage se trouve corroboré par d'autres. Les preuves s'accumulent, le scepticisme se désagrège, l'imagination fermente. Ensuite, c'est le voyage avec ses difficultés, l'attente interminable à la porte du guérisseur, les conversations avec les autres malades, toutes occurrences qui exaspèrent le désir de guérir, puis ce peuvent être les premiers pas vers la santé ou, parfois, la guérison elle-même.

Cependant, certaines guérisons (au reste relativement peu fréquentes, étant donné le nombre de malades traités par les guérisseurs ou qui sollicitent une intercession surnaturelle) semblent absolument inexplicables par la mise en jeu d'un quelconque mécanisme suggestif. Ce fut le cas, par exemple, de quelques guérisons attribuées à des thaumaturges tels que Béziat et le « Maître » Philippe de Lyon, auquel le Dr Philippe Encausse a consacré une importante et très intéressante étude, et c'est surtout le fait des guérisons réalisées dans un contexte religieux. On pourra en trouver des exemples précis dans nos ouvrages antérieurs.

Toutes ces guérisons diffèrent, par les caractères suivants, des guérisons dues à la *vis naturæ medicatrix*, à la suggestion ou à une intervention médicale quelconque. Elles sont souvent *instantanées* et impliquent parfois des *réfections tissulaires importantes.* Elles ne sont pas *suivies de convalescence.*

Il faut, en effet, souligner que les processus habituels de guérison ainsi que ceux dus à la suggestion, et nous parlons, bien entendu, de maladies organiques et non de troubles fonctionnels, demandent du temps pour s'accomplir. « Le travail de cicatrisation des artères, écrit le Pr Lecène dans son *Précis de Pathologie chirurgicale,* est assez long et demande de quarante à cinquante jours. Lorsqu'un nerf est complètement sectionné, il peut, au bout d'un certain temps, trois ou quatre mois au moins, se cicatriser et récupérer ses fonctions perdues à la suite de cette section. Toute solution de continuité du squelette se cicatrise grâce à la formation d'un tissu intermédiaire qui s'ossifie et prend le nom de cal. La constitution du cal passe par quatre phases qui empiètent l'une sur l'autre, et, chez l'homme, la dernière phase se prolonge pendant des mois et des années. » On pourrait faire des observations analogues en ce qui concerne les maladies infectieuses.

La conséquence immédiate de ces faits est que la guérison d'une maladie grave, quelle qu'en soit la nature, implique une période de convalescence plus ou moins longue pendant laquelle le malade passe par des alternatives de mieux-être et de rechutes. C'est un état mixte entre l'état de santé et celui de maladie caractérisé par un travail cellulaire et humoral de réparation. L'organisme balaie peu à peu les germes qui le souillent et neutralise les toxines qui l'imprègnent cependant que ses divers appareils, délivrés progressivement des déchets microbiens, se remettent à fonctionner plus ou moins correctement jusqu'au retour à la normale. En somme, l'organisme s'efforce de rétablir graduellement l'architecture viscérale et l'harmonie humorale lésées.

Rien de tel ne s'observe dans les guérisons instantanées. Aussi, parmi les savants qui en admettent l'authenticité, les uns les considèrent comme des dérogations aux lois naturelles, ou, plutôt, comme des faits appartenant à un plan de réalités essentiellement différent de celui sur lequel nous vivons. Autrement dit, ils supposent l'intervention d'une cause surnaturelle.

Les autres refusent de voir dans ces guérisons, apparemment irrationnelles, en tout cas inexplicables dans l'état actuel de la science, des phénomènes contraires aux lois universelles et ils pensent que leur explication sera donnée, dans un temps plus ou moins éloigné, par des principes maintenant inconnus; le prodige entrera alors dans le cadre des lois de la nature, mais, présentement, ils ne voient pas du tout par quelle porte il y pénétrera.

Précisément, il est une règle théologique et disons même scientifique, ou plus simplement encore de bon sens, qu'il faut mettre ici en pratique : *Non est recurrendum ad causam primam ubi sufficant causæ secundæ*, c'est-à-dire : il ne convient pas de recourir à la cause première pour expliquer un fait quand les causes secondes suffisent.

Le problème est donc de savoir si ces guérisons prodigieuses sont susceptibles d'être expliquées par des causes secondes.

Personnellement nous le pensons car nous croyons qu'il est possible de les interpréter rationnellement grâce à des arguments pris dans le domaine des sciences biologiques et dans celui de la métapsychique, laquelle, répétons-le, est une science naturelle n'ayant pas, sans doute, recueilli présentement le *consensus omnium* mais qui, nous en avons la conviction, finira par s'imposer.

En somme, quels sont les deux caractères primordiaux et spécifiques qui caractérisent les guérisons qui semblent inexplicables par un simple mécanisme suggestif? Ce sont, comme nous l'avons dit, d'une part, un processus de réfection tissulaire ou parfois de régénération partielle d'organes, et, d'autre part, l'instantanéité ou plutôt la grande rapidité de ce processus.

Or, la réfection tissulaire et la régénération d'organes sont des phénomènes bien connus en biologie. Ils consistent en une réédification d'une partie d'un organisme lorsque celle-ci a été détruite.

Cette faculté varie considérablement à travers les groupes animaux. D'une manière générale, elle s'épuise graduellement à mesure que l'on monte dans la série ontologique, mais elle n'en existe pas moins au sommet de l'échelle zoologique, c'est-à-dire chez les oiseaux et chez les mammifères. Toutefois, dans ces deux groupes, on observe surtout des phénomènes de cicatrisation et d'hypertrophie compensatrice alors que certains vertébrés inférieurs, comme les protées et les salamandres qui appartiennent à la classe des amphibiens, sont capables de reformer leur queue, leurs pattes et même leurs yeux.

Dans tous les phénomènes de régénération, deux catégories de cellules peuvent entrer en jeu : des cellules déjà différenciées et des cellules restées à l'état embryonnaire. Les premières évoluent en donnant des éléments de leur espèce. Ainsi, dans la réfection d'une queue d'amphibien, la moelle épinière fournit du tissu nerveux et les cellules épidermiques produisent l'épiderme. Les cellules embryonnaires, en revanche, étant indifférenciées, sont multipotentielles et sont capables de donner des cellules appartenant à diverses catégories; elles peuvent, par conséquent, à elles seules, produire des organes complets. Elles existent dans les tissus des divers groupes animaux. Ce sont les archæocytes chez les éponges, les cellules interstitielles chez les cœlentérés, les cellules-souches chez les planaires, les néoblastes chez les annélides, les cellules mésenchymateuses chez les bryozoaires et les ascidiens, etc. Dans le groupe des vertébrés lui-même, chez les salamandres, par exemple, la régénération d'un membre s'accomplit à partir de petites cellules non différenciées constituant ce que l'on appelle un blastème régénérateur. Au surplus, chez les vertébrés supérieurs, oiseaux, mammifères et homme, on trouve encore des cellules jeunes, notamment des histiocytes.

Par conséquent, nous pouvons dire que le pouvoir régénérateur n'a pas complètement disparu chez l'homme. Il existe encore à l'état potentiel, à l'état latent.

Sans doute, ce pouvoir ne s'exprime pas dans les conditions habituelles et un organe détruit n'est jamais, dans l'espèce humaine, remplacé par un organe de même nature, mais on peut penser, étant donné les considérations précédentes, que cette régénération n'est pas théoriquement impossible.

D'ailleurs, s'il est vrai, comme l'affirment les évolutionnistes, que l'homme est l'aboutissement de tout un processus évolutif, on peut admettre qu'il a hérité, au moins à l'état de possibilités, des capacités physiologiques de ses ancêtres, en particulier, le pouvoir de régénérer partiellement ses organes.

C'est justement ce pouvoir qui, à notre avis, entre en jeu dans les extraordinaires guérisons qui impliquent des réfections d'organes fortement lésés.

De plus, nous croyons qu'il s'extériorise et agit grâce au « métapsychisme », au « pouvoir secret » des individus, qui, ici, prend une forme particulière que l'on peut qualifier d'idéoplastique.

Deux cas peuvent se présenter. Dans l'occurrence la plus fréquente, les facultés idéoplastiques du malade s'éveillent sous l'effet d'un choc psychologique (émotion) accompagné parfois d'un heurt physiologique et la guérison est totalement assurée par le malade lui-même. Parfois, elle est le fait d'un tiers qui, grâce à sa médiumnité, déclenche chez le malade les facultés idéoplastiques en sommeil. Tel fut probablement le rôle de quelques thaumaturges comme le « Maître » Philippe et Béziat.

Ce pouvoir idéoplastique doit, de plus, accélérer les phénomènes de division et de nutrition cellulaires. Un simple calcul va nous permettre de fixer l'ordre de grandeur de cette accélération.

Considérons, par exemple, cent cellules sphériques mesurant chacune dix microns de diamètre (le micron est le millième de millimètre) et se multipliant selon un certain rythme de façon à former une sphère ayant soit 5 cm, soit 10 cm de diamètre et demandons-nous quel doit être le rythme de division afin que les masses soient obtenues au bout d'une heure dans un premier processus et au bout de vingt-quatre heures dans un autre mode de multiplication.

Bien entendu, dès qu'une cellule a achevé sa division en deux parties que l'on supposera, par suite de la nutrition, de même volume que la cellule primitive, chaque cellule se divisera en deux et ainsi de suite :

Soit N le nombre de cellules après p divisions; on a :

$$N = 100 \times 2^p$$

Si d est le diamètre initial de la masse sphérique formée par les 100 cellules et D le diamètre final, nous pouvons écrire :

$$\frac{N}{100} = 2^p = \left(\frac{D}{d}\right)^3 \qquad (1)$$

Prenant le micron pour unité, il vient :

$$\left(\frac{d}{10}\right)^3 = \frac{100}{1} \text{d'où } d^3 = 10^5 \text{ microns.}$$

1er cas. On veut obtenir une masse de 5 cm de diamètre :

$$D = 5 \times 10^4 \text{ microns}$$
$$D^3 = 125 \times 10^{12}$$

La relation (1) donne :

$$2^p = 125 \times 10^7$$

D'où :

$$p = \frac{\log 125 \times 10^7}{\log 2} = \frac{9{,}09691}{0{,}30103} = 30{,}2...$$

Pour que la masse soit obtenue au bout d'une heure, le rythme de la division doit être :

$$1 \text{ minute} \times \frac{60}{30{,}2} \# 2 \text{ minutes}$$

Si elle est formée au bout de 24 heures, la durée de la division est vingt-quatre fois plus grande, c'est-à-dire :

$$2 \text{ minutes} \times 24 \# 48 \text{ minutes}$$

2e cas. On veut une masse finale de 10 cm de diamètre :

$$D = 15^5 \text{ microns}$$
$$D^3 = 15^{15}$$

La relation (1) donne ici :

$$2^p = 10^{10}$$

$$p = \frac{10}{\log 2} = \frac{10}{0{,}30103} = 33{,}2...$$

Pour que la masse soit obtenue au bout d'une heure, la durée de la division doit donc être :

$$1 \text{ minute} \times \frac{60}{33{,}2} \# 1 \text{ minute } 48 \text{ sec.}$$

Et au bout de 24 heures :

1 mn 48 s × 24 # 43 minutes 12 sec.

En résumé, cent cellules mesurant chacune 10 microns de diamètre peuvent former, au bout d'une heure, une sphère de 5 cm de diamètre ou de 10 cm de diamètre si le rythme des divisions est de 2 minutes d'une part ou de 1 minute 48 secondes d'autre part. Au bout de 24 heures, les deux masses sphériques seront également obtenues si les rythmes sont respectivement 48 minutes et 43 minutes 12 secondes.

Or, les durées réelles des divisions cellulaires, déterminées grâce à l'observation microscopique, vont de 30 minutes pour la multiplication de certains protistes jusqu'à 5 heures pour des cellules végétales. Jolly a noté un délai d'environ 2 heures pour la division de jeunes hématies d'amphibiens et G. Levi a vu des cellules conjonctives en culture se diviser beaucoup plus rapidement, parfois en moins d'une demi-heure.

Il résulte par conséquent de ces faits et du petit calcul que nous venons de donner, qu'une division cellulaire quinze à trente fois plus rapide que la division normale peut conduire à une réfection tissulaire notable, quasi instantanée, puisque sa durée n'est que d'une heure. Si cette réfection a lieu en 24 heures, le rythme des divisions cellulaires est de l'ordre de grandeur des rythmes naturels ou est légèrement plus élevé.

Dans ces conditions, les restaurations tissulaires, dites instantanées, que l'on observe dans certaines guérisons qualifiées de prodigieuses, ne paraissent pas incompatibles avec des processus normaux de multiplication cellulaire. Le facteur métapsychique dont nous postulons l'existence doit accélérer ceux-ci selon un coefficient qui ne présente aucun caractère irrationnel.

Enfin, le pouvoir paranormal doit non seulement déclencher et accélérer les multiplications cellulaires, mais il doit aussi organiser, grouper, selon un plan anatomique convenable, les éléments formés. C'est en ce sens qu'il est essentiellement idéoplastique.

En définitive, dans les guérisons extra-médicales obtenues par des moyens purement psychiques, qu'il s'agisse de guérisons de troubles névrosiques, psychosomatiques ou organiques, c'est toujours dans les profondeurs de son être que le malade trouve les énergies salvatrices et que s'élabore sa santé reconquise. Autrement dit, le malade est l'instrument principal de sa propre guérison.

Mais le guérisseur joue également, en l'occurrence, un rôle important.

On peut dire, en effet, qu'il est une sorte de catalyseur, qui, par sa seule présence, met en branle les forces immenses du subconscient du sujet et les processus de guérison. Mais, de même que les catalyseurs n'agissent que sur certaines catégories de substances, le guérisseur n'exerce son action que sur certains malades. Ce qui signifie que les processus de guérison ne peuvent être déclenchés que s'il existe un accord profond, des relations intersubjectives entre lui-même et le malade.

Ce rapport a été précisé par les travaux du professeur hollandais van Lennep, du professeur suisse Heiss et surtout par les recherches du Dr Moser, de Zurich.

Elles ont consisté à utiliser les tests de Szondi dont voici le principe. On présente au malade ou à un sujet quelconque six séries de photographies comprenant des personnages de types psychologiques très différents, et, pour chaque série, on lui demande de désigner les deux visages qui lui plaisent le plus et les deux qui lui plaisent le moins. Le choix doit être rapide, spontané comme un réflexe. L'idée directrice du Pr Szondi est que les choix que l'homme établit au cours de son existence dépendent des gènes latents qu'il porte en lui. Elle explique ainsi l'attraction mutuelle de certains individus comme la répulsion éprouvée envers certains autres. Il est évident que, compte tenu des pressions sociales, « ce génotropisme intervient également dans le choix du médecin ou du guérisseur. Certains groupes de ces gènes forment de véritables communautés de destin. » (Maurice Colinon).

Appliquant ces principes aux guérisseurs suisses, le Dr Moser a pu constater que les guérisons d'origines psychique et les guérisons « paranormales » interviennent particulièrement entre hommes ainsi apparentés inconsciemment. Ce qui signifie qu'elles ont surtout lieu lorsque les affinités profondes et peut-être aussi les « pouvoirs secrets » du malade et du guérisseur sont à l'unisson.

(1) Nous avions demandé à Mirin Dajo de bien vouloir se soumettre à notre contrôle. Voici quelques extraits de la réponse qui nous fut faite par son père, M. Henskes :

« Au nom de mon fils, Mirin Dajo, je réponds à votre aimable lettre du 4 mai 1948, par laquelle vous l'invitez à venir à Paris pour être examiné scientifiquement.

« Je réponds à sa place, premièrement parce que Mirin Dajo se trouve en Suisse, et, par suite d'occupations très grandes, ne pourrait vous répondre en détail, deuxièmement, parce que je connais déjà avec précision son point de vue en ce qui concerne des propositions comme la vôtre.

« Mirin Dajo a déjà été examiné scientifiquement à plusieurs reprises et pense qu'après tous ces examens consciencieux son immunité est suffisamment prouvée pour démontrer que lui, comme instrument de Dieu, se trouve sous protection divine spéciale, et n'est pas un homme ordinaire.

« C'est pourquoi, quoique sans doute sincèrement reconnaissant de votre intérêt, il n'accepterait pas votre aimable invitation. D'ailleurs, son travail pour la Paix Mondiale ne permet pas actuellement son départ de Suisse.

« Il rédige une brochure au sujet de sa mission. Cette brochure sera également disponible en français. En son temps, je vous ferai savoir quand cette traduction sera en librairie.

« Au nom de Mirin Dajo, je vous remercie pour l'intérêt que vous lui montrez et je vous salue respectueusement, ainsi que vos collègues de l'*Institut Métapsychique International.*

Signé : Henskes. »

7

PSEUDO - FAKIRISME

On désigne généralement sous le nom de fakirs des ascètes hindous qui cherchent à acquérir la sainteté par la contemplation, les mortifications et certains exercices physiques et intellectuels.

La plupart des auteurs qui ont parlé des fakirs ont affirmé qu'ils possédaient de mystérieux pouvoirs sur eux-mêmes, sur les autres, sur les animaux et les végétaux, sur les choses inertes : insensibilité, invulnérabilité, incombustibilité volontaires, maîtrise du système musculaire et des appareils digestif, circulatoire et respiratoire, incroyable résistance à l'absence d'air et de nourriture, pouvoir hypnotique, clairvoyance, possibilité d'accélérer considérablement la croissance des végétaux et des animaux, action sur les « éléments », air, eau, terre, feu.

Réels ou faux, et nous avons vu que quelques-uns d'entre eux sont authentiques, les phénomènes de fakirisme ont tenté certains illusionnistes qui se sont efforcés de les reproduire d'une manière artificielle tout en les présentant sous l'étiquette du supranormal. D'où les pseudo-fakirs dont les plus connus, pour ne citer que les contemporains, se nomment : Saldini, Tahra Bey, Blacaman, Grambey, Heyligers, Rama Tarham, Diebel. Les principales expériences qu'ils donnent habituellement et que nous allons successivement examiner sont : *la planche à clous, l'échelle de sabres, le tonneau de verre pilé, l'insensibilité, et la catalepsie.*

La planche a clous

Le fakir se couche sur une planche garnie de clous. Un homme peut même appuyer de tout son poids sur la poitrine du fakir et cependant les clous ne pénétrèrent pas dans la peau. La multiplicité des clous, d'ailleurs faiblement acérés, est tout le secret du tour. Il est aisé de comprendre que si l'homme dont le poids est de soixante-dix kilos se place sur cent clous, chaque clou ne supportera que sept cents grammes, force insuffisante pour assurer la pénétration d'un clou souvent plus ou moins flexible et à pointe légèrement émoussée.

L'échelle de sabres

Des lames de sabres sont présentées au public. Avec l'une d'entre elles, choisie par les spectateurs, l'impresario coupe une feuille de papier; les lames sont donc apparemment bien affilées. Elles sont alors disposées en échelons le long de deux montants et le fakir gravit, pieds nus, l'échelle ainsi constituée.

Le tour repose sur les principes suivants : d'abord, les lames sont affilées en biseau et disposées obliquement. Dans ces conditions, chaque lame présente, au pied, non un tranchant, mais le plat du biseau. D'autre part, on sait qu'une lame tranchante tranche difficilement si on la fait agir normalement sur l'objet à couper mais coupe facilement si on la fait glisser; on le remarque aisément lorsqu'on coupe un morceau de pain. Aussi, le fakir prend-il la précaution de poser son pied bien normalement, sans le faire glisser. De plus, il le pose en long et non en travers de la lame afin d'augmenter la surface de contact, ce qui diminue la valeur de la force pressante (même principe que pour la planche à clous). Enfin, certaines parties du sabre, sur lesquelles le pied ne repose pas (l'extrémité par exemple ou la base), sont finement affilées; ce sont celles-là qui permettent de couper facilement une feuille de papier.

Le tonneau de verre pilé

Le fakir, à peu près nu, se place debout dans un tonneau reposant sur le fond. L'espace vide est alors rempli de tessons de bouteilles réellement coupants. Le couvercle est placé, le tonneau renversé et roulé en tous sens. L'expérience terminée, le fakir sort indemne du tonneau. On devine le procédé employé : dès que le couvercle est mis en place, le fakir s'y arc-boute à l'aide de ses mains, de sorte qu'il forme axe lorsque le tonneau est roulé. Dans ces conditions, le risque d'être coupé par le verre n'est pas grand.

L'insensibilité

Certaines parties du corps, joue, gorge, peau des régions thoracique et abdominale, etc., sont traversées sans douleur apparente par de longues aiguilles ou à la rigueur par des poignards.

Ici, le truc est simple car, en fait, il n'y en a pas. Les régions transpercées sont, en effet, très faiblement innervées, et l'expérience se fait sans douleur et, ajoutons, sans danger, si les objets sont préalablement stérilisés à la flamme.

« Le couteau au bras » repose sur un autre principe (voir fig.). La lame est divisée en deux parties réunies par un arceau métallique. Dans le manche se trouve une poire en caoutchouc contenant un liquide rouge et munie d'un tube dont l'extrémité affleure à la ligne de séparation du manche et de la lame. On peut presser cette poire à l'aide d'un bouton et faire sortir le liquide.

Un couteau ordinaire de même forme est d'abord montré au public, puis l'échange est fait lorsque le servant apporte

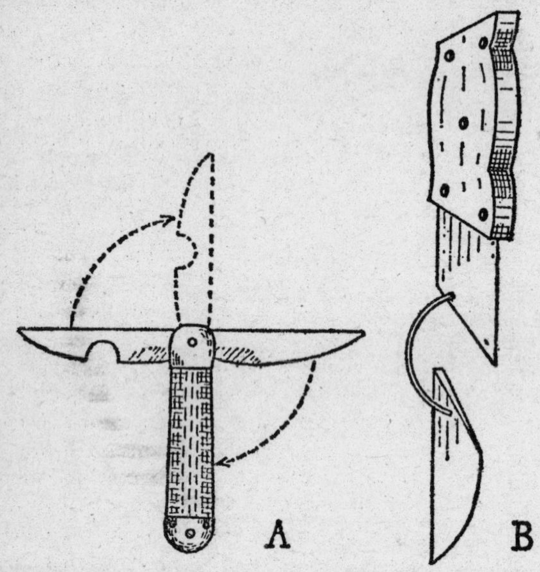

A, COUTEAU A DOUBLE LAME ; B, COUTEAU « AU BRAS ».

une boîte de pansement dans laquelle est caché le couteau truqué. Ce dernier est pris à même la lame afin de couvrir la partie ouverte avec la main, puis glissé rapidement du poignet jusqu'à l'avant-bras. C'est au cours de cette manipulation que l'avant-bras est encastré dans l'ouverture de la lame. La poire est alors actionnée et déverse le liquide rouge qui simule des filets de sang. Aussitôt après, le servant entoure d'une bande de pansement l'avant-bras de l'opérateur et dissimule l'arceau métallique; la bande s'imprègne progressivement du liquide coloré et l'illusion est parfaite. Un couteau à double lame peut être aussi employé (voir fig.).

Quelques fakirs se transpercent la langue à l'aide d'un stylet. Le procédé le plus courant... et le moins douloureux

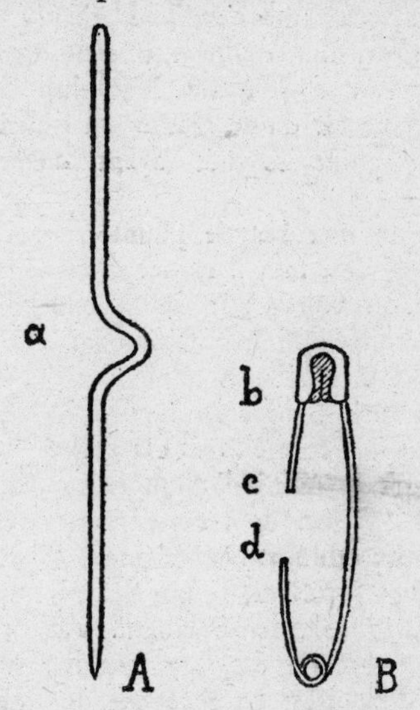

AIGUILLE A TRICOTER A ET ÉPINGLE DOUBLE B TRUQUÉES.

est d'introduire dans la bouche une fausse langue en caoutchouc peint. On la fait sortir à l'aide de la vraie langue et on la maintient serrée entre les dents; c'est cette fausse langue qui sera transpercée. Les fakirs indiens emploient, dit-on, des langues de chiens dans cet exercice.

On peut utiliser aussi une aiguille présentant une partie courbée (voir fig.). L'expérimentateur se place de côté, tire la langue et fait le simulacre de la traverser avec l'aiguille tenue en *a* entre le pouce et l'index. En réalité, il fait glisser l'aiguille le long du bord de la langue et engage celle-ci dans l'encoche.

Un effet très analogue est obtenu à l'aide d'une épingle de nourrice dont la partie mobile est soudée dans le capuchon en b, et coupée suivant *c d.*

Dans les deux cas, une aiguille à tricoter ou une épingle double ordinaires sont données à examiner au début du tour et échangées ensuite contre leurs duplicata truqués.

Le tour suivant est d'une réalisation difficile. Il demande une mise au point soignée avant d'être présenté au public.

Le fakir avale une bougie allumée, puis de l'ouate en grande quantité. Cela fait, il expire d'abord faiblement, puis fortement et l'on voit sortir de sa bouche, de la fumée, des flammèches et enfin des flammes. L'expérience est très impressionnante et d'ailleurs à peine truquée.

Seule, en effet, la bougie est factice. Elle est formée d'un tube de pain azyme fermé à ses extrémités par une rondelle de même nature et muni d'un morceau d'allumette-bougie de 1 cm 1/2 environ de longueur ou pourvu d'un petit fragment de noix taillé convenablement. Après une combustion de quelques secondes, la bougie est introduite dans la bouche et mastiquée ostensiblement. L'absorption du morceau d'allumette-bougie est sans inconvénients et ne présente pas de difficultés; en revanche, le fragment de noix à moitié brûlé est assez désagréable à avaler, à cause de son goût de rance.

Ensuite, de l'ouate cardée, qui simule un énorme volume, est enfoncée dans la bouche et est utilisée à garnir le palais, la langue et les parois internes des joues. Elle peut être légèrement humide mais, généralement, la salive suffit à lui donner l'hygrométricité nécessaire. C'est cette couche d'ouate qui préserve des brûlures.

Enfin, de l'ouate assez compacte, préalablement préparée en forme de nid et contenant un morceau d'amadou en feuille allumé par un servant au moment opportun, est placée dans la bouche. L'amadou communique le feu à l'ouate; la bougie préalablement avalée est donc uniquement destinée à tromper le public.

Au début de l'exercice, l'expiration doit être assez faible, puis le rythme respiratoire est accentué. Dans tous les cas, il est absolument indispensable d'aspirer par le nez, sinon le présentateur risquerait d'absorber des fragments d'ouate qui provoqueraient une toux gênante. Il est recommandé également de préserver ses vêtements contre les flammèches.

La catalepsie

Le fakir se met en pseudo-catalepsie après les simagrées d'usage : aspiration de fumées aromatiques, exclamations gutturales, révulsion des globes oculaires (Tahra Bey), etc. On le place alors les pieds sur une chaise, la tête sur une autre, et le fakir reste, dans cette position, pendant quelques minutes, allongé et raide. Les chaises peuvent être remplacées par des lames de faux ou de sabres, non coupantes, bien entendu.

La réalisation de cette expérience est facile. Il suffit de raidir les muscles pour l'exécuter. Les sujets femmes utilisent de plus un petit corset de fer.

Afin de démontrer qu'il est vraiment en catalepsie, le pseudo-fakir fait souvent placer sur son corps un bloc de grès assez volumineux, pesant de 30 à 40 kg. Un aide s'empare d'un marteau et, d'un coup sec, fend la pierre en deux.

Cet exercice, qui impressionne généralement le public, n'est, en réalité, que très banal. D'une part, le grès est une pierre tendre qui se fend facilement selon des veines ferrugineuses; il peut être d'ailleurs préparé par chauffage préalable et refroidissement brusque, il s'effrite alors aisément; d'autre part, sa masse absorbe le choc, de sorte que celui-ci n'est nullement ressenti par le sujet; il s'agit là d'un effet d'inertie que des expériences simples mettent en évidence.

On place deux verres pleins d'eau sur deux chaises se faisant vis-à-vis et éloignées l'une de l'autre à distance convenable. Cela fait, on pose un bâton, un manche à balai par exemple, sur les bords des deux verres, puis, armé d'un bâton de bois dur et assez gros, on donne un coup vigoureux sur le milieu du manche à balai qui se rompt sans que les verres soient dérangés. On peut aussi enfoncer deux clous aux extrémités du manche à balai et, par leur intermédiaire, le faire reposer sur les verres.

L'expérience est encore plus saisissante en faisant soutenir le bâton au moyen de deux anneaux de papier tenus chacun par un aide entre le pouce et l'index. Les anneaux restent intacts après le choc. Enfin, certains expérimentateurs compliquent le tour en posant les deux anneaux de papier sur le tranchant de deux lames de rasoir maintenues l'une et l'autre par deux assistants. Ici, encore, les anneaux ne sont pas déchirés.

Une expérience de « catalepsie » d'un genre quelque peu différent de la présentation ordinaire nécessite une chaise truquée. Le fakir se place comme précédemment puis étend ses bras en croix. Un spectateur monte alors sur son corps et deux comparses viennent s'asseoir, chacun sur un des bras, sans que ceux-ci fléchissent. Il est évident que le seul raidissement des muscles serait insuffisant pour supporter trois hommes. Aussi, de chaque côté du siège de la chaise truquée sort une tige de fer en forme de L, qui sert de support à l'homme et à ses bras étendus en croix. Les tiges sont mises en place par le présentateur, lorsque le fakir est allongé.

Le tour qui suit, très spectaculaire, suppose également l'emploi d'un dispositif truqué.

Un sujet femme est hypnotisé (?), mis en « catalepsie », puis étendu de tout son long entre deux chaises de jardin se faisant face, les chevilles étant placées sur le dossier d'une chaise et le cou sur l'autre dossier.

Le fakir fait quelques passes magnétiques puis retire la chaise qui soutenait les pieds.

Au grand étonnement des spectateurs, le sujet demeure couché horizontalement dans l'espace, uniquement supporté par le cou. Un cerceau est passé le long du corps démontrant qu'il n'existe pas de fils d'acier maintenant le sujet par les pieds. D'ailleurs, l'expérience est parfois réalisée de très près ou même au milieu des spectateurs.

La chaise est ensuite replacée sous les pieds du sujet, lequel est aussitôt remis debout puis « réveillé ».

Cette expérience assez intrigante repose sur un principe très simple. Le sujet a, sous sa robe, une sorte de corset en métal qui, d'une part, se prolonge jusqu'aux cuisses, et, d'autre part, porte une agrafe dans la région du cou. Cette agrafe qui fait saillie est cachée par un artifice quelconque : foulard, cheveux sur la nuque, etc. Lorsque le sujet est apparemment endormi et placé sur les chaises, l'agrafe vient s'emboîter sur un dossier ce qui permet au pseudo-cataleptique de se maintenir étendu, défiant toutes les lois de la pesanteur. De plus, il est à remarquer que l'inclinaison du dossier d'une chaise de jardin est telle que la verticale passant par le centre de gravité du sujet allongé tombe entre les pieds de la chaise, de sorte que le renversement de l'ensemble chaise-sujet ne peut se produire.

D'ailleurs, cette chaise porteuse est légèrement truquée. Afin d'augmenter son poids, les lattes de bois du siège et du dossier ont été remplacées par des barres de fer de même aspect.

L'homme soulevé à l'aide de quelques doigts et l'homme insoulevable

Ces deux expériences, que nous plaçons vers la fin de ce chapitre parce qu'il est difficile de les ranger dans les catégories précédentes, sont assez intrigantes et ont dérouté naguère quelques métapsychistes et des hommes de science tels que le célèbre Dr Alexis Carrel qui les considérait comme paranormales. C'est pourquoi nous nous croyons autorisé à en parler dans ce livre, d'autant plus qu'actuellement elles sont présentées de nouveau dans quelques cercles psychiques.

Dans la première expérience, le sujet étant placé horizontalement, la tête et les pieds appuyés sur deux chaises, on lui demande de se tenir aussi raide que possible et de laisser tomber les bras le long du corps.

Quatre opérateurs se disposent alors autour du sujet, deux de chaque côté. Ils ferment leurs poings et allongent l'index de chaque main. L'opérateur, qui est du côté de la tête et à la droite du patient, place son index droit sous la hanche de celui-ci et son index gauche sous l'épaule. Son vis-à-vis opère de même, mais symétriquement. Le second opérateur de droite met son index gauche sous la hanche, à côté de l'index de son voisin et son index droit sous la jambe droite de l'homme étendu. Son camarade qui lui fait face agit de même.

Cela étant, on demande aux opérateurs de soulever le sujet; ils n'y parviennent pas.

Alors, à un signal donné, on fait faire aux opérateurs deux inspirations profondes et, à la fin de la deuxième inspiration, on commande : levez! Les opérateurs lèvent les mains et sont surpris de la facilité avec laquelle ils soulèvent l'homme allongé.

Le sujet peut aussi se tenir debout. Avec un sujet de poids moyen, sept doigts répartis comme suit permettent le soulèvement. Il faut, dans ce cas, cinq personnes pour réaliser l'expérience.

Le premier opérateur se place devant le sujet et lui met l'index de la main droite sous le menton. Le second opérateur, disposé à la droite du sujet, met son index sous le coude droit du patient qui tiendra ses coudes bien appliqués au corps, les bras étant repliés. Le troisième opérateur de droite, accroupi, met son index de la main droite en avant du talon du sujet, dans la petite excavation que forme le talon avec la semelle. Les deux autres opérateurs se placent à la gauche de la personne à soulever et opèrent comme les deux précédents.

Ici encore, le sujet est facilement soulevé à la fin de la deuxième inspiration.

Le secret de cette curieuse expérience réside dans le gonflement des poumons. Lorsqu'ils sont remplis d'air au maximum, la cage thoracique forme un point d'appui, fixe et résistant, aux muscles qui s'insèrent, d'une part, sur les côtés de la poitrine ainsi que sur les omoplates, et, d'autre part, sur l'articulation de l'épaule ou sur l'humérus. La puissance de ces muscles est beaucoup moins grande pendant la période d'expiration.

Remarquons que l'expérience est rendue encore plus facile si l'on recommande à la personne soulevée de tenir ses poumons gonflés au maximum. Dans ces conditions, elle se tient plus raide et résiste mieux aux inégalités de pression dont elle est l'objet.

L'expérience de l'*Homme insoulevable*, qui constitue, en quelque sorte, la réplique contraire de l'expérience précédente et qui a été présentée pour la première fois, en 1920, par le boxeur Coulon, a longuement intrigué les milieux scientifiques, métapsychiques et sportifs de l'époque.

« Coulon, qui ne pèse que 53 kilogs, écrit le Dr Geley, est très facilement soulevé par un homme, même faible, le prenant par la taille, mais il suffit qu'il touche de l'un de ses index le cou de son adversaire dans la région carotidienne et, de l'autre index, son poignet, pour qu'il ne puisse plus être soulevé, quand il ne le veut pas, quelle que soit la force de cet adversaire. »

De son côté, René Sudre décrivait, dans le journal *L'Avenir* du 22 décembre 1920, les vains efforts d'un athlète fameux effectués pour soulever Coulon : « Le plus palpitant, écrit R. Sudre, fut l'essai de Cadine, champion du monde. Ceux qui n'ont pas vu cet athlète ne peuvent imaginer l'aspect formidable de sa musculature. Ses biceps sont gros comme de jeunes troncs de bouleaux et ses pectoraux font songer à des plaques de blindage. Lorsqu'il tenta de soulever Coulon, contre la volonté de celui-ci, ce magnifique ensemble se roidit, se congestionna en vain. Par quatre fois, Cadine dut s'avouer impuissant. »

En réalité, ce phénomène était exclusivement mécanique et voici la technique précise et simple qu'il convient de suivre pour réaliser aisément l'expérience de l'*Homme insoulevable.*

Se placer d'abord légèrement en avant, sur la pointe des pieds; le souleveur vous enlève facilement. Après ce premier essai, reculer un peu et se pencher faiblement en arrière : en même temps, poser, comme le faisait Coulon, le doigt gauche sur le poignet droit de l'adversaire et l'index droit sur le cou, dans la région de la carotide. Ce faisant, le partenaire devra porter ses coudes en avant. Dans ces conditions, ayant, d'une part, provoqué l'allongement du bras de levier de la force agissante, et, d'autre part, déplacé son propre centre de gravité, on est insoulevable.

8

COMMENT ACQUÉRIR CERTAINS POUVOIRS PARANORMAUX

Les faits spontanés de télépathie et de précognition que chacun de nous peut observer dans la vie courante, les expériences de télépathie et de métagnomie réalisées par les parapsychologues avec des personnes quelconques, c'est-à-dire avec des sujets non spécialement doués, montrent que nous sommes tous pourvus, à des degrés divers, de ce « Sixième sens » dont parle Richet, qui est probablement, ainsi que nous l'avons supposé, un sens archaïque qui fonctionnait en quelque sorte normalement chez l'homme préhistorique.

Et il est vraisemblable que s'il ne se manifeste pas plus fréquemment de nos jours c'est parce que nous négligeons de l'exercer et de le cultiver.

Cette culture est-elle possible? Présente-t-elle des dangers? C'est ce que nous allons examiner.

Nous avons vu, au chapitre 2 de notre précédent ouvrage *Les pouvoirs secrets de l'homme* (coll. J'ai Lu, A. 273**), que certains états physiologiques, psychologiques ou pathologiques, tels que l'hyperexcitabilité, ou, au contraire, l'hypoexcitabilité, les états émotifs, ou, inversement de dissociation, les états résultant d'un défaut d'oxygénation du sang, des tissus et du cerveau semblent favoriser l'apparition de certains phénomènes parapsychologiques. Les occultistes du siècle dernier et ceux du début de ce siècle provoquaient ou pensaient provoquer ces états soit à l'aide de plantes toxiques soit par des méthodes psychologiques et physiologiques.

C'est ainsi que Stanislas de Guaita déclare que « le haschisch favorise toujours et détermine parfois spontanément la sortie du corps astral ».

« On suspend, dit-il, près de chaque oreille, une montre dont le tic-tac monotone produit comme une sorte de bercement du sens auditif, tandis que dans l'obscurité complète de la pièce, à une certaine distance de l'opérateur, une petite lampe à alcool est allumée où brûle de l'alcool ordinaire, mais dans lequel on a fait macérer préalablement, pendant vingt-quatre heures, une forte pincée de fleurs de chanvre par litre. La flamme, obtenue par ce moyen, à la fois vacillante et fascinante, répand des émanations narcotiques très douces... C'est dans ces conditions que la volonté crée le monoïdéisme qui amènera la production du phénomène. »

En fait, ce procédé, qui rappelle l'emploi des onguents à base de solanées vireuses telles que la belladone et la jusquiame et dont s'enduisaient les sorciers pour se donner des hallucinations, n'est pas sans danger.

Néanmoins, les parapsychologues modernes reviennent à des techniques de ce genre avec l'utilisation des médicaments psychodysleptiques au premier chef desquels il convient de citer le L.S.D. 25 qui, rappelons-le, est le diéthylamide de l'acide lysergique, et la mescaline qui est un alcaloïde extrait d'une cactacée mexicaine, le peyotl.

« Après l'absorption du L.S.D. 25, écrit le Dr Duncan B. Blewett, certains sujets tombent malades, quelques-uns présentent des psychoses, tandis que d'autres ont des réactions transcendantales. »

Comme on le voit, ces substances doivent être maniées avec la plus grande prudence. Aussi, en dehors d'une surveillance médicale stricte, nous en réprouvons l'emploi car nous estimons qu'il risque de provoquer des troubles physiologiques et surtout psychologiques dont les conséquences lointaines sont imprévisibles.

Parmi les méthodes psychologiques utilisées naguère, la principale est celle qui met en jeu la concentration mentale.

En voici le principe d'après Rudolf Steiner.

« Concentrer toute la vie psychique sur une unique représentation qu'on installe au centre de la conscience, par exemple, la couleur rouge d'une rose. Cette représentation, d'ailleurs, n'est pas faite pour refléter un objet extérieur exact. On se servira de pensées symboliques et il importe peu que ces pensées soient ou non fondées scientifiquement. Les pensées que l'on énoncera ont pour but, non d'exprimer des vérités scientifiques, mais de construire un symbole dont l'action ne dépend en rien des objections logiques possibles.

« Ces symboles sont d'ailleurs choisis de telle manière que l'on peut faire abstraction de leurs liens avec la réalité sensible. Leur valeur réside dans la force qu'ils développent dans l'âme quand elle détourne totalement son attention du monde extérieur, qu'elle étouffe les impressions des sens et exclut toute pensée alimentée par une excitation externe. Et c'est chose faite quand on peut se représenter quelque chose grâce à des forces où ni les sens ni le cerveau n'entrent en jeu. »

En définitive, le sujet doit, selon Rudolf Steiner, s'éloigner de la connaissance sensorielle, provoquer une rupture entre le conscient et l'inconscient.

« Alors, écrit l'illustre anthroposophe autrichien, il distinguera la réalité spirituelle de sa représentation personnelle. » Ce qui signifie qu'il pourra accéder à la connaissance paranormale.

En outre, continue R. Steiner, « l'étudiant qui pratique la concentration mentale prendra conscience graduellement d'une certaine activité durant son sommeil. Il sentira qu'il ne dort pas totalement pendant son sommeil... Peu à peu, la conscience progresse et l'étudiant en arrive à se dire au réveil : « J'ai passé tout le temps de mon sommeil dans un autre monde. » Le souvenir s'en précisera sans cesse davantage. Enfin, l'âme écarte, pendant l'état de veille, les influences perturbatrices du monde extérieur et parvient à la perception psycho-spirituelle. Il faut, pour cela, que les sensations aient disparu et que la pensée logique fasse silence... A ce degré d'évolution, la connaissance des réincarnations successives devient une expérience réelle et concrète. »

Mais il est facile de mesurer le danger, pour l'équilibre psychique, d'une telle méthode. Repousser la pensée logique, vivre dans le rêve comme s'il était le réel, n'est-ce pas orienter son esprit vers le délire?

Actuellement, chez les adeptes du yoga, des méthodes psychologiques de ce genre sont complétées par des exercices physiologiques et physiques. Les principaux sont des exercices respiratoires rythmés et des postures (posture parfaite, posture héroïque, posture du Lotus, etc.) qui sont des positions du corps parfois fort incommodes. Selon le yoga, ces exercices, tant psychologiques que physiologiques et physiques, développent certains organes qui perçoivent les événements de l'au-delà. Ces organes portent le nom de Chakras ou de Lotus et ont un siège bien défini sur lequel doit se concentrer l'attention : il existe un chakra entre l'anus et l'urètre, un à la naissance de l'urètre, un près du cœur, etc. Chacun porte un nom, a une forme représentative, une couleur. Ainsi, l'*Anahata* ou Chakra du cœur est visualisé sous la forme d'une fleur rouge à douze pétales, le *Vishouddha,* qui se localise à la dépression à la base du cou, apparaît comme une sorte de marguerite à centre jaune et à seize pétales de couleur lavande.

Mais hélas! ici encore, ces pratiques, qui s'appuient sur des données raciales et religieuses bien définies, ne sont pas sans danger, surtout quand elles sont conduites sans prudence ni méthode ainsi qu'il arrive maintenant depuis qu'elles ont été interprétées, vulgarisées, et, il faut le dire, plus ou moins déformées par les traducteurs occidentaux du véritable yoga hindou. « Elles peuvent, écrit en substance le Dr Henri Desoille, professeur à la *Faculté de Médecine* de Paris, conduire au déséquilibre organisé. Pour ma part, j'ai surtout observé, parmi ceux qui les suivent, une nervosité considérable et l'impossibilité d'écouter la moindre contradiction sans se mettre en fureur. »

D'ailleurs, ce nervosisme est constaté et reconnu par les maîtres du yoga. C'est ainsi que l'on peut lire dans le *Raja Yoga* du *Swâmi Vivekananda* : « Pendant vos premiers essais pour concentrer votre pensée, la chute d'une épingle vous fera l'effet de la foudre traversant votre cerveau. »

Le développement des facultés métapsychiques doit, à notre avis, se faire normalement sans qu'il risque de troubler l'équilibre mental. Si l'on admet l'hypothèse que nous avons formulée précédemment, il doit simplement viser à récupérer un sens perdu ou en sommeil et non à l'accroître aux dépens d'autres fonctions.

La méthode que nous proposons obéit à cet impératif catégorique. Elle ne fait pas violence à la nature humaine, elle est sagement progressive et elle est sans danger. Nous dirons même qu'elle favorise l'équilibre physiologique, psychologique et nerveux.

Le premier point qu'il convient de réaliser est de se rendre maître des formes de notre activité mentale que l'on peut qualifier d' « inférieures » : sensations, émotions et impulsions. Nous estimons, en effet, que, chez les personnes non spécialement douées, elles masquent, contrarient ou annihilent les facultés intuitives et paranormales qui ne peuvent éclore, se manifester et s'épanouir qu'à la faveur du calme de l'esprit.

Or, nous savons qu'il existe une relation étroite entre un état d'âme et son expression extérieure. « Avoir peur, affirme William James, c'est prendre conscience de son tremblement. »

De son côté, Alfred Fouillée écrit : « Non seulement l'état d'âme produit son expression au-dehors, mais l'expression, à son tour, tend à éveiller l'état d'âme. »

Ce qui conduit à cette application : toute réharmonisation de l'attitude physique et des mouvements entraîne avec elle une réharmonisation de l'esprit.

Autrement dit, pour vaincre nos émotions, maîtrisons nos gestes.

En règle générale, les exercices d'éducation physique dérivés de la gymnastique suédoise, effectués lentement, sans raideur et avec attention, contribuent à maîtriser les émotions.

Nous les exécuterons chaque matin et chaque soir, au cours de séances d'une dizaine de minutes, en leur accordant toute notre attention. Nous les ferons suivre de quelques minutes de détente faciale accompagnée d'un léger effleurage du visage. Pendant deux ou trois minutes on demeurera impassible : les paupières battront normalement, mais les sourcils, les lèvres et les joues resteront immobiles. En outre, au cours de la vie quotidienne, on s'efforcera de civiliser ses gestes. On restera immobile en écoutant ou en parlant. On réagira posément à toute incitation extérieure, bruit qui surprend, guêpe qui bourdonne autour de soi, auto qui vous frôle. On éduquera sa démarche en évitant qu'elle soit saccadée, trop rapide ou trop lente.

Mais les exercices les plus propres à procurer le calme de l'esprit, et, par conséquent, à favoriser l'apparition des facultés paranormales, sont la respiration profonde et la relaxation.

Les exercices de respiration profonde sont également préconisés par le yoga. Mais ceux qu'il propose et qui visent essentiellement à absorber et à diriger à travers le corps une hypothétique force cosmique, le « prâna », pertubent fortement le rythme respiratoire normal et sont par conséquent antiphysiologiques. Ils consistent, en effet, en règle générale, à aspirer fortement et longuement puis à conserver les poumons pleins d'air pendant un laps de temps pouvant aller de quelques secondes à une minute ou davantage. « La durée de la rétention du souffle doit être quatre fois celle de l'exhalation », recommande le Hatha-Yoga. La méthode est très dangereuse, car elle dilate outre mesure les alvéoles pulmonaires et détermine des troubles circulatoires capables de provoquer eux-mêmes une diminution de l'oxygénation cérébrale, des étourdissements et la syncope. Elle peut aussi susciter, chez les sujets prédisposés, des crises d'épilepsie ou d'hémoptysie.

En revanche, les exercices que nous recommandons étant physiologiques ne présentent pas ces inconvénients. Ils assurent, bien entendu, une meilleure oxygénation des tissus et développent la capacité thoracique, mais ils apportent aussi, ce à quoi nous visons, le calme de l'esprit.

Ils peuvent être pratiqués à n'importe quel moment de la journée, mais nous recommandons de les exécuter systématiquement, matin et soir, sauf en cas de brouillard, durant trois à huit minutes.

Si on les réalise sur place, en salle ou en chambre, la position de départ est celle du « garde-à-vous », c'est-à-dire : bras tombant naturellement le long du corps, talons joints, tête bien droite, épaules rejetées en arrière. La fenêtre est grand ouverte.

L'inspiration commence par le remplissage de la partie inférieure des poumons. Pour atteindre ce but, on imagine que l'air pénètre dans l'abdomen que l'on pousse en avant. Ensuite, sans marquer de temps d'arrêt, on emplit le haut des poumons en portant la poitrine en avant.

Dès qu'ils sont pleins d'air, on laisse retomber doucement les côtes inférieures et supérieures et rentrer le ventre. Lorsque l'expiration normale est achevée, on continue à rentrer le ventre en contractant volontairement les muscles abdominaux et en abaissant les côtes inférieures.

Après cette expiration forcée on recommence à inspirer et ainsi de suite.

Dans les exercices de yoga, il est recommandé de respirer tantôt par la narine droite qui est « solaire », tantôt par la narine gauche qui est « lunaire ». Au niveau de la première serait absorbé le « prâna positif » et au niveau de la seconde le « prâna négatif ».

Quant à nous, nous indiquerons simplement qu'il est préférable, du seul point de vue hygiénique, d'inspirer uniquement par le nez et d'expirer par le nez ou par la bouche. La durée totale de l'exercice sera comprise, avons-nous dit, entre trois et huit minutes. En aucun cas, il ne faut sentir le cœur battre anormalement et avoir la sensation de vertige. S'il en était ainsi, c'est que les exercices sont de trop longue durée, que l'entraînement est insuffisant ou que le rythme respiratoire adopté ne convient pas.

L'exercice de relaxation apporte également le calme de l'esprit. Il est en apparence très simple, mais, en fait, il est assez difficile à réaliser parfaitement. Il comporte deux temps, l'un de décontraction musculaire, souvent seul décrit par les auteurs, l'autre de détente mentale, généralement négligé, et cependant très important.

Pour réaliser une décontraction musculaire aussi complète que possible, il faut s'asseoir confortablement dans un fauteuil ou mieux s'étendre sur un lit ou sur une chaise longue. On pourra placer un oreiller sous la tête et le cou, un sous les genoux, afin qu'ils soient légèrement pliés et un sous chaque bras. On peut aussi surélever les pieds au-dessus du niveau des hanches ce qui facilite la circulation sanguine et délasse beaucoup. Enfin, on peut utiliser certains fauteuils dits de relaxation.

Faire d'abord quelques respirations profondes et lentes, puis, sans efforts, abaisser les paupières sur les globes oculaires, fermer la bouche sans que les lèvres soient serrées et fermer les poings à demi.

Ensuite, décontracter le bras droit, puis le bras gauche.

On y parviendra aisément en réalisant le relâchement pendant l'expiration. L'un ou l'autre membre, soulevé par une tierce personne puis abandonné à lui-même, doit retomber comme un corps inerte.

Lorsque les bras sont détendus, décontracter les jambes de la même façon, et, enfin, les muscles abdominaux.

Dans tous les cas, se représenter la relaxation des muscles sans faire un véritable effort de volonté.

Cet état de détente musculaire générale entraîne, à lui seul, un certain apaisement de l'esprit car la tension des muscles est le symptôme le plus banal de la crispation mentale et de la nervosité. En faisant cesser l'état physiologique, on amende l'état psychique qui lui est intimement associé.

Le deuxième temps de l'exercice donne le calme absolu de l'esprit. Lorsque les muscles sont complètement détendus, répéter doucement, d'une façon machinale : « Je suis calme, calme... calme... calme... cal...me. » Repousser toute idée étrangère. Ramener inlassablement sa pensée sur l'idée de sérénité et de détente musculaire. Se représenter ce résultat comme acquis même s'il ne l'est pas immédiatement.

Alors, au bout d'une dizaine de minutes, les bruits du dehors sont faiblement perçus, les membres semblent engourdis, la sensibilité est atténuée. Mais l'on peut, dès qu'on le désire, faire cesser cet état quasi instantanément.

Quelques conditions subsidiaires favorisent l'exercice : chambre préalablement bien aérée, plongée dans la pénombre ou dans la demi-obscurité, aussi silencieuse que possible (si les bruits du dehors parviennent trop intensément, se garnir les conduits auditifs de tampons gras); orientation du corps, si l'on est en position allongée, dans la direction des lignes de force du champ magnétique terrestre, c'est-à-dire tête au nord et pieds au sud, ou, à défaut, mais l'orientation est moins favorable, tête à l'est et pieds à l'ouest; si l'on est assis ou accroupi, le visage sera tourné vers le nord-est.

L'état de détente musculaire et mentale entraîne une sorte de vide cérébral, ou, plus exactement, de somnolence dans laquelle on voit, dans ce que l'on peut appeler un rêve éveillé, défiler des images plus ou moins précises. On les notera soigneusement après l'exercice car certaines d'entre elles peuvent être télépathiques ou prémonitoires si l'on a, au préalable, désiré qu'elles soient ainsi.

Mais il est rare, à moins d'avoir des dispositions particulières, que l'on obtienne de tels phénomènes par le seul effet de la relaxation. Pour favoriser leur apparition, quelques exercices d'entraînement psychique, relativement simples, doivent être exécutés avec méthode et continuité. En voici quelques-uns, mais il est facile d'en imaginer d'autres du même genre. On peut, pour chacun d'eux, appliquer le calcul des probabilités selon les principes exposés au chapitre 2 des *Pouvoirs secrets de l'homme.*

— Prendre un jeu de cartes ordinaire, le battre et l'étaler figures en dessous. Passer la main sur le dos de chaque carte et essayer de déterminer sa couleur, rouge ou noire. La noter et, à la fin de l'essai, la confronter avec la réalité.

— Après avoir réussi plusieurs fois ce premier exercice, chercher à préciser la figure de la carte, sept, huit, valet, roi, etc. On peut également employer les cartes E.S.P.

— Préparer sur des cartons de même format et mettre sous enveloppe des images « prégnantes » et s'opposant fortement, représentant, par exemple, des paysages de neige ou de soleil, des figures terrifiantes ou, au contraire, apaisantes. Par la palpation de l'enveloppe, essayer d'éprouver la sensation qui correspond à chaque figure.

— Au reçu d'une lettre, plonger les doigts à l'intérieur de l'enveloppe et chercher à déterminer la nature de son contenu, si la lettre apporte de bonnes ou de mauvaises nouvelles, si elle est favorable ou défavorable, etc.

Lorsqu'on sera habitué à ces exercices et que l'on aura obtenu des résultats satisfaisants on pourra aborder des expériences plus complexes de « psychométrie ». Elles sont absolument sans danger. Nous n'en dirons pas autant de la vision dans le cristal qui suppose un certain état hypnoïde pouvant nuire à l'équilibre nerveux. D'autre part, les autres procédés divinatoires, tels que la cartomancie, impliquent une technique conventionnelle que nous estimons superfétatoire. Toutefois, si l'on se sent attiré par ces procédés, il peut être utile de les employer. En ce cas, on consultera les ouvrages spéciaux adéquats.

S'asseoir confortablement dans une pièce autant que possible peu éclairée, et, s'il y a lieu, faire placer le consultant à un ou deux mètres de soi. Lui demander un document quelconque se rapportant à l'expérience (objet lui appartenant ou appartenant à une autre personne, photographie, etc.), le prendre en main et le palper. Se détendre musculairement, ce qui sera facile si on en a pris l'habitude, faire le vide dans son esprit, ou, pour le moins, s'efforcer de conserver une certaine neutralité de pensées. Le plan du psychisme subconscient peut alors entrer en jeu et, par une succession d'images mentales, informer la conscience, devenue simple spectatrice, de réalités dont elle n'est pas l'auteur. Dès que ces images surgissent, les décrire avec minutie. N'en rejeter aucune, même si elles apparaissent *a priori* saugrenues. Faire ensuite un compte rendu de l'expérience afin de pouvoir, à l'occasion, confronter la voyance avec la réalité présente, passée ou future. Ainsi, on aura la possibilité de déterminer si l'on est doué pour les voyances relatives au présent, au passé ou à l'avenir; on verra également si l'on réussit plus ou moins bien dans tel ou tel compartiment de la psychologie ou de l'activité humaine, ce qui permettra, par la suite, une certaine spécialisation. On pourra aussi, grâce à ces comptes rendus, rechercher les causes d'erreurs, préciser les fautes dues à une mauvaise interprétation de l'image mentale tout particulièrement quand elle est plus ou moins symbolique.

En tout cas, on ne fera travailler ses facultés paranormales qu'à l'égard de faits contrôlables. C'est ainsi qu'on ne cher-

chera pas à explorer des plans spirituels hypothétiques où vivraient des êtres invisibles. La subconscience, en effet, lorsqu'elle est libre de toute contrainte, a une tendance mythique puissante et construit, avec la plus grande facilité, des images qui ne correspondent à aucune réalité.

De même que pour toute faculté intellectuelle, l'exercice fait progresser plus ou moins rapidement le pouvoir de connaissance paranormale. Trois éléments se perfectionnent corrélativement : 1°) la dissociation psychique fonctionnelle qui permet la mise en jeu des facultés *psi*; 2°) la netteté, la force et la richesse des informations paranormales; 3°) l'interprétation consciente de ces informations.

Ajoutons enfin que les expériences de télépathie semblent nettement favorisées par la technique, que l'on pourra suivre, de René Warcollier (voir chapitre 2 des *Pouvoirs secrets de l'homme*) et qu'il n'existe présentement aucune méthode valable permettant de développer la médiumnité physique.

9

CONCLUSION

Le « bilan » que nous avons donné dans nos deux ouvrages *Les pouvoirs secrets de l'homme* et *Les mystères du surnaturel* des phénomènes paranormaux, ou présumés tels, établit solidement, croyons-nous, leur réalité. Nous avons vu, en effet, qu'il était facile d'illustrer, de caractériser chaque branche de la métapsychique de faits indiscutablement paranormaux. C'est ainsi qu'en métapsychique subjective ou en parapsychologie, les expériences et les observations du Dr Osty, de Warcollier et de Rhine, pour ne citer que les plus importantes, prouvent l'existence des phénomènes télépathiques et métagnomiques. D'autre part, en métapsychique objective ou physique, Home, Eusapia, Guzik, Kluski, Rudi Schneider ont produit d'authentiques télékinésies et de réelles formations ectoplasmiques. De notre côté, nous avons observé, dans des conditions parfaites de contrôle, les différentes catégories de phénomènes métapsychiques, y compris les phénomènes physiques, et, à cet égard, qu'il nous soit permis de rappeler que nous connaissons la prestidigitation.

L'homme possède, par conséquent, des pouvoirs paranormaux qui sont aussi des « Pouvoirs secrets » puisqu'ils ne se manifestent pas d'une façon habituelle.

Ces pouvoirs ont des capacités qui semblent quasi illimitées. Déjà, la psychophysiologie moderne, avec les Ribot, les Flournoy, les Pierre Janet, les Dumas, en éliminant le bavardage littéraire des vieilles écoles, et en s'en tenant à des études cliniques, à descriptions exactes et précises, nous a fait entrevoir, à travers les maladies de la personnalité, de l'intelligence, de la volonté et de la mémoire, les abîmes de notre être. La psychanalyse, à son tour, nous a montré que le psychisme de l'homme est un monde immense et troublant où vivent, se meuvent et se heurtent d'extraordinaires phantasmes. Enfin, précédée des recherches des spirites, des magnétiseurs et des hypnotiseurs, qui l'ont mise sur la voie, la métapsychique, qui, bientôt, infusera à la psychologie classique la sève qui lui manque, nous convie à mesurer la prodigieuse puissance de ce moi cryptique qui, peut-être, est l'essence même de la vie et de la pensée.

Il apparaît déjà chez les calculateurs et les artistes prodiges, dans les faits de stigmatisation élémentaire, dans les guérisons psychiques, mais il se révèle dans toute son ampleur et se manifeste en pleine efficacité dans les phénomènes de télépathie et de métagnomie. C'est également lui qui est l'agent des stigmatisations métapsychiques, des télékinésies, des lévitations et des ectoplasmies.

Cependant, comme nous l'avons fortement souligné, ces faits sont abondamment falsifiés, de sorte qu'ils n'entraînent pas le *consensus* universel. Et, à ce propos, je ne puis m'empêcher d'exprimer ici l'amertume que je ressens lorsque je lis les œuvres de certains métapsychistes. J'y trouve, en effet, à côté d'admirables phénomènes paranormaux, des phénomènes manifestement falsifiés. Si ces auteurs avaient connu la prestidigitation, ils n'auraient pas laissé ces scories figurer dans leur œuvre et ne l'auraient pas, de la sorte, malencontreusement ternie.

En second lieu, et probablement parce que nous n'en connaissons pas le mécanisme exact, les phénomènes paranormaux *semblent* ne pas obéir aux lois de causalité, qui sont les lois de l'expérience : posez la cause, l'effet se produit; faites varier la cause, l'effet varie; supprimez la cause, l'effet est supprimé.

Nous nous plaçons, par exemple, aujourd'hui, en un certain nombre de conditions expérimentales et nous obtenons des phénomènes paranormaux. En bonne logique, et selon les principes de causalité, nous sommes en droit d'espérer observer, par la suite, ces mêmes phénomènes ou des phénomènes similaires en réunissant apparemment les mêmes modalités. Or, très souvent, nous n'obtenons rien et cela pendant plusieurs séances consécutives.

Dans ces conditions nous en venons tout naturellement à nous demander si les phénomènes métapsychiques peuvent être objets de science.

Une science, d'après l'idée la plus généralement admise, est un ensemble de connaissances toutes marquées du caractère de la certitude et reliées entre elles de façon à constituer un tout homogène. Telles sont, par exemple, les sciences physiques, chimiques, biologiques, et, surtout, les mathématiques. La science, ainsi comprise, s'oppose non seulement à l'ignorance mais aussi à l'opinion plus ou moins probable, à la simple croyance. Elle a la stabilité et l'autorité d'un dogme et elle se transmet par l'enseignement.

Or, il est clair que si nous admettons de la science une telle définition il est difficile de parler de science métapsychique. Présentement, on chercherait en vain, en métapsychique, un groupe de faits dont aucun d'eux ne serait douteux aux yeux de toute personne cultivée et qui formerait un ensemble rigoureusement cohérent susceptible d'être enseigné.

Mais cette définition, que nous venons de donner, est-elle bien conforme à la réalité et ne représente-t-elle pas, plutôt, un idéal vers lequel tendent, il est vrai, toutes les sciences, mais sans l'atteindre complètement, même pour la plus parfaite d'entre elles, les mathématiques!

Si la science tombait du ciel toute faite, comme l'écrit Boirac, elle répondrait sans doute à un tel titre, mais c'est nous, hommes, qui la faisons et la faisons lentement, progressivement, non sans tâtonnements et sans erreurs. Il en résulte que l'on peut toujours distinguer en elle deux moments, celui où elle se fait et celui où elle est faite, du moins dans une certaine mesure. On peut reconnaître, comme disaient les scolastiques, le moment de la science *in fieri* et celui de la science *in facto*, ou, plutôt, ce ne sont pas là deux moments successifs mais ce sont deux points de vue, deux états qui coexistent. C'est, d'un côté, le point de vue du chercheur qui crée, et, de l'autre, celui du professeur qui enseigne. Il y a toujours, d'une part, des connaissances en voie d'acquisition et d'intégration, et, d'autre part, des connaissances acquises, intégrées.

Remarquons, d'ailleurs, que plus une science est récente, complexe et difficile, plus la part des recherches l'emporte sur celle des connaissances, et c'est justement le cas pour la métapsychique, encore à peine organisée et pleine d'inconnu, mais riche de promesses et d'espérances.

La question qui se pose est donc de savoir si nous ne devons accorder le qualificatif de science qu'à la science acquise et intégrée de nos manuels, à la science figée, cristallisée, et nous dirons volontiers fossilisée, et refuser ce titre à la science en voie de gestation et d'organisation.

Evidemment non! et nous estimons que l'on peut qualifier de « scientifique » tout phénomène dont l'existence est certaine. Il n'est pas nécessaire, pour qu'il prétende à cette dignité, qu'il entre dans nos cadres habituels de pensée, dans nos classifications, dans nos systèmes explicatifs. Il n'est pas indispensable non plus, comme il est dit souvent, qu'il soit reproductible à volonté ou encore prévisible. Bien des faits naturels ne présentent ni l'un ni l'autre de ces deux caractères. C'est le cas, par exemple, d'un grand nombre de phénomènes géologiques comme les éruptions volcaniques, les tremblements de terre, etc.; c'est également le fait de quelques phénomènes célestes que l'on ne peut ni prédire ni reproduire, tels que l'apparition d'une nova ou le passage d'une comète inconnue; nous pourrions aisément allonger la liste des phénomènes de ce genre. Et, pourtant, qui oserait soutenir que tous ces faits ne sont pas des faits scientifiques? En définitive, le seul critère qui nous permette de proclamer qu'un fait est scientifique, c'est son authenticité.

Par conséquent, pour répondre à notre question : « Les phénomènes paranormaux peuvent-ils être objets de science? » il suffit, simplement, de montrer que ces phénomènes existent, qu'ils appartiennent au monde de la réalité et non à celui du rêve et que ce n'est pas poursuivre une chimère que de vouloir les soumettre aux procédés habituels de l'investigation scientifique.

Or, nous avons constaté, tout au long de notre ouvrage, grâce au parallèle que nous avons établi entre le vrai et le faux, que ces phénomènes sont réels et qu'il est possible de les étudier par des méthodes analogues à celles qui sont utilisées en psychologie, en physiologie et en physique. Ils peuvent donc être étudiés scientifiquement parce que ce sont des faits.

Sans doute, dans sa marche en avant, la métapsychique est encore singulièrement gênée par des observations défectueuses, par la fraude, et, corrélativement, par cette propension qu'ont certains métapsychistes, dénués d'esprit critique et ignorant en outre les ressources de l'illusionnisme, à confondre trop aisément le faux avec le vrai; elle est discréditée, bien à tort, d'ailleurs, par cette tourbe de charlatans, de profiteurs, et ils sont légion, qui l'exploitent sous divers prétextes, par ces trafiquants du merveilleux et ces aventuriers du mystère, dont quelques-uns, hélas ! prennent le masque humanitaire. Elle a à lutter contre l'ostracisme de ces soi-disant rationalistes qui, *a priori*, c'est-à-dire sans examen préalable, rejettent les phénomènes paranormaux parce qu'ils ne cadrent pas avec leurs idées préconçues.

Enfin, la métapsychique est encore à la recherche de ses procédés de travail, de ses moyens de contrôle rigoureux, surtout dans le domaine des phénomènes physiques, en un mot de sa méthode. Elle attend toujours le « Claude Bernard » qui la délivrera de toutes ses entraves, inhérentes à sa nature même, mais nous avons la conviction que la venue de ce libérateur n'est plus très éloignée ainsi qu'en témoigne la découverte des techniques essentiellement basées sur la statistique ainsi que sur le calcul des probabilités et qui sont, comme nous l'avons vu, actuellement très employées, à la suite des travaux du Pr Rhine.

C'est donc à une conclusion hautement satisfaisante, puisque doublement positive, que conduit notre « Bilan du paranormal ». Elle nous permet d'envisager l'avenir de la métapsychique et de la parapsychologie avec confiance et avec espoir. Elle peut être considérée comme l'aboutissement d'une première étape, base solide, riche en faits suffisamment prouvés, sur laquelle nous pourrons asseoir et développer nos futures recherches. Mais, de plus, elle comporte un enseignement immédiat.

Alors que les phénomènes de la métapsychique subjective ou psychologique nous montrent, sans conteste, que, normalement, habituellement, comme le disait Myers, « nous vivons à la surface de notre être », ou, comme l'écrivait Osty, avec plus de précision encore, « nous vivons à la surface d'une intelligence immense », ce qui signifie que notre conscience normale n'est qu'une fraction infime de notre être psychique total qui se rit du temps et de l'espace, les phénomènes de la métapsychique objective ou physique, tels que télékinésies, lévitations, ectoplasmies, nous montrent de plus, ce que d'ailleurs nous savons maintenant en toute certitude par l'étude de l'électronique, à savoir :

Que le Monde visible et tangible, auquel nous attachons tant de prix, n'est que le reflet, et le reflet affaibli, du véritable Monde vivant.

L'énergie toute-puissante, la vie réelle, et nous ajouterons volontiers l'Intelligence profonde des êtres sont dans l'Invisible.

C'est là que battent les rythmes qui donnent à la matière

ses différents aspects et qui en différencient les productions. C'est dans l'Invisible que jouent les forces qui entretiennent ces rythmes.

Connaître ces rythmes, accéder à ces forces, les enregistrer, les capter, les diriger, les transformer, atteindre ainsi, s'il se peut, les sources primordiales de la Vie et de la Pensée, voilà, pensons-nous, les buts ultimes de la métapsychique, dont les premiers résultats, qui ne sont encore que ses premiers balbutiements, sont tels, cependant, qu'ils nous font pressentir que nous assistons avec l'apparition et le développement de cette nouvelle branche de la connaissance, à l'aurore d'un de ces grands mouvements intellectuels qui renouvellent les bases de la pensée humaine.

Elle nous révèle, en effet, d'ores et déjà, l'existence d'un milieu psychique universel et nous conduit irrésistiblement à une sorte de Monisme intégral, à cette notion essentielle que matière, vie et pensée ne sont que les aspects différents du même Cosmos dont la trame est faite d'étendue et de durée.

Enfin, étant donné que certains phénomènes paranormaux impliquent, dans la sphère qu'ils embrassent, l'existence, chez l'homme, d'un psychisme extra-empirique plus ou moins indépendant des contingences cérébrales, capable parfois, semble-t-il, de s'extérioriser, et doué vraisemblablement d'un extraordinaire pouvoir organisateur à l'égard de ce qu'il est convenu d'appeler la matière, il est permis de croire, à condition de traverser, par la pensée, un fossé relativement large et profond, mais non infranchissable, en la permanence, après la mort corporelle, de cette « énergie » psychique humaine apparemment autonome et extériorisable.

10

NOTICES BIOGRAPHIQUES

Dans ces notices biographiques nous fixons la physionomie des principaux médiums et nous esquissons la biographie des hypnologues, des psychistes, des métapsychistes et des parapsychologues dont il a été question dans nos deux ouvrages *Les pouvoirs secrets de l'homme* et *Les mystères du surnaturel.* De la sorte, les noms cités ne seront pas, pour le lecteur, de simples désignations, vides de tout contenu, sans consistance et sans vie.

Médiums

BERAUD (Marthe), alias Eva C., née en 1886. — L'histoire du médium Marthe Béraud (qui est plus connue sous le nom de Eva C.) est l'une des plus stupéfiantes qui soient dans les annales du spiritisme et de la métapsychique. Nous allons tenter de la résumer, mais pour en exprimer tout le sel, pour en décrire les rebondissements imprévus, il faudrait y consacrer tout un livre.

Depuis 1894, le général et Mme Noël, habitant Tarbes, s'adonnaient au spiritisme, et, par l'intermédiaire de divers médiums, obtenaient des matérialisations dont la principale était Bien-Boa, ancien grand-prêtre qui vivait, il y a 360 ans, à Golgonde, dans l'Indoustan. Sa sœur, l'exquise Bergolia,

« au bras rond et superbe, au pied petit », et qui parlait tantôt français, tantôt anglais (ce qui par parenthèse nous étonne un peu pour une hindoue ayant vécu vers l'an 1600), apparaissait également et avait même précédé Bien-Boa dans ses excursions éphémères sur le plan terrestre.

Les Noël ayant quitté Tarbes en 1901 pour s'installer à Alger à la villa Carmen, les fantômes familiers les accompagnèrent dans leur pérégrination. En effet, les manifestations de Tarbes continuèrent dans la nouvelle demeure des Noël et se poursuivirent de longues années durant, avec une perfection qui alla sans cesse croissant. La générale Noël (Carmencita Noël), Anglaise du pays de Galles, écrivain romantique au style imagé, spirite convaincue, et, malheureusement, intoxiquée par les stupéfiants, de sorte qu'il lui arrivait de mal distinguer le rêve du réel, dirigeait les séances et faisait marcher droit tout un régiment de médiums qu'elle avait sous ses ordres : une certaine Ninon, chiromancienne de profession, une négresse qui répondait au nom d'Aïscha, une Algérienne : Vincentia Garcia, parfois le cocher Areski, Manuela la cuisinière, Mme Végé, Mlle Aimée Bex, comédienne au Kursaal d'Alger, Zina, jeune Algérienne, femme de chambre des Noël, Mme Léone, Mlle Louise, Mlles Maïa, Pola, etc., etc., et, enfin, Marthe Béraud qui devint la vedette de la troupe lorsque ses facultés furent proclamées, par une éminente personnalité scientifique, aussi merveilleuses que celles de la Florence Cook de William Crookes.

Fille de M. Béraud, sous-officier retraité et non officier supérieur comme il a été affirmé à tort, Marthe avait été fiancée au fils Noël, décédé au Congo à la suite d'une fièvre bilieuse hématurique, et c'est en qualité de future belle-fille des Noël qu'elle entra dans le cercle des médiums de la villa Carmen où, comme nous allons le constater, en puisant aux sources, c'est-à-dire dans la *Revue Scientifique et Morale du Spiritisme* de Gabriel Delanne, la nature des séances était très... particulière.

Le 1er janvier 1905, lit-on dans la revue précitée (n° de février 1905), apparaît la charmante Bergolia : « l'entité était, ce jour-là, excessivement décolletée à la mode indienne (?). Elle exhibait du reste sa jolie poitrine avec la plus grande complaisance et s'amusait beaucoup parce que le général, qui est myope, lui disait regretter infiniment de ne pouvoir admirer, comme faisaient ces dames. »

Quand à Bien-Boa, la générale affirme (*Revue* de Delanne), qu'elle « s'est assurée qu'il était mâle », ce qui, dans son esprit, devait réduire à néant cette supposition malveillante, colportée à Alger, que le digne prêtre de Golgonde n'était autre que Marthe déguisée en fantôme. Argument péremptoire s'il en fut, puisque selon l'aphorisme bien connu « la plus belle fille du monde ne peut donner que ce qu'elle a ». Mais, au fait, Areski aurait peut-être pu fournir la clef du mystère.

Comme on le voit, on ne s'ennuyait guère à la villa Carmen.

Sans doute, il y eut aussi, un jour, l'apparition du fantôme de Jeanne d'Arc, lequel se montra fort réservé, mais cet ennuyeux épisode n'eut pas de suites.

Avec le recul du temps, on est surpris que des hommes de science, des gens pondérés, comme l'était le procureur général Maxwell, se soient intéressés aux mascarades de la villa Carmen, plus aphrodisiaques que scientifiques, et n'aient pas hésité à les couvrir de leur autorité, à les proclamer authentiquement paranormales.

Cependant, avec l'épisode de la villa Carmen, la carrière métapsychique de Marthe Béraud ne faisait que commencer.

Sous le nom d'Eva C., elle devint, en effet, en 1909, le médium de Mme Bisson et se spécialisa dans la production de formations « ectoplasmiques » plates ayant souvent l'apparence d'images.

Les expériences faites avec Eva C. ont été décrites, d'une part, par Mme Bisson dans l'ouvrage bien connu des métapsychistes : *Les phénomènes dits de matérialisation* et dans le livre du Dr de Schrenck-Notzing : *Physikalische Phänomene des Mediumnismus.*

La lecture de l'un ou l'autre de ces ouvrages est déconcertante. Tout d'abord le texte relate des précautions strictes de contrôle cependant que la plupart des photographies révèlent qu'en fait le sujet était pratiquement maître de ses mouvements dans le cabinet médiumnique. D'autre part, on parle d'évolution de phénomènes alors que les photographies montrent d'étranges et inertes visages plats, des images de magazines grossièrement retouchées, de vagues paquets gélatineux, des sortes de placentas ressemblant à un quelconque péritoine d'animal de boucherie, des filaments et des placards de salive, etc. Tout ce matériel « ectoplasmique » donne l'impression de grossière mystification et l'hypothèse de la régurgitation vient aussitôt à l'esprit.

C'est également à l'hypothèse de la régurgitation que se rallièrent, en termes voilés, les membres de la *Society for Psychical Research* qui examinèrent Eva au cours d'une quarantaine de séances.

Cependant, il convient de remarquer qu'Eva n'a jamais été prise en *flagrant* délit de fraude, ni en Sorbonne, ni à Londres, ni ailleurs. On peut évidemment rétorquer que cela prouve tout simplement qu'elle était très habile ou que les observateurs n'étaient pas aptes à déceler la fraude. Au surplus, les bons prestidigitateurs ne sont jamais pris non plus en faute dans leurs expériences.

Mais voici, en faveur d'Eva, un argument que nous estimons plus convaincant que le précédent. D'une part, de Vesme et Sage, expérimentateurs parfaitement qualifiés, que nous avons personnellement connus, ayant maintes fois dévoilé les supercheries des médiums à effets physiques, et, de plus, nié, pendant longtemps, la nature paranormale des phénomènes présentés par Eva, observèrent, l'un et l'autre, avec ce médium, des phénomènes d'une telle qualité que l'on peut dire qu'ils portaient en eux leur origine paranormale. D'autre part, M. Maurice Jeanson, esprit froid et méthodique, que nous avons également connu, fit des constatations analogues.

Le mystère de la médiumnité d'Eva C. subsiste donc. Sauf, bien entendu, si l'on admet que les trois auteurs précités furent le jouet d'artifices. Mais cette hypothèse est peu vraisemblable étant donné, d'une part, la nature des phénomènes observés, et, d'autre part, le fait que les observateurs en question connaissaient parfaitement les fraudes médiumniques. Nous estimons, quant à nous, que si la plupart des phénomènes présentés par Eva étaient truqués, il n'en demeure pas moins que des épisodes authentiquement paranormaux ont pu quelquefois surgir inopinément dans l'ensemble frauduleux de ses productions. Nous avons noté que le fait semblait se produire parfois chez quelques prestidigitateurs.

COOK (Florence). — Miss Florence Cook était à peine âgée de seize ans lorsqu'elle débuta dans la carrière médiumnique. Après avoir assisté à des séances de Herne et Williams, sujets métapsychiques à matérialisations, elle prit quelques « leçons » près des deux médiums et, dans sa propre famille, à Hackney, en la compagnie de Mr Herne, produisit immédiatement quelques « figures d'esprits ».

Mais, bientôt, elle résolut de voler de ses propres ailes et se sépara de son professeur. Pour l'empêcher d'en venir à accepter de l'argent, ainsi qu'elle en avait l'intention, un riche habitant de Manchester, Mr Charles Blackburn, lui assura des appointements mensuels. Aussi, ceux qui assistaient aux séances, étant des invités et ne payant pas, n'étaient pas en droit d'exiger un contrôle quelconque, ce dont d'ailleurs ils ne se souciaient guère, trop heureux d'être admis à contempler d'admirables phénomènes.

Dans les premières séances, Miss Cook était enfermée dans une armoire dans les battants de laquelle on avait aménagé des sortes de hublots. On plaçait des cordes sur les genoux de la jeune fille, on fermait les portes et, au bout de quelques minutes, on les rouvrait. On voyait alors le médium dûment ligoté et l'on admettait, incontinent, que ce ficelage était l'œuvre des « esprits ».

Au reste, ce phénomène n'était qu'une entrée en matière peu digne d'attention. La séance ne faisait que commencer. On scellait les nœuds, on refermait l'amoire et l'on s'arrangeait pour que les rayons lumineux produits par une petite lampe placée à une certaine distance de l'armoire éclairassent le hublot supérieur de l'une des portes, cependant que la pièce était plongée dans une demi-obscurité.

Ensuite, on attendait, tout en fredonnant quelque chant, ainsi qu'il est recommandé de le faire en pareille occurrence.

L'attente n'était pas vaine, car, au bout d'un quart d'heure environ, on voyait apparaître au hublot éclairé un pâle visage d' « esprit » qui disait être celui de Katie King.

C'était, on le voit, tout à fait probant!

Katie s'enhardit peu à peu et voyant qu'elle avait affaire à un public des plus accommodants finit par quitter le cabinet médiumnique et, dans la plupart des séances, se mêla aux spectateurs.

Mais hélas! le temps des épreuves arrivait. Depuis plus de neuf ans, William Volckman, qui avait joué un rôle important dans la célèbre enquête faite par la *Société Dialectique* de Londres sur le *Moderne Spiritualisme*, sollicitait, mais en vain, la faveur d'assister à une séance : on le tenait probablement pour un sceptique susceptible de nuire aux phénomènes. Cependant, Mr Cook, peut-être mû par de bons sentiments ou par des pensées... plus intéressées, fit comprendre à l'honorable gentleman que quelques bijoux, offerts au jeune médium, fléchiraient probablement sa résistance. Mr Volckman s'exécuta et apprit bientôt qu'il serait convié à une prochaine séance.

Celle-ci fut fixée au 9 décembre 1873.

Patiemment, pendant plus de quarante minutes, Mr Volckman observa Katie, sa taille, qu'elle rehaussait en se soulevant sur la pointe des pieds, ses gestes, sa démarche, ses particularités de langage, son visage, et acquit la conviction que le fantôme et Miss Cook étaient le même personnage. D'un bond, il se précipita sur l'apparition, la saisit au poignet puis à la taille, mais, contrairement à ce que l'on pouvait attendre d'un être évanescent, l'esprit ne se dématérialisa pas pour échapper à l'étreinte du mécréant. Il fit, en revanche, tout comme l'aurait fait un vulgaire mortel, de vigoureux efforts pour se réfugier dans le cabinet médiumnique, et, malgré ses pouvoirs occultes, n'y serait certainement pas parvenu si deux spectateurs n'étaient pas accourus à son secours en se jetant sur l'importun. Une lutte s'ensuivit. En même temps, un astucieux compère, Mr Cook probablement, baissait le gaz de sorte que la salle fut plongée dans l'obscurité à la faveur de quoi Katie put se dégager. Cinq minutes s'écoulèrent après l'incident et l'on trouva Miss Cook ficelée sur sa chaise comme il se devait. Le contraire eût été étonnant!

Ce fut aussitôt des clameurs dans la presse spiritualiste. Contre qui? Contre le médium? Pas du tout! Contre celui qui avait eu l'audace de douter des pouvoirs de Florence Cook.

C'est alors qu'intervint William Crookes. Nous avons dit ce que nous pensions des expériences du savant avec Florence Cook. On peut, croyons-nous, les expliquer en deux mots : *mystification* toujours, *compérage* parfois.

En résumé, notre opinion concernant Florence Cook est celle-ci : le médium de Katie King était une cynique et habile farceuse.

DIDIER (Alexis). — D'abord artiste dramatique aux environs de 1845, Alexis Didier, chez qui les facultés métagnomiques se révélèrent très tôt, abandonna la carrière artistique pour mettre ses dons merveilleux à la disposition de ses semblables. C'est, selon l'expression de l'époque, « dans un état de somnambulisme » (c'est-à-dire de transe légère) provoqué par son assistant, le « magnétiseur » Marcillet, qu'il faisait ses voyances. Afin de répandre le « spiritualisme » en le démontrant par des faits, il opérait volontiers au domicile de notabilités devant une assistance de choix, et, de plus, donnait des séances gratuites dans des milieux modestes. Il opéra ainsi jusqu'en 1871 et mourut en 1886.

Au duc de Montpensier, et en présence de la reine Christine, il précisa la nature d'un objet renfermé dans un coffre, en l'occurrence un œuf en sucre contenant lui-même des bonbons anisés, ce dernier détail étant ignoré par le duc. A la comtesse de Modène, il donna l'origine d'un médaillon et indiqua qu'il renfermait une mèche de cheveux provenant d'Agnès Sorel, ce qui était exact. Au comte de Saint Aulaire, qui avait qualifié les phénomènes de voyance de « billevesées », il lut, par clairvoyance, une phrase écrite sur un papier plié en quatre placé dans une enveloppe épaisse solidement cachetée et scellée. Après quoi, le comte devint l'un des plus fidèles adeptes d'Alexis Didier.

Il décrivait, à distance et avec la plus grande facilité, des lieux, des scènes et des objets.

Alexandre Dumas entra aussi en relations avec Alexis Didier. Dans le *Journal des Débats* du 13 septembre 1847, il raconte que le clairvoyant le convertit totalement aux phénomènes « surnaturels » par son pouvoir de deviner les cartes à jouer, de lire dans un livre fermé, de voir à travers les murs, d'identifier le texte d'une lettre renfermée dans une enveloppe, etc.

Mais, de tous les témoignages en faveur d'Alexis Didier, le plus probant est certainement celui de Robert-Houdin.

Après une première séance, à la suite de laquelle le célèbre prestidigitateur déclara : « Plus je réfléchis, plus il m'est impossible de ranger les faits présentés par Alexis Didier parmi ceux qui font l'objet de mon art et de mes travaux », il assista à une seconde séance, « en prenant, dit-il, de bien plus grandes précautions qu'à la première, car, me méfiant de moi-même, je me fis accompagner d'un de mes amis dont le caractère calme pouvait apprécier froidement et établir une sorte d'équilibre dans mon jugement ».

« Je suis revenu de cette séance, aussi émerveillé que je puis l'être et persuadé qu'il est *tout à fait impossible que le hasard ou l'adresse puissent jamais produire des effets aussi merveilleux.* »

D'ESPERANCE (Elisabeth), décédée en 1919. — Mme d'Espérance fut un médium à matérialisations. Née à Londres et fille d'un capitaine de navire, elle eut, dès sa plus tendre enfance, des hallucinations qu'elle estimait véridiques. Bonne dessinatrice, elle fixait les traits de ses visions, qui étaient généralement des figures d' « esprits », en des croquis fort bien venus; certains auraient été exécutés en pleine obscurité et avec une très grande rapidité.

Mme d'Espérance s'intéressa bientôt au spiritisme et, dans des cercles privés ou familiers, produisit immédiatement les phénomènes paranormaux les plus extraordinaires : apports et matérialisations.

Les apports les plus prodigieux obtenus par sa médiumnité furent certainement un *Ixora Crocata*, qui se serait progressivement développé dans une carafe, devant les assistants, et un magnifique lis d'or de très grande taille lequel, selon le médium, « fut conservé une semaine puis se dématérialisa et disparut ».

Des formes d'« esprits » se matérialisèrent également en présence de Mme d'Espérance : Yolande, Leila, Anna, Nepenthès étaient des formations ectoplasmiques aussi réelles que des êtres vivants.

La célèbre Nepenthès « d'adorable beauté, écrit M. de Bergen, se montrait à la lumière en même temps que le médium qui était assis, avec les autres personnes, en dehors du cabinet, et se dématérialisait au milieu du cercle... Elle était enveloppée de la tête aux pieds d'une substance d'un blanc grisâtre, légère comme une toile d'araignée, qui masquait ses formes, sauf la main qui tenait celle du médium et les yeux qui supportaient avec peine l'éclat de la lumière... Elle paraissait aussi matérielle que le médium placé près d'elle, mais, lors de sa première apparition, et à notre grande surprise, elle devint tellement transparente que MM. H. et B. et moi-même, nous pûmes voir la lumière des lampes à travers son corps. Je pensai d'abord que j'étais victime d'une illusion, mais mes deux plus proches voisins, dont j'attirai l'attention par un signe, confirmèrent mon observation qui se prolongea pendant plusieurs secondes. »

Quelle est la valeur des productions médiumniques de Mme d'Espérance? Deux catégories d'arguments nous incitent à penser qu'elles ne peuvent être, dans leur totalité, considérées comme authentiquement paranormales.

Notons d'abord que Mme d'Espérance opérait le plus souvent dans des cercles composés d'assistants plus ou moins crédules dont le témoignage n'a parfois qu'une valeur relative. D'autre part, au cours de deux séances, on put s'assurer que le prétendu fantôme n'était autre que le médium lui-même. Ces épisodes sont d'ailleurs racontés et interprétés par Mme d'Espérance elle-même dans son ouvrage : *Au Pays de l'Ombre*, sous les titres : *Une expérience amère* et *Serai-je Anna ou Anna deviendra-t-elle moi ?*

Enfin, le phénomène dit de dématérialisation du médium,

que nous avons examiné, était très vraisemblablement truqué.

Cependant, il semble bien que la bonne foi de Mme d'Espérance ne doive pas être suspectée. Il est probable qu'en simulant des fantômes le médium était poussé par les suggestions des assistants, désireux d'observer des phénomènes. En effet, remarquons, d'une part, que Mme d'Espérance, qui se trouvait en des conditions financières aisées, n'a jamais cherché à tirer profit de sa médiumnité et que, d'autre part, son livre : *Au Pays de l'Ombre*, qui est une autobiographie médiumnique, respire l'honnêteté et la sincérité. Il est indéniable que Mme d'Espérance était dominée par des soucis de haute spiritualité et qu'elle considérait l'exercice de sa médiumnité comme un véritable sacerdoce. Bien entendu, si nous faisons intervenir ici l'argument moral, ce n'est pas pour étayer la réalité des phénomènes présentés par Mme d'Espérance, mais c'est pour tenter d'excuser le médium.

Au reste, des phénomènes réellement paranormaux se sont vraisemblablement produits par l'effet de sa médiumnité. Il est, par exemple, difficile d'expliquer par la fraude la matérialisation et la dématérialisation de Nepenthès car la description du phénomène a été rapportée d'une manière identique par différents observateurs qui semblent qualifiés. En outre, il convient de remarquer que Mme d'Espérance résolut, après quelques années de pratique médiumnique, de ne plus entrer dans le cabinet à matérialisations, mais de rester au milieu des assistants qui purent ainsi se convaincre que ce n'était pas elle, déguisée, qui jouait le rôle de fantôme.

FORTHUNY (Pascal) (1872-1962). — M. Cochet, qui est connu dans les milieux métapsychiques sous le nom de Pascal Forthuny, était, à l'époque où nous l'avons approché pour la première fois, c'est-à-dire il y a environ quarante ans, un homme d'une belle intelligence parlant couramment plusieurs langues, notamment l'anglais, l'espagnol et le chinois, un critique d'art apprécié, un peintre habile ayant exposé plusieurs fois au Salon des tableaux excellents, un auteur dramatique, un romancier et un poète.

En juin 1919, il a la douleur de perdre son fils Frédéric dans un accident d'avion. Pour lui apporter quelque réconfort, un ami lui prête des ouvrages spirites. Le 18 juillet, alors qu'il est à son bureau écrivant quelques pages d'un roman, sa main cesse brusquement d'obéir à sa pensée et trace impulsivement une suite de petits bâtons, puis des courbes de toutes sortes, et, enfin, des lettres et des mots sans enchaînement logique. Les jours suivants, les mots s'organisent en phrases ayant une signification. Désormais, les choses se passent comme si P. Forthuny avait la main guidée par des intelligences invisibles. Deux entités spirituelles se mettent ainsi apparemment en relation avec lui. D'abord, un « esprit » qui n'acceptera jamais de se nommer, signant « ton guide », puis son fils Frédéric.

Un an environ après ces manifestations, P. Forthuny perd son don d'automatisme. Mais elles avaient créé en lui, c'est-à-dire entre le conscient et l'inconscient, une certaine dissociation fonctionnelle favorable à la mise en œuvre des pouvoirs cryptiques de l'esprit.

Ceux-ci ne devaient pas tarder à se manifester. Au cours d'une séance de voyance à l'*Institut Métapsychique International* (alors dirigé par le Dr Geley) et à laquelle Pascal Forthuny assistait en qualité de spectateur, Mme Geley prit un éventail qui était là, et, en manière de plaisanterie, dit à Forthuny : « D'où vient cet éventail? » Pascal Forthuny répondit aussitôt : « J'ai l'impression d'étouffer et j'entends à côté de moi : Elisa. » Stupéfaction de Mme Geley, car cet éventail provenait d'une vieille dame morte de congestion pulmonaire et qui, durant sa maladie, s'en servait pour se donner de l'air et mieux respirer. L'amie, qui la soignait, s'appelait Elisa. Mme Geley, très intriguée, tenta alors un deuxième essai. Elle remit une canne à Forthuny en lui disant : « Voici un objet qui a une histoire bien spéciale que vous ne pouvez connaître. Si vous la trouvez, c'est que vous êtes sans aucun doute un clairvoyant. »

Pascal Forthuny, tout en plaisantant, car il ne croyait pas encore à son don de voyance, se mit à décrire des paysages, des mouvements d'armée au loin, du côté de l'Orient. Il parla d'un jeune officier à qui appartenait cette canne. Il revenait en France, ajouta-t-il, quand son bateau fut torpillé. « Tout cela est exact, dit Mme Geley. Cette canne a appartenu à un jeune Français qui a fait comme officier la campagne de Grèce. Lors de son retour en France, son vaisseau a été torpillé. Sauvé du naufrage il est mort quelque temps après. »

A partir de ce moment, Pascal Forthuny fit des séances publiques de métagnomie, d'abord à la *Maison des Spirites* puis à l'*Institut Métapsychique International.*

GOLIGHER (Kathleen). — Miss Kathleen Goligher est un médium à effets physiques qui fut étudié pendant six ans par le Dr W.-J. Crawford, professeur de mécanique à l'*Institut technique de Belfast.* Les résultats des travaux du savant professeur ont été consignés dans trois volumes : *The Reality of psychic Phenomena* (1916 et 1918); *Experiments in Psychical science* (1919) : *The Psychic structures at the Goligher Circle* (1920). Ces ouvrages ont été traduits en français par René Sudre, adaptés et réunis sous le titre commun : *La mécanique psychique* (1922).

Selon Crawford, les mouvements sans contacts, le soulèvement d'une table, par exemple, étaient produits par un « levier psychique » émis par le médium. Mais, malheureusement, les photographies de ce « cantilever » sont des plus décevantes. Elles donnent nettement l'impression qu'il s'agit d'une tige de bois (certains critiques ont parlé d'un manche à balai) plus ou moins entourée d'étoffe.

Le Dr Crawford eut-il le sentiment après avoir publié son œuvre qu'elle reposait sur une supercherie et en fut-il désespéré? Certains auteurs l'affirment. En tout cas, il se suicida le 30 juillet 1930 « dans un accès de fièvre cérébrale dû au surmenage professionnel et aux conditions créées par la guerre » écrit René Sudre. Effectivement, il semble bien que la fatigue cérébrale soit la cause du geste désespéré, car, dans une lettre, adressée quatre jours avant sa mort à M. David Gow, directeur de la revue *Light*, Crawford écrivait ces lignes : « Je suis très déprimé mentalement. Et j'étais si bien il y a quelques semaines!... Mais ce ne sont pas mes travaux psychiques qui sont la cause de ma dépression : Je les ai faits avec trop de plaisir. Je vous serais reconnaissant de dire que mon œuvre restera. Elle est trop consciencieusement faite pour qu'on y trouve des lacunes et des erreurs matérielles. »

Le Dr Crawford ayant chargé un exécuteur testamentaire (literary executor) de veiller à ses intérêts littéraires, celui-ci pria E.-E. Fournier d'Albe, métapsychiste distingué, docteur ès sciences des Universités de Londres et de Birmingham, d'effectuer une nouvelle série de recherches avec le même médium et les mêmes assistants afin d'obtenir une confirmation des résultats constatés par le Dr Crawford.

Fournier d'Albe commença cette étude le 15 mai 1921 et la poursuivit jusqu'au 28 août, soit durant plus de trois mois. Mais, contrairement au vœu de l'exécuteur testamentaire, le rapport (*The Goligher Circle, may to august 1921*), qu'il publia à l'issue de ces séances, conclut à la fraude.

GUZIK (Jean) (1876-1928). — Né à Raczna, près de Cracovie, Guzik fut d'abord ouvrier tanneur. Très tôt, des phénomènes qui effrayaient ses camarades se manifestèrent autour de lui : bruits inexplicables, déplacements d'objets, formes fantomatiques. Un spirite polonais, W. Chlopicki, apprenant ces faits, expérimenta avec le jeune ouvrier et reconnut en lui un médium puissant. Guzik abandonna alors son métier pour embrasser celui de médium. Il s'exerça d'abord dans de nombreux cercles spirites polonais de caractère privé, alla à Saint-Pétersbourg où il avait été invité par Aksakof puis fut enfin étudié d'une façon scientifique par la *Société Polonaise d'Etudes Psychiques.*

En 1922 et en 1923, Guzik vint en France où, sous la direction du Dr Geley, il donna environ quatre-vingts séances à l'*Institut Métapsychique International.* De nombreuses personnalités du monde littéraire et scientifique y assistèrent. C'est à la suite de ces séances que fut publié le célèbre *Manifeste des Trente-Quatre* qui conclut à la réalité des phénomènes.

En revanche, Guzik fut moins heureux avec un Comité de professeurs en *Sorbonne* composé de MM. Langevin, Rabaud, Laugier, Marcelin et Meyerson. Après huit séances tenues avec le médium, ces savants déclarèrent que tous les phénomènes qui leur avaient été présentés pouvaient s'expliquer par la fraude. « En libérant du contrôle une de ses jambes, lit-on dans leur rapport, Guzik réalise alors déplacements, contacts, projections d'objets au moyen de ce membre libéré. »

A vrai dire, Guzik *ne fut pas pris en Sorbonne, en flagrant délit de fraude* et le jugement ne fut établi que sur des soupçons. De plus, des phénomènes majeurs tels que phénomènes lumineux ou ectoplasmiques ne furent pas observés et, par conséquent, ne purent être appréciés. Néanmoins, le rapport des expériences en *Sorbonne* jette un jour fâcheux sur la médiumnité de Guzik.

Après cet échec, Guzik retourna en Pologne.

Comme la plupart des médiums véritables, Guzik fraudait (d'une façon assez grossière d'ailleurs) lorsqu'il était en de mauvaises dispositions psycho-physiologiques ou lorsqu'une ambiance défavorable annihilait ses facultés; tel fut probablement le cas lorsqu'il fut examiné en *Sorbonne.*

HOME (Daniel-Dunglas) (1833-1886). — De tous les médiums qui ont exercé la plus grande influence sur le mouvement spiritualiste, le plus puissant, le plus fameux, le plus extraordinaire fut certainement D.-D. Home. Sa carrière médiumnique fut absolument merveilleuse et fort longue puisque ses pouvoirs paranormaux se révélèrent dès sa plus tendre enfance et ne cessèrent qu'à sa mort : « Il m'est impossible, écrit Home, dans ses *Mémoires,* de me rappeler exactement l'époque où je fus, pour la première fois, sujet aux curieux phénomènes qui, depuis si longtemps, se sont manifestés en moi; mais il m'a été dit par ma tante et d'autres personnes, qu'étant enfant, mon berceau était fréquemment balancé, comme si quelque esprit tutélaire eût veillé sur mon sommeil. Ma tante m'a également rapporté qu'à peine âgé de quatre ans j'eus une vision relative aux circonstances qui accompagnèrent la mort d'une petite cousine... (Home annonça l'événement au moment où il se produisait et nomma les personnes qui entouraient le lit de la fillette.)

« Ce fut à l'âge de treize ans qu'eut lieu la première vision dont j'ai une souvenance distincte... » (Home avait échangé avec un de ses petits camarades, du nom d'Elwin, le serment de lui apparaître après sa mort. Quelques mois après, une forme se manifesta disant : « Daniel, me reconnaissez-vous? » Le lendemain, Home apprit le décès de son ami.)

A l'encontre de la plupart de ses émules — nous pourrions peut-être écrire de *tous* ses émules —, Home n'a jamais été pris en flagrant délit de fraude. L'épisode des Tuileries, que les négateurs de la métapsychique colportent encore, a été, sans aucun doute, inventé de toutes pièces : au cours d'une séance, en présence de Napoléon III et de l'Impératrice Eugénie, Home aurait frôlé de son pied nu les visages des assistants, mais l'Impératrice, elle-même, a formellement démenti l'anecdote. Au reste, le prestidigitateur Robelly a, dans l'*Escamoteur* de mai-juin 1955, rassemblé toute une série d'articles journalistiques consacrés à D.-D. Home et rédigés à l'époque où celui-ci séjournait en France. Or, on peut constater que ces articles, strictement anecdotiques et qui visent à être spirituels, sans d'ailleurs y parvenir souvent, ne font qu'égratigner le célèbre médium : il n'y est pas du tout question de cette séance des Tuileries.

Frank Podmore, dont la dent était dure, la critique acerbe et l'incrédulité notoire en matière de médiumnité physique, a écrit : « En D.-D. Home, se résume toute la question du spiritisme. »

Home, en effet, fut aussi bien un médium à effets intellectuels qu'à effets physiques, mais comme les phénomènes matériels paranormaux sont infiniment moins fréquents que les phénomènes intellectuels, ce sont principalement ceux-là qui attirèrent l'attention des expérimentateurs.

Nous ne voudrions pas ici, par un résumé trop succinct, amoindrir l'abondance, la variété et surtout la qualité des phénomènes présentés par Home. Nous préférons renvoyer le lecteur aux sources, c'est-à-dire aux ouvrages ou aux articles de Crookes, du professeur Wells de l'*Université de Harvard*, de Mapes, de Hare, des savants anglais tels que Ashburner et Elliotson, et, aussi, aux livres de Home lui-même : *Révélations sur ma vie surnaturelle* (Paris, Dentu, 1863) et *Les Lumières et les Ombres du Spiritualisme* (Paris, Dentu, 1883) dont la lecture est captivante à plus d'un titre.

Nous nous bornerons à dire que les phénomènes physiques produits par le prodigieux médium anglais : mouvements sans contacts, apparitions de mains ou de fantômes, lévitations, phénomènes d'incombustibilité, etc., avaient lieu *au milieu des assistants* et non dans un cabinet spécial où le sujet échappe plus ou moins complètement au contrôle des expérimentateurs.

« A chaque fois que les phénomènes se sont produits par mon intermédiaire, écrit en substance D.-D. Home (et tous les expérimentateurs sont d'accord avec lui), j'étais, en ma qualité de médium, assis au milieu des personnes présentes... la séance avait lieu dans une chambre parfaitement bien éclairée... et j'étais moi-même comme médium de ce côté-ci du rideau du cabinet médiumnique et bien en vue de ceux qui étaient là. »

Personnellement, après avoir lu avec attention la plupart des comptes rendus relatant les expériences de Home, suivi, presque pas à pas avec ses historiographes ou avec lui-même dans ses livres, les différentes phases de sa vie, pris connaissance des appréciations de ses admirateurs et de ses contempteurs, ces derniers étant au reste infiniment rares, généralement dénués de sens critique, et, de plus, ne connaissant pas le premier mot des phénomènes dont ils parlent, nous sommes arrivé à ce dilemme et à cette conclusion :

Ou bien Home n'était qu'un illusionniste fameux ou c'était un étonnant médium.

Si nous admettons la première hypothèse, nous dirons, en qualité de prestidigitateur, que sa prestidigitation nous étonne beaucoup plus que les phénomènes paranormaux eux-mêmes qui lui sont attribués.

Par conséquent, entre les deux hypothèses, nous choisissons sans hésitation la seconde parce qu'elle nous paraît, en l'occurrence, la moins extraordinaire, la moins invraisemblable et, nous dirons même, la plus rationnelle.

Ces généralités données, précisons, par quelques détails biographiques, l'attachante et sympathique physionomie de Dunglas Home.

Home est né près d'Edimbourg le 20 mars 1833.

C'était donc un enfant de l'Ecosse, pays peuplé de spectres, de revenants et de fantômes. Au surplus, il descendait d'une famille des Highlands chez laquelle le don de la « double vue » était héréditaire : son grand oncle Colín Urquhart, son oncle Mackensie, sa mère étaient des « voyants ».

A l'âge de un an, il est adopté par sa tante, et, à neuf ans, il part avec elle et son oncle en Amérique, ce qui fait dire à maints auteurs mal informés (Dicksonn, en particulier) que D.-D. Home était un médium américain.

L'enfant grandit. Le voici jeune homme. Il est alors l'objet d'investigations sérieuses de la part de médecins et de professeurs de l'*Université de Harvard* et, du même coup, le nom de Daniel-Dunglas Home devient célèbre dans le monde entier.

En 1855, de cruels crachements de sang l'incitent à quitter l'Amérique pour se rendre en Europe dont le climat, estime-t-il, sera plus favorable à sa santé. Il demeure quelques mois en Angleterre où sa renommée le précède : « J'eus, écrit-il, plus d'invitations que je n'en pouvais satisfaire. » Ensuite, il part pour Florence, mais là, on le prend pour un sorcier, et, un jour, la foule assiège sa maison pour le massacrer. Sans l'intervention du comte Alexandre Branicki, c'en était fait de lui. A la suite de cette pénible aventure, ses facultés médiumniques l'abandonnent entièrement pendant une année.

Puis, c'est pour Home une série de voyages en France, en Angleterre et en Russie.

Partout, les mêmes prodiges se manifestent. Partout, le médium est reçu avec empressement, acclamé, fêté : les sommités scientifiques et littéraires se disputent l'avantage et l'honneur de l'étudier; le tzar Nicolas Ier et Napoléon III le reçoivent en leurs cours, assistent à ses expériences.

En 1858, Home épouse la plus jeune fille du général russe comte de Kroll, filleule de l'empereur Nicolas. Deux aides de camp de l'empereur Alexandre II et l'écrivain

Alexandre Dumas sont présents à la cérémonie en qualité de témoins.

Mais cette union, accomplie sous les plus heureux auspices et au milieu de splendides espérances, devait être de courte durée. Mme Alexandrine Home meurt le 3 juillet 1862 au château de Laroche, en Dordogne, après avoir donné un fils à son mari.

Après la mort de son épouse, Home retourne en Angleterre et donne des séances autant, dit-il, « que mon temps et que ma santé me le permettent ». Au cours des expériences, le médium est très souvent lévité : « J'ai été, cette année, écrit Home, plusieurs fois enlevé dans l'air et assez haut pour flotter au-dessus des têtes des assistants. »

En 1863, il revient à Paris où il est fréquemment reçu aux Tuileries.

Quelques années passent et Home épouse, en secondes noces, Julie de Gloumilin, sœur d'Alexandre Aksakof et nièce de son Exc. Nicolas Timoffeivitch d'Aksakof.

Les séances se poursuivent, mais, miné par la phtisie, épuisé par l'exercice de sa médiumnité, la mort le surprend à Paris (16e) le 21 juin 1886, à l'âge de cinquante-trois ans. Home fut déposé à Saint-Germain-en-Laye dans le caveau qui avait déjà reçu sa fille; ses funérailles, selon son désir, furent aussi simples que possible et tout signe de deuil en fut supprimé. Les prêtres qui officièrent à l'église russe avaient revêtu leur chasuble de fête, blanche et or, au lieu de la tunique noire, et le cercueil, tout couvert de fleurs, était placé sous un dais brillamment éclairé.

Sur la croix de marbre blanc qui se dresse au-dessus de son tombeau on lit cette épitaphe :

Daniel-Dunglas Home. Né à la vie terrestre près d'Edimbourg (Ecosse), le 20 mars 1833. Né à la vie spirituelle le 21 juin 1886. A un autre de discerner les Esprits (1. Corinthiens, ch. 12, v. 10).

Une fontaine monumentale, érigée à Edimbourg par sa seconde femme, porte cette simple inscription :

D.-D. Home né le 20 mars 1833. Passé à une autre vie le 21 juin 1886.

Home était d'aspect sympathique : « Il y a chez lui du barde, écrit Henry La Luberne, du prophète et du rêveur. Son visage, dont l'angle facial est anormalement développé, exprime la plus exquise douceur; il éveille cette impression intellectuelle d'une force, nerveuse dont le foyer serait dans la tête et le cœur, et qui aviverait ceux-ci aux dépens de l'économie. »

De son côté, la princesse Pauline de Metternich, qui assista aux Tuileries aux expériences de Home, donne du médium le portrait suivant :

« Il pouvait avoir trente-six ans, quarante au plus. Assez maigre, bien bâti. En habit et en cravate blanche, il pouvait passer pour un homme de la meilleure société. Une expression de douce mélancolie rendait le visage sympathique. Très pâle, des yeux clairs d'un bleu de porcelaine, le regard éteint, plutôt voilé, d'épais cheveux tirant sur le roux, d'une longueur raisonnable — rien qui rappelât la coiffure d'un pianiste ou d'un violoniste —, bref, un aspect agréable. Rien de frappant si ce n'est la pâleur du teint qu'expliquait assez, semble-t-il, la couleur roussâtre des cheveux et de la moustache. Les traits de Dunglas Home rappelaient un certain tableau de Van Dyck, dans la galerie Liechtenstein, à Vienne, le portrait de Wallenstein, si je ne me trompe. »

Tout en croyant aux esprits, spirite par conséquent, D.-D. Home estimait, avec juste raison, que les phénomènes physiques médiumniques devaient être soumis à l'expérimentation comme tout autre phénomène naturel.

Nous ne dirions pas mieux aujourd'hui!

KAHN (Ludwig), né en 1874. — Louis Kahn, qui était de nationalité allemande mais d'origine israélite, fut certainement l'un des plus étonnants « liseurs d'écrits cachés » de notre temps. Il déchiffrait, avec une extraordinaire précision et avec la plus grande facilité, des textes et des dessins dont il ne pouvait avoir connaissance à l'aide des sens normaux.

A l'âge de trois ans, Kahn était déjà un calculateur prodige. Il pouvait, paraît-il, exécuter de tête des opérations mathématiques se rapportant à des nombres de cinq chiffres. De bonne heure, il émigra en Amérique où il découvrit son don de liseur de pensées et d'écrits, l'exploita, gagna ainsi beaucoup d'argent qu'il dépensa au jeu, puis revint en Allemagne.

Il semble que Kahn ait été scientifiquement étudié, en premier lieu, en 1908, par le Dr Haymann de l'hôpital psychiatrique de Fribourg-en-Brisgau et par le Dr Neumann, médecin du district Grand-Ducal, à la suite de ses démêlés avec la justice allemande.

Il faut dire, en effet, que si Kahn possédait réellement le pouvoir de lire les écrits cachés, il n'avait pas celui de prédire l'avenir, mais, grâce à ses facultés de clairvoyance dont il démontrait rapidement l'existence, il convainquit les personnes qui venaient le consulter qu'il était capable de donner le numéro du billet gagnant à la loterie, le nom du cheval arrivant le premier aux courses, etc., mais notre médium se trompait à peu près régulièrement dans ses prémonitions. Un jour, il alla jusqu'à prédire à une vieille dame la date de sa mort! La pauvre femme, impressionnée, tomba dans des accès hystériques et son médecin traitant rendit Kahn responsable du fait.

Ses erreurs de pronostics, suivies de plaintes, ses imprudences du genre de celles que nous venons de citer finirent par l'amener devant le tribunal civil Grand-Ducal à Karlsruhe qui confia aux Drs Haymann et Neumann, déjà cités, la tâche d'étudier les facultés du médium incriminé. Après des expériences faites avec le plus grand soin, le rapport des deux médecins fut formel. Ainsi, le Dr Neumann conclut : « Kahn voit les mots écrits comme une réalité. Il me semble hors de doute qu'une fraude est impossible ici. Mes mots n'étaient pas faciles à déchiffrer même avec des billets ouverts et une lecture approfondie... »

Kahn fut ensuite étudié avec le même succès par les Prs Behringer, Eisèle et Schottelius qui écrit : « Si nous résumons le résultat des exposés qui précèdent, nous constatons qu'un homme a pu lire, sans le recours direct de ses yeux corporels, le contenu de billets repliés et conservés dans la main bien fermée de l'observateur. La signification du contenu des billets lui a même été plusieurs fois incompréhensible, quand il s'agissait de formules mathématiques, langues étrangères, etc., que le sujet n'avait pas étudiées. »

En 1925, Kahn vint à Paris et, sous la direction du Dr Osty, donna une série de séances à l'*Institut Métapsychique International.*

Il se produisit également à cette époque devant des personnalités parisiennes du monde littéraire, journalistique, politique, judiciaire, etc. C'est ainsi qu'il réalisa des expériences analogues à celles de l'I.M.I. chez un haut fonctionnaire parisien qui avait réuni des hôtes d'importance parmi lesquels on peut citer M. Barthou, académicien et ancien président du Conseil, M. Loucheur, ministre et ancien président du Conseil, M. Morain, préfet de police, MM. Lescouvé, Schoerdin, Prouharam, etc.

KLUSKI (Franek) (1874-1944). — Le Polonais Franek Kluski, qui exerçait une profession libérale et qui, de plus, était écrivain, poète et remarquable polyglotte, fut certainement le « géant » des médiums contemporains à matérialisations. « C'était, d'après le Dr Geley, qui réalisa avec Kluski de nombreuses et remarquables expériences d'ectoplasmie, un homme de taille moyenne plutôt maigre, de tempérament neuro-arthritique. Sa santé générale était bonne. Il ne présentait aucune tare organique. » Cependant, comme beaucoup de sujets métapsychiques, Franek Kluski était hypersensible tant au physique qu'au moral. Ses réflexes étaient très exagérés et il présentait des zones d'hyperesthésie accentuée à la nuque et sur le membre supérieur gauche, spécialement à l'avant-bras. En outre, il était excessivement impressionnable et émotif. Fait assez extraordinaire qui mérite d'être signalé ici : à l'âge de vingt-sept ans, il eut le cœur traversé de part en part par une balle de pistolet, dans un duel.

Les interactions psychosomatiques étaient particulièrement nettes chez Kluski. Atteint plusieurs fois de maladies graves, il guérit très rapidement. Au cours des séances médiumniques il éprouvait souvent de fortes palpitations et une soif intense qui le forçait à boire une très grande quantité d'eau. En outre, il ressentait des douleurs vives dans telle ou telle partie de son corps suivant la nature des manifestations. Parfois, au lendemain d'une séance, il portait sur le corps des plaies sanguinolentes et purulentes qui disparaissaient deux jours après sans laisser de traces.

Ses facultés paranormales étaient nettement héréditaires; son père avait les mêmes dons que lui, bien que n'ayant jamais fait de séances. Son oncle paternel, prêtre catholique, possédait également des facultés médiumniques.

De même que D.-D. Home, le jeune Franek était sujet aux pressentiments et avait la perception de « fantômes » qui, pour lui, présentaient l'apparence d'êtres vivants; la nuit, des apparitions se pressaient autour de son lit, mais l'enfant n'éprouvait aucune crainte à leur vue.

En 1920-1921, Kluski donna, à l'*Institut Métapsychique International*, quatorze séances sous la direction du Dr Geley. Les principaux phénomènes observés furent des matérialisations humaines ou animales, des productions lumineuses et quelques télékinésies.

Les séances réalisées en Pologne avec le médium ont été consignées par le colonel Okolowicz dans l'ouvrage : *Compte rendu des séances faites avec le médium Franek Kluski* (Varsovie, 1928). Cet ouvrage de 588 pages de texte renferme 32 planches avec photographies et dessins représentant les formations ectoplasmiques produites au cours des séances, des moulages en paraffine, des graphiques, etc. Pendant les 340 séances d'expérimentation auxquelles assistèrent 350 personnes, 250 « fantômes » humains ou animaux furent observés. On constata la ressemblance de 88 de ces fantômes avec des personnalités humaines décédées, ressemblance parfaite tant au point de vue physique que psychique.

OSSOWIECKI (Stéphan), né en 1877. — Les traits essentiels de la vie du grand médium polonais Stéphan Ossowiecki ont été donnés par le Dr Geley dans son livre : *L'Ectoplasmie et la Clairvoyance* d'où nous extrayons les passages suivants :

« M. Stéphan Ossowiecki est né en 1877, de père et mère polonais.

« Sa grand-mère paternelle était renommée, dans son entourage, pour ses dons de clairvoyance.

« Sa mère présente les mêmes facultés, moins développées toutefois (pressentiments, prémonitions).

« L'un de ses frères possède aussi des dons de lucidité...

« Dès sa plus tendre enfance, Stéphan Ossowiecki remarqua qu'il possédait la faculté de lecture de pensées. Il s'amusait, jouant avec ses petits camarades, à deviner des phrases ou des chiffres pensés par eux.

« A dix-sept ans, il entra à l'*Institut des Ingénieurs* de Petrograd, la grande école technique de Russie et y resta jusqu'à vingt ans.

« Ses dons de clairvoyance se manifestèrent spontanément. L'un des procédés d'interrogation les plus utilisés à l'école consistait à faire tirer au hasard, par les étudiants, les questions qu'ils devaient traiter et qui étaient sous enveloppes cachetées.

« Ossowiecki se faisait un jeu, au grand ahurissement de ses professeurs, de répondre sans avoir décacheté l'enveloppe. La réponse était toujours exactement celle qui se rapportait à la question.

« Au sortir de l'*Institut des Ingénieurs,* Ossowiecki fit un stage à Francfort-sur-le-Main comme ingénieur dans une grande fabrique de couleurs.

« Son don de lire les plis cachetés, qu'il avait déjà étant étudiant, se développa surtout à partir de trente-cinq ans. Actuellement, son don de lucidité est peut-être plus marqué encore en ce qui concerne la pénétration de la personnalité humaine qu'en ce qui concerne la lecture d'un pli cacheté. Il semble que la plupart, sinon toutes les personnes mises en sa présence, n'ont plus aucun secret pour Ossowiecki. Il pénètre parfois leurs pensées les plus intimes, lit comme dans un livre ouvert leur passé, leur présent et même leur avenir. Enfin, S. Ossowiecki est capable de retrouver des objets perdus ou volés. Mis en contact avec telle ou telle personne ayant perdu un objet, il peut, après quelques instants de concentration mentale, dire où cet objet se trouve, dans quelles conditions il a été perdu, décrire la personne qui l'a trouvé ou volé, etc. »

Ossowiecki fut étudié, en 1923, par le Dr Geley à l'*Institut Métapsychique International.* Avec la plus grande facilité, il lut les écrits et reproduisit des dessins placés sous enveloppe. En outre, à quelques personnes qui assistaient le Dr Geley, il révéla des faits concernant leur passé, leur présent et leur avenir. Certaines d'entre elles furent littéralement stupéfaites et même atterrées par les révélations que leur fit l'extraordinaire voyant.

Interrogé sur les conditions dans lesquelles s'exerçaient

ses facultés, Ossowiecki indiqua tout d'abord qu'il était incapable, dans son état normal, de réaliser une voyance. Ses pouvoirs ne se manifestaient que dans l'état de transe qu'il ne pouvait maintenir que pendant un temps relativement court et qu'il obtenait plus ou moins facilement suivant ses dispositions. Tout ce qui surexcitait ou accaparait sa pensée consciente : préoccupations, ennuis, présence de personnes hostiles ou simplement sceptiques, etc., y faisait obstacle.

« Pour entrer en transe, précisa Ossowiecki, je me dis d'abord qu'il faut que j'y arrive, puis je fais effort pour ne plus penser à rien et j'attends. J'attends pendant quelques minutes, parfois un quart d'heure, une demi-heure. Il arrive que mon attente soit vaine, la transe ne se produit pas. Quand elle va se produire, je sens ma tête devenir chaude, très chaude; mes mains se refroidissent. Dès lors, je sais que je vais être en possession de mes facultés. Bientôt, je perds peu à peu conscience de ce qui m'entoure et je vois, j'entends, je sens, je dis ce qui m'a été demandé de révéler. »

A cette phase de la transe, Ossowiecki avait le visage empourpré et les pulsations de son pouls étaient de 90 à 100 à la minute.

Ses informations métagnomiques se présentaient généralement sous la forme d'hallucinations visuelles. Lorsqu'il devait, par exemple, détecter une phrase écrite, il avait l'impression de la voir devant lui et il la lisait comme si elle avait été réelle. Parfois, l'hallucination était auditive. Ossowiecki entendait la phrase. Quelquefois également, une impulsion motrice verbale lui faisait prononcer la phrase d'une manière inconsciente.

La fin de S. Ossowiecki fut tragique. Le grand métagnome a été exécuté par les nazis au cours de la guerre 1939-1945, dans des conditions encore mal déterminées.

PALADINO (Eusapia) (1854-1918). — Née en 1854 à Minervo Murges, près de Bari dans les Abruzzes, Eusapia Paladino eut une enfance malheureuse. Sa mère meurt après lui avoir donné le jour. A l'âge de un an, elle fait une chute grave et a le pariétal enfoncé. Vers l'âge de huit ans, elle assiste à l'agonie de son père, mortellement blessé par des brigands. Recueillie par une grand-mère qui la maltraite, elle est ensuite placée comme servante. Depuis l'assassinat de son père, elle a, à l'état de veille, des hallucinations terrifiantes, mais les véritables manifestations médiumniques d'ordre physique n'apparaissent qu'au moment de la puberté, c'est-à-dire vers l'âge de treize ou quatorze ans : des objets se déplacent spontanément en son voisinage.

Elle apprend le métier de lingère et ce n'est que très irrégulièrement qu'elle donne chez ses maîtres, M. et Mme Migaldi, des séances qui d'ailleurs l'intéressent assez peu. Ceux-ci parlent des phénomènes obtenus au Pr Damiani, spirite convaincu, qui se charge de la jeune fille et entreprend son éducation médiumnique. Au cours des expériences, une personnalité psychique, John King, apparaît et s'empare d'Eusapia lorsqu'elle est à l'état de transe. Ce John King se dit ex-corsaire anglais mais il n'était, en réalité, du point de vue mental, qu'une élaboration imaginative du médium, un produit de sa fantaisie créatrice, une synthèse de fictions spirites plus ou moins suggérées par les expérimentateurs. Son contenu intellectuel est en effet très pauvre comme celui du médium lui-même.

Ensuite, Eusapia est étudiée par des savants qualifiés.

Sur l'initiative du Pr Chiaïa, une commission, qui comptait parmi ses membres les professeurs de médecine Tamburini et Lombroso, se réunit à Naples en 1891. Les résultats sont si concluants que Lombroso, qui avait rejeté *a priori* les phénomènes, avoue « qu'il était au regret et tout confus d'avoir nié si opiniâtrement ce qu'il ne connaissait pas ».

Puis Eusapia est étudiée à Paris en 1894, 1895, 1896, 1897, par le Pr Richet, le Dr Ségard, médecin principal de la Marine, le colonel de Rochas, administrateur de l'*Ecole Polytechnique,* le comte de Gramont, docteur ès sciences, le Dr Maxwell, procureur général de la République, Camille Flammarion, etc., etc.

En 1901 et 1902 se place l'une des périodes les plus importantes de la vie médiumnique d'Eusapia. Au cours de séances qui ont lieu à Gênes au *Cercle Minerva* composé de savants de grande valeur, tels que les Prs Porro et Morselli, elle produit toute une série de formes matérialisées.

Eusapia revient à Paris au cours des années 1905, 1906, 1907, 1908 et donne à l'*Institut Général Psychologique* quarante-trois séances dans d'excellentes conditions de contrôle (voir chapitre 1 du présent ouvrage).

Des séances sont également tenues en 1908, sous la direction de G. Delanne, à la *Société française d'Etude des Phénomènes Psychiques*. Des photographies, probablement paranormales, y furent obtenues.

Dans le courant de l'année 1906, des expériences remarquables ont lieu à Turin au laboratoire de psychiatrie de l'Université de cette ville et sous la direction du Pr Lombroso. Les Drs Herlitzka, Foa, Aggazotti et l'éminent physiologiste Mosso y participent.

Entre-temps, Eusapia donne des séances d'un caractère plus ou moins privé chez M. Mangin à Auteuil où assistent le Dr Dariex et Sully-Prudhomme; à Montfort-l'Amaury, dans la famille Blech; à Naples, avec M. Barzini, représentant du grand journal le *Corriere della sera*; à Naples, également, avec les délégués de la *Société Anglaise de Recherches Psychiques*, MM. Fielding, Bagally et Carrington, experts en illusionnisme. Les divers rapports concluent en la réalité des phénomènes. Eusapia donne aussi plusieurs séances en Russie et en différentes villes et capitales d'Europe.

En 1909, elle se rend aux Etats-Unis, et, au cours de nombreuses expériences, produit toute la gamme des phénomènes physiques paranormaux : mouvements sans contacts, raps, empreintes à distance, ectoplasmies. Un rapport substantiel et positif est établi par Hereward Carrington, homme de science et habile prestidigitateur. Ce compte rendu est accompagné de cette sorte de certificat établi par le plus renommé des illusionnistes américains de l'époque, Howard Thurston : « J'ai observé en personne les soulèvements de table de Mme E. Paladino, en compagnie de mon assistant et de M. Carrington, et je suis absolument convaincu que les phénomènes que j'ai vus n'étaient pas dus à la fraude... J'en suis si convaincu, que je m'engage à verser une somme de mille dollars à une fondation charitable, si l'on peut me prouver que Mme Paladino n'est pas capable de soulever une table sans le secours d'aucun truc et d'aucune supercherie. »

Quoiqu'à peu près illettrée, elle était très fine et très perspicace. A l'avocat Miranda qui lui demandait si elle pensait que ce fût vrai que les médiums étaient tous sujets à tricher, elle fit cette réponse pertinente : « Je le crois parce que, pour ma part, au cours des séances, quand un phénomène doit avoir lieu, je sens une force intérieure qui m'oblige à le produire. »

Ses expériences médiumniques ont donné lieu à toute une bibliothèque. Citons : A. de Rochas, *L'Extériorisation de la Motricité.* — De Fontenay, *A propos d'Eusapia Paladino.* — Otero Azevedo, *Les Esprits.* — Matuzévoski. La *Médiumnité et la Sorcellerie.* — Vizani Scozzi, *La Médiumnité.* — Flammarion, *Les Forces naturelles inconnues.* — Barzini, *Le Monde du mystère.* — Vassallo, *Le Monde de l'Invisible.* — Morselli, *Psychologie et Spiritisme.* — Bottazzi, *Phénomènes médianimiques.* — J. Courtier, *Rapports sur les séances d'E. Paladino*, etc., etc.

Après avoir pris connaissance de ces ouvrages, auxquels nous nous permettons de renvoyer le lecteur, il est clair qu'Eusapia apparaît comme l'un des plus puissants médiums à effets physiques de notre temps. Elle produisit des lévitations de tables et des ectoplasmies indiscutables : les comptes rendus d'expériences et les photographies le prouvent surabondamment. Seuls, les gens mal informés ou de mauvaise foi peuvent soutenir l'opinion contraire.

Sans doute, Eusapia frauda parfois et tout particulièrement dans les séances de Cambridge en 1895 (où le Dr Hodgson joua un rôle des plus néfastes en sollicitant la fraude par une absence voulue de contrôle), mais il faut souligner que les fraudes d'Eusapia étaient grossières et faciles à déceler. Elles consistaient en une substitution de mains pour atteindre les objets et les déplacer, à employer un cheveu arraché subrepticement, afin de provoquer l'abaissement du plateau d'un pèse-lettre, à utiliser un clou pour tracer des signes sur un papier noirci. Au reste, comme l'indique la réponse qu'elle fit à l'avocat Miranda, elle reconnaissait qu'une impulsion la poussait à produire d'une façon normale le phénomène sollicité, lorsqu'il ne se réalisait pas d'une manière paranormale. Mais on n'a jamais trouvé sur elle des appareils ou des accessoires destinés à simuler des télékinésies ou des apparitions.

S'il fallait, s'il en était besoin, apporter une preuve supplémentaire, d'ordre psychologique, en faveur des pouvoirs paranormaux d'Eusapia, nous ajouterions qu'un jeune prestidigitateur l'épousa, alors qu'elle était déjà relativement âgée, dans le secret espoir de connaître les procédés qu'elle pouvait employer pour réaliser ses extraordinaires expériences. Mais il n'apprit rien, et pour cause! Après la mort d'Eusapia, il fut incapable de présenter les phénomènes paranormaux qu'elle produisait.

PIPER (Eleonor). — Mrs Piper de Boston (U.S.A.) est certainement le sujet métagnome spiritoïde le plus célèbre du XIXe siècle. Les vingt-cinq gros volumes des *Proceedings* de la *Society for Psychical Research,* l'ouvrage de sir Oliver Lodge : *The Survival of Man,* traduit en français sous le titre : *La Survivance humaine,* l'ouvrage capital de Myers : *Human Personality* dont la traduction abrégée en français est intitulée : *La Personnalité humaine, sa survivance, ses manifestations supranormales* témoignent de la richesse de ce cas absolument unique dans les annales de la métapsychique.

Mrs Piper se révéla sujet métagnome en 1884 à la suite d'un violent heurt occasionné par un traîneau. Elle se découvrit une tumeur et se crut atteinte de cancer. Sur l'instance de ses beaux-parents, elle alla consulter un médecin aveugle du nom de J.-R. Cocke qui se prétendait possédé par l'esprit d'un médecin décédé dénommé Finny. Dès la seconde séance, probablement par l'effet d'un phénomène de contagion mentale, Mrs Piper tomba en transe, et, à son réveil, fut étonnée d'apprendre qu'une jeune Indienne, Chlorine, avait parlé par sa bouche pendant son sommeil et avait donné à un consultant, qui se trouvait là par hasard, une preuve remarquable de la survie. Aussitôt, les intimes de Mrs Piper, reconnaissant en elle un médium, se mirent à organiser des séances. Dans les premiers temps, les esprits ou soi-disant tels qui se manifestèrent par son intermédiaire furent assez variés, puis, l'un d'eux, le Dr Phinuit, finit par s'imposer et devint le « contrôle » de Mrs Piper.

Il se borna tout d'abord à donner des conseils médicaux ou à formuler des diagnostics puis il se mit à répondre d'une façon pertinente à toutes sortes de questions que les assistants lui posaient et à leur fournir des détails intimes qu'ils étaient seuls à connaître ou qu'ils ignoraient mais dont l'authenticité était reconnue par la suite.

Mais, en règle générale, la faculté métagnomique de Mrs Piper s'exerçait à faire « revivre » des personnes décédées.

Ainsi, Oliver Lodge donna un jour à Mrs Piper la montre d'un de ses oncles, mort vingt ans auparavant, et qu'il n'avait jamais vu. La voyante trouva immédiatement le nom de cet oncle, ainsi que celui de ses frères qu'il aimait beaucoup. Elle indiqua tous les détails relatifs à son enfance, rappela des épisodes comme la traversée à la nage d'une rivière, la mise à mort d'un chat, la possession d'une peau de serpent dont un frère survivant ne se souvenait plus ou à peine, et dont il fut obligé de demander la confirmation à un autre frère, etc., etc.

La précision des détails fournis par Mrs Piper était telle que le Dr Hodgson, qui l'étudia longuement, mais qui était méfiant de nature, initié à la prestidigitation et justement réputé comme étant la « terreur » des médiums, fit surveiller et « filer » Mrs Piper et les membres de sa famille pendant plusieurs semaines par des détectives privés afin de savoir si le médium n'obtenait pas des renseignements sur les consultants. Cette enquête fut menée à fond, mais on ne découvrit absolument rien qui pût mettre en suspicion Mrs Piper : les membres de sa famille ne posaient à personne des questions indiscrètes, ils ne faisaient aucun voyage suspect, ils ne visitaient pas les cimetières pour y lire des noms sur les tombes. Enfin, Mrs Piper, dont le courrier était du reste très restreint, ne recevait aucune lettre des agences d'information.

Plus tard, on dévoila à Mrs Piper le moyen qui avait été pris pour s'assurer de sa bonne foi. Elle ne s'en offensa nullement; au contraire, elle en reconnut l'absolue légitimité.

D'ailleurs, cette idée que Mrs Piper pouvait obtenir les renseignements qu'elle fournissait par le moyen d'informations prises au dehors est absurde lorsqu'on considère que les consultants qu'elle recevait venaient de toutes les parties des Etats-Unis, d'Angleterre ou d'autres pays d'Europe. De plus, au cours de son expérimentation, le Dr Hodgson choisissait lui-même les consultants et les présentait anonymement à Mrs Piper. Enfin, à partir de novembre 1889, et pendant une longue période, elle fut étudiée en Angleterre où elle ne connaissait personne.

Les expérimentateurs, et tout particulièrement William James, le Dr Hodgson, sir Oliver Lodge, Myers, qui ont étudié Mrs Piper, se sont demandé si les « contrôles » et les entités qui prétendaient se manifester par son intermédiaire, avec, très souvent, un extraordinaire accent de vérité, étaient des « esprits » indépendants ou des personnages sortis de toutes pièces de son imagination.

Le Dr Phinuit, qui se donnait comme un médecin français de Metz, semble avoir été le même personnage que Finny de J.-R. Coke, quoique l'orthographe différât et bien qu'il affirmât être une personnalité nouvelle.

Lorsqu'on chercha à vérifier son identité, on constata qu'aucun Dr Phinuit n'avait vécu à Metz et que les détails qu'il donnait sur ses études et ses travaux étaient de pure fantaisie. Ainsi, il disait avoir étudié la médecine dans un collège parisien appelé *Merciana* ou *Meerschaum*. Or, aucun établissement d'enseignement de ce nom n'a existé à Paris. Enfin, fait assez étonnant, Phinuit ne parlait pas le français. Il est vrai qu'il allégua avoir désappris sa langue maternelle au contact de nombreux Britanniques de sa clientèle, mais l'explication est enfantine.

Phinuit apparaît par conséquent comme une des personnalités secondes du médium.

Mais tout se complique avec un nouveau personnage qui entra en lice vers 1892 et qui arriva à supplanter Phinuit. Il s'agit de George Pellew, un jeune littérateur philosophe, mort accidentellement quelques semaines auparavant et que Mrs Piper avait vu à l'une de ses séances. Il était bien connu du Dr Hodgson et de la *Society for Psychical Research* dont il avait été membre pendant sa vie. Par discrétion, les *Proceedings* le désignent sous le pseudonyme de George Pelham et abréviativement G.P.

Cinq semaines après la mort de George Pellew, Mrs Piper en transe dit au Dr Hodgson : « Votre ami George Pellew a quelque chose à vous communiquer! » Et George Pellew raconta, par la bouche du médium, qu'il avait oublié dans sa chambre, au fond d'un petit meuble, quelques lettres qui le tracassaient. A tout prix, il ne voulait pas que sa famille y jetât les yeux, et il priait son camarade Hodgson de faire disparaître cette correspondance. Hodgson, incrédule, n'en fit rien. Mal lui en prit. Avant un mois, il reçut une lettre éplorée des parents de George. Ils avaient trouvé les lettres en question, dont l'existence n'était connue auparavant que du mort.

Après avoir analysé les travaux publiés sur Mrs Piper, Mrs Sidgwick aboutit à des conclusions que nous faisons nôtres : « L'intelligence en communication directe avec le consultant et que nous avons appelée le contrôle, écrit-elle, n'est pas un esprit indépendant se servant de l'organisme de Mrs Piper, mais est une phase ou un élément de la propre conscience du médium. » Quant aux communicants qui s'expriment indirectement par l'intermédiaire des contrôles, « il y a, dit Mrs Sidwick, autant d'arguments pour refuser de les regarder comme des entités indépendantes ».

Signalons enfin qu'en 1919 Mrs Piper déclara qu'elle avait perdu ses « dons ».

SCHNEIDER (Rudi) (1908-1957). — L'Autrichien Rudi Schneider appartenait à une famille de médiums. Son frère, Willy, était en effet un médium à effets physiques bien connu en Allemagne et dans les pays de langue anglaise. D'autre part, deux autres de ses frères et une sœur possédaient également des pouvoirs paranormaux.

Les facultés de Rudi se manifestèrent alors qu'il avait onze ans et dans de curieuses circonstances.

Rudi, trop jeune, n'assistait pas aux séances de Willy. Or, au cours de l'une d'elles qui n'avait rien donné, et qui avait eu lieu chez les Schneider, l'entité spiritoïde Olga, qui était vraisemblablement une création subconsciente de Willy, demanda : « Il me faut le jeune frère de Willy : Rudi. » Les parents Schneider objectèrent qu'il n'était pas possible de faire assister aux séances un enfant de onze ans, qu'il en serait effrayé, etc., mais Olga insista et dit : « Cela ne fait rien, il viendra. »

« Au moment de cet incident, écrit Rudi, j'étais couché et endormi dans une autre chambre de la maison. Quelques minutes après, les assistants me virent entrer dans la salle, tout endormi, comme un somnambule : je pris place spontanément dans le cercle. Olga affirma alors : « Rudi a la même faculté que Willy. » Et la séance, stérile jusqu'à ce moment, continua avec les mêmes phénomènes qu'antérieurement. »

Par la suite, Rudi assista aux séances et ses facultés allèrent en se développant cependant que celles de Willy décroissaient.

Rudi fut alors étudié par le Dr de Schrenk-Notzing, par le Pr Holub et par le Dr Thoma de Vienne. Puis, notre médium voyagea et fut examiné en maintes villes d'Europe par de nombreux savants et métapsychistes. En 1929 et en 1930, Harry Price l'étudia assez longuement en son *National Laboratory Psychical Research*. Les phénomènes observés, qui consistèrent en télékinésies et ectoplasmies, furent les plus remarquables. Ainsi que nous l'avons vu, Rudi fut étudié à Paris en 1930 et 1931.

STELLA C. (née en 1900). — Le médium anglais Stella C. fut un remarquable sujet à effets physiques. Il fut étudié par Harry Price au cours de 13 séances effectuées de mars 1923 à octobre 1923. « Le nombre 13, écrit Harry

Price, se montra funeste en ce qui nous regarde, car, après la 13ème séance, Stella m'informa par lettre qu'elle avait décidé de ne pas continuer nos réunions. Son emploi lui prenait tout son temps et elle disait qu'après les séances elle se sentait très fatiguée, ce qui est plus que probable. »

Stella n'était pas un médium professionnel, et c'est à la suite de quelques phénomènes spontanés qu'elle connut ses pouvoirs. Elle ne s'en préoccupait pas parce qu'ils ne se manifestaient que deux ou trois fois par an. Harry Price, ayant eu connaissance des faits, décida la jeune fille à se prêter à des séances régulières. Elles eurent lieu dans d'excellentes conditions de contrôle, à la lumière rouge d'une lampe de 60 bougies. D'ailleurs, à peine en transe, Stella ne faisait aucun mouvement.

Harry Price apporta, semble-t-il, un soin particulier à l'examen objectif des phénomènes, grâce à l'emploi de thermomètres enregistreurs et de divers dispositifs très ingénieux : double table, télékinétoscope, appareils à ombres, indicateur de pression.

Les principaux phénomènes observés furent des télékinésies, des abaissements de température, des luminosités, des formations téléplasmiques de forme bulbeuse. Au cours d'une séance, une forte table fut brisée, les pieds furent arrachés, les joints éclatèrent, le plateau se fendit avec grand bruit.

Stella n'était pas seulement un médium à effets physiques; c'était aussi un sujet métagnome remarquable. Il est regrettable que ce médium ne se soit pas prêté à de plus nombreuses expériences.

Psychistes - Métapsychistes - Hypnologues

AKSAKOF (Alexandre) (1832-1903). — Alexandre Aksakof, né à Saint-Pétersbourg en 1832, était conseiller d'Etat en Russie. Il s'intéressa au spiritisme dès 1855, et, après de longues et patientes recherches, arriva à la certitude que les phénomènes paranormaux étaient authentiques. Chaque fois qu'un sujet métapsychique lui était signalé en quelque coin du monde, il se rendait aussitôt au lieu désigné. C'est ainsi qu'il étudia les grands médiums de son temps : Kate Cook, Home, Eglinton, Mme d'Espérance, Eusapia, etc.

La censure russe ne permettant pas facilement l'édition des œuvres d'occultisme, Aksakof fit de l'Allemagne son terrain de propagande. En 1874, il fonda les *Psychische Studien* qui continuèrent à paraître à Leipzig, après sa mort, sous le titre : *Zeitschrift für Parapsychologie*, grâce au baron von Schrenk-Notzing. (Notons au passage que le terme *parapsychologie* n'est pas récent.) En 1890, il publia son ouvrage magistral : *Animismus und Spiritismus*, universellement connu et destiné à répondre aux attaques du Dr Hartmann contre le spiritisme. Ce livre, bourré de documents, est fort intéressant, mais, malheureusement, la critique des phénomènes n'y est généralement pas faite. Il a été traduit en français sous le titre : *Animisme et Spiritisme.*

BABINSKI (Joseph-François-Félix) (1857-1932). — Babinski, médecin français d'origine polonaise, fut d'abord chef de clinique de Charcot à la *Salpêtrière*, puis médecin des hôpitaux de Paris. Il a complètement transformé les conceptions sur l'hystérie et l'hypnotisme qu'il a considérés comme étant des manifestations de pithiatisme.

BARRETT (William) (1844-1925). — William Fletcher Barrett, né en 1844 à la Jamaïque, où son père était pasteur évangélique, fit ses études en Angleterre et embrassa la carrière scientifique. D'abord professeur de sciences au

Collège International près de Londres, il occupa ensuite, de 1873 à 1910, la chaire de physique expérimentale au *Collège Royal* à Dublin. On lui doit de remarquables travaux de physique expérimentale (découverte de la recalescence, étude des alliages, etc.) qui lui valurent de hautes distinctions : le ruban bleu de l'ordre de la science, l'élection à la *Société Royale* de Londres et le titre nobiliaire de chevalier qui lui fut conféré par le roi en 1912.

Ses premières recherches en métapsychique portèrent sur la transmission de pensée et sur quelques phénomènes spirites. Aucun journal scientifique ne voulant les publier, il résolut de fonder une société pour l'étude de ces phénomènes. Et c'est ainsi que fut créée, avec l'aide de F.-W.-H. Myers, Mr. et Mrs. Sidgwick, E. Gurny, Balfour-Stewart, A. Hopkinson, la *Society for Psychical Research* de Londres (S.P.R.). H. Sidgwick en fut le président, car Barrett, résidant à Dublin, ne pouvait en assurer la direction effective. Les premiers travaux de la Société portèrent sur la télépathie et Barrett y apporta une contribution notable (*Proceedings*, vol. 1, passim). Il fit ensuite des recherches sur la vision des champs magnétiques par les sensitifs, mais, à cet égard, il n'est pas certain qu'il ait pris suffisamment de précautions pour éliminer le phénomène suggestif. Le travail suivant porta sur un cas remarquable de poltergeist (*Proceedings*, vol. 13, part. 32) c'est-à-dire de maison hantée. Mais son étude la plus importante fut consacrée en 1897 à la baguette divinatoire. En s'appuyant sur les faits, il démontra que la baguette n'était qu'un moyen de révéler la clairvoyance du sujet et cette conclusion est restée inébranlable.

BERGSON (Henri) (1859-1941). — Né à Paris en 1859 d'un père juif polonais et d'une mère d'origine irlandaise, Henri Bergson vécut à Londres jusqu'à l'âge de neuf ans et revint à Paris en 1868.

Reçu second au concours d'agrégation de philosophie en 1881 — Jaurès étant le premier —, il fut nommé professeur de philosophie, d'abord à Angers, puis à Clermont-Ferrand. Ce fut dans cette dernière ville, en méditant sur les fameux problèmes posés par le Grec Zénon d'Elée et tout particulièrement sur celui d'Achille et de la tortue, qu'il découvrit l'importance de l'intuition dans la vie mentale. D'où, en 1889, sa thèse de doctorat : *Essai sur les données immédiates de la conscience.* En 1900, il fut choisi pour occuper une chaire au *Collège de France.* Là, ses cours du vendredi devinrent célèbres et furent fréquentés non seulement par des philosophes et des étudiants mais aussi par beaucoup de mondains et surtout de mondaines plus attirés par le charme de l'éloquence que par la profondeur de la doctrine.

« Un silence descendait dans la salle de conférences, écrit Jacques Chevalier, lorsqu'on voyait apparaître sans bruit Henri Bergson, dans le fond de l'amphithéâtre, et s'asseoir sous la lampe discrète, les mains libres et ordinairement jointes, sans une note... La parole était lente, noble, régulière, d'une surprenante précision, avec des intonations caressantes, musicales, et une nuance de coquetterie. La forme était d'une perfection achevée, si parfaite qu'on y sentait à peine l'art... »

Le succès de Bergson franchit bientôt nos frontières et les Universités étrangères se disputèrent l'illustre philosophe. C'est ainsi que Bergson donna de nombreuses conférences à *Columbia University* de New York. En 1914, le gouvernement français utilisa ce prestige et envoya Bergson aux Etats-Unis. La même année, il avait été élu à l'*Académie française.* Au reste, il faisait déjà partie de l'*Académie des Sciences morales et politiques* depuis 1901. En 1928, il reçut (pour l'année 1927) le *Prix Nobel* de littérature.

Comme il se devait, cet homme, d'une intelligence exceptionnelle, s'intéressa vivement à la métapsychique. Il suivit les travaux de la *Society for Psychical Research* de Londres et réalisa quelques expériences avec Eusapia Paladino. C'est ce qui lui valut, en mai 1913, d'être appelé à la présidence de l'illustre société psychique anglaise. Dans le beau et important discours qu'il prononça le 28 mai 1913 en prenant possession du siège présidentiel, on peut trouver les marques de la convenance intime qui existe entre l'esprit bergsonien et les visées de la science métapsychique. On y trouve aussi cette judicieuse remarque, toujours d'actualité, qui s'adresse aux négateurs systématiques du paranormal, incapables de s'incliner devant la réalité des faits : « Je voudrais montrer que derrière les préventions des uns, les railleries des autres, il y a, invisible et présente, une certaine métaphysique inconsciente d'elle-même, — inconsciente et par conséquent inconsistante, inconsciente et par conséquent incapable de se modeler sans cesse, comme doit le faire une philosophie digne de ce nom, sur l'observation et l'expérience —, que d'ailleurs cette métaphysique est naturelle, qu'elle tient à un pli contracté depuis longtemps par l'esprit humain, et que, dès lors, nous avons tout intérêt à aller chercher derrière les critiques ou les railleries qui la cachent, afin de nous mettre en garde contre elle. »

Dans *Les deux Sources de la Morale et de la Religion,* qui parut en 1932, Bergson précise sa pensée en écrivant : « Mais on ne comprendrait pas la fin de non-recevoir que de vrais savants opposent à la recherche psychique si ce n'était qu'avant tout ils tiennent les faits rapportés pour « invraisemblables »; ils diraient « impossibles », s'ils ne savaient qu'il n'existe aucun moyen convenable d'établir l'impossibilité d'un fait; ils sont néanmoins convaincus, au fond, de cette impossibilité. Et ils en sont convaincus parce qu'ils jugent incontestable, définitivement prouvée, une certaine relation entre l'organisme et la conscience, entre le corps et l'esprit. Or, cette relation n'est pas démontrée par la science, mais est exigée par une métaphysique. »

BERNHEIM (Hippolyte) (1837-1919). — Le Dr Bernheim, professeur agrégé à la *Faculté de Strasbourg*, s'établit à Nancy et consacra la plus grande partie de son activité à l'étude de l'hypnotisme et de la suggestion. Ses principaux ouvrages sur l'hypnotisme et la suggestion sont : *De la Suggestion dans l'état hypnotique et à l'état de veille* (1884); *De la suggestion et de ses applications à la thérapeutique* (1886); *Hypnotisme, suggestion et psychothérapie* (1890) (2ème édition en 1903 avec considérations nouvelles sur l'hystérie); *L'Hypnotisme et la suggestion dans leurs rapports avec la médecine légale* (1897).

BOIRAC (Emile) (1851-1917). — Emile Boirac fut l'un des rares universitaires qui, rompant avec les préjugés et se souciant peu des « qu'en dira-t-on », s'adonnèrent aux recherches psychiques avec continuité et constance. D'abord professeur de philosophie, il fut ensuite inspecteur de l'Académie de Grenoble et enfin recteur de l'Académie de Dijon. En qualité de professeur de philosophie, il publia des manuels de psychologie, de philosophie et de pédagogie remarquables par leur richesse de pensée et par leur clarté. Son *Traité de philosophie* fut, pendant longtemps, le livre de chevet des étudiants en philosophie. Boirac était aussi très connu comme vulgarisateur de l'Esperanto.

C'est par l'intermédiaire du magnétisme et de l'hypnotisme que Boirac aborda l'étude des phénomènes métapsychiques proprement dits. Esprit pondéré et méthodique, il pensait que l'on devrait d'abord explorer à fond les phénomènes hypnoïdes et magnétoïdes avant de s'engager dans l'étude des grands phénomènes tels que l'ectoplasmie :

« La science des phénomènes hypnoïdes, écrivait-il, doit être considérée comme la condition préalable de l'étude des phénomènes magnétoïdes, et l'une et l'autre devront être poussées assez loin avant qu'il soit possible d'aborder avec quelque espoir de succès l'exploration scientifique des phénomènes spiritoïdes. »

Cette idée fut combattue par le Dr Geley qui affirma que « la méthode scientifique véritablement adéquate à la métapsychique résidait, tout entière, dans cette formule : considérer comme provisoirement négligeables tous les phénomènes élémentaires et s'attaquer immédiatement et systématiquement aux phénomènes les plus compliqués que nous connaissions. »

En 1908, Boirac publia sa *Psychologie Inconnue,* à laquelle l'*Académie des Sciences* décerna le prix *Fanny Emden.* Cet ouvrage eut deux éditions, ce qui est assez remarquable pour un livre métapsychique. En 1917, il fit paraître *L'Avenir des Sciences Psychiques.* Dans ses écrits, Boirac insiste sur la méthodologie en métapsychique.

Comme beaucoup de savants, et parce que trop grand honnête homme, Boirac fut parfois mystifié, par Pickman en particulier, mais ce fait ne diminue guère la valeur de son œuvre qui, ainsi que nous venons de le dire, est dominée par les problèmes de logique appliquée.

BOZZANO (Ernest) (1862-1943). — Venu à la métapsychique en 1891 après une véritable crise de conscience déterminée, chez ce positiviste, par l'étude des ouvrages d'Aksakof, il évolua rapidement vers le spiritisme militant. Son œuvre écrite est considérable puisqu'elle comprend de 15 000 à 16 000 pages. Ses principaux ouvrages traduits en français sont : *Les phénomènes de hantise* (1920); *Phénomènes psychiques au moment de la mort* (1923); *Les Enigmes de la psychométrie. Les Phénomènes de télesthésie* (1927); *Des Manifestations supranormales chez les peuples sauvages* (1927); *Les Manifestations métapsychiques et les animaux* (1929); *Pensée et volonté* (1929); *La Médiumnité polyglotte* (1934); *Les Phénomènes de bilocation* (1937).

Ernest Bozzano était membre d'honneur de l'*Institut Métapsychique International.*

BRAID (James) (1795-1860). — Chirurgien anglais qui fut le promoteur de l'hypnotisme. Il constata qu'en plaçant un objet brillant à quelques centimètres des yeux d'un sujet, celui-ci s'endormait au bout de quelques minutes, à condition qu'il le voulût fermement.

CHARCOT (Jean-Martin) (1825-1893). — Le Dr Charcot fut d'abord médecin des hôpitaux puis professeur d'anatomie pathologique, membre de l'*Académie de médecine*, et, enfin, membre de l'*Académie des sciences*. Ce sont surtout ses travaux relatifs à l'anatomie pathologique et à la clinique des maladies qui l'ont rendu célèbre. Ses leçons à la *Salpêtrière* eurent un immense retentissement : elles furent traduites dans toutes les langues. Malheureusement, ses études sur l'hystérie et l'hypnotisme furent viciées par la simulation. Citons parmi ses écrits: *Leçons cliniques sur les maladies des vieillards et les maladies chroniques* (1868); *Leçons sur les maladies du système nerveux, faites à la Salpêtrière* (1873); *Leçons sur les localisations dans les maladies du cerveau et de la moelle épinière* (1880); *Leçons sur les maladies du système nerveux faites à la Salpêtrière* (1884); *Les Démoniaques dans l'art* (1887).

On a donné le nom de Charcot à plusieurs symptômes dont il a établi la valeur en séméiologie.

CROOKES (William) (1829-1919). — William Crookes fut l'un des plus illustres physiciens anglais de la fin du XIXe siècle. Dans sa dix-neuvième année, il était déjà assistant du Pr Hoffman au *Collège Royal de chimie*; l'année d'après, il fut nommé professeur suppléant. A vingt-deux ans, il était directeur de l'*Observatoire météorologique* d'Oxford, et, à vingt-trois ans, professeur de chimie à Chester.

Il découvrit le *thallium*, ce qui lui valut son entrée dans la *Royal Society* (Académie des Sciences), inventa le *radiomètre* et les *tubes dits de Crookes*. Il fit de plus des recherches fructueuses en astronomie et en spectroscopie. Il était directeur des *Chemical News* et du *Quaterly journal of science*. Enfin, il devint très tôt membre correspondant de notre *Académie des Sciences*.

Ses expériences avec les médiums célèbres, Miss Kate Fox et D.-Dunglas Home, sont universellement connues et certaines d'entre elles demeurent fondamentales.

C'est entre 1861 et 1873 que W. Crookes étudia D.-D. Home. Alors commence, écrit Ch. Richet, la période scientifique de la métapsychique. Effectivement, les expériences de Crookes avec Home sont caractérisées par leur précision et leur rigueur. On peut les considérer comme authentiquement paranormales.

En revanche, William Crookes fut, croyons-nous, moins heureux dans ses recherches avec Miss Florence Cook. Pendant tout un hiver (1874), l'esprit de Katie King, dû à la médiumnité de Florence Cook, apparut, presque chaque jour, dans le laboratoire ou dans la bibliothèque du savant. Parfois, les séances eurent lieu chez Miss Cook elle-même. Katie King était aussi matérielle qu'un être vivant. Elle allait, venait, parlait, se laissait photographier.

William Crookes a publié les comptes rendus de ses expériences dans *Experimental investigations on psychic force* (Londres, 1871) et dans l'ouvrage plus complet *Researches on the phenomena of spiritualism* (Londres, 1874) traduit en français sous le titre : *Recherches sur les phénomènes du spiritualisme*. Or, en ce qui concerne les apparitions de Katie King, la lecture de ce document laisse place à tous les doutes.

Néanmoins, l'épisode Katie King éliminé, on peut dire, avec Charles Richet, que les travaux métapsychiques de Crookes sont « du granit ».

FLAMMARION (Camille) (1842-1925). — Camille Flammarion, qui est surtout connu comme astronome, consacra néanmoins une grande partie de son activité aux études psychiques. Dans ses *Mémoires*, il raconte son anxiété lorsque, âgé de sept ans, il croisa un enterrement. Et il posa cette question à un camarade : « Est-ce que je mourrai aussi? » Sur la réponse affirmative de son ami, il répliqua : « Ce n'est pas vrai, on ne doit pas mourir. » Et il rêva à cela, dit-il, plusieurs jours, plusieurs semaines, plusieurs mois. Cette conviction innée le poussa donc, dès sa jeunesse, à étudier le problème de la vie ainsi que les forces naturelles, connues ou inconnues, nombreuses et variées dans leurs manifestations.

Avec son esprit généreux et passionné, avide de nouveautés, il recueillit, examina, scruta, analysa d'innombrables documents « psychiques » provenant de correspondants français ou étrangers et en fit la matière essentielle de ses ouvrages consacrés au paranormal : *Les Forces naturelles inconnues* (2 vol., 1907); *L'Inconnu et les problèmes psychiques* (2 vol., 1900, Nlle éd. 1911); *La Mort et son mystère* (3 vol., 1920, 1921, 1922); *Les Maisons hantées* (1 vol., 1923, Editions J'ai Lu. A. 247**). Mais cette méthode d'investigation métapsychique présente d'inconstestables difficultés, car, en l'occurrence, séparer le bon grain de l'ivraie n'est pas chose aisée à moins de se livrer à de longues et pénibles enquêtes.

Il faut d'ailleurs ajouter que Flammarion ne se borna pas à solliciter des documents paranormaux. Il fut aussi un expérimentateur habile, prudent et avisé. C'est ainsi qu'il réussit avec Eusapia, et, à l'époque où il opéra, ce n'était pas chose facile, à photographier des tables en lévitation.

En tout cas, comme l'a proclamé le Pr Charles Richet, s'adressant à Camille Flammarion, lors de son Jubilé scientifique, le 26 février 1912, « il faut un grand courage pour chercher à résoudre, avec des moyens imparfaits et des ressources précaires, par des méthodes incertaines, à l'aide de documents contradictoires, quelques-uns des grands mystères qui, jusqu'à présent, ont été, et, par malheur, restent encore ensevelis dans d'épaisses ténèbres.

« Vous l'avez tenté, ajouta-t-il, vous, mon cher ami; vous avez, dès le début de votre glorieuse carrière, compris qu'il y avait dans « Les Forces naturelles inconnues » ample matière à des recherches, à des méditations. »

Dans le domaine scientifique et surtout astronomique, l'œuvre de Camille Flammarion est immense et l'on reste confondu, même à la lecture de son exposé succinct. Travailleur acharné, savant désintéressé, chercheur infatigable, cet homme extraordinaire ne vivait réellement que pour le plaisir d'étudier et surtout pour la joie de communiquer à autrui l'amour de la science du ciel qu'il affectionnait par dessus tout. Pendant toute sa vie, il s'est efforcé de « populariser » l'astronomie (et non de la vulgariser), de faire comprendre aux foules les merveilles de l'Univers. En 1882, il fit paraître le premier numéro de la revue *L'Astronomie*, et, le 18 janvier 1887, il fonda la *Société Astronomique de France,* toujours prospère.

Bien peu d'hommes ont connu, comme lui, une audience aussi grande, s'étendant, on peut le dire, à toute la Terre et à toutes les classes de la société. « Rarement, écrit Emile Touchet, exception faite pour les fondateurs des grandes religions et des doctrines philosophiques, un homme exerça une telle influence sur les esprits, faisant, par ses ouvrages, des milliers et des milliers d'adeptes, amenant chaque jour à la science de nouveaux disciples. »

Aussi, même à notre époque, le nom de Flammarion est, pour beaucoup, synonyme d'astronomie.

Ainsi que nous l'avons dit, son œuvre est immense. Outre

d'innombrables articles philosophiques et scientifiques, elle comprend essentiellement une dizaine d'ouvrages d'astronomie pratique, 15 ouvrages d'enseignement de l'astronomie parmi lesquels sa célèbre *Astronomie populaire*; 10 ouvrages scientifiques divers, 7 ouvrages philosophiques, 8 ouvrages métapsychiques et 6 ouvrages littéraires.

Ajoutons que Camille Flammarion créa l'observatoire astronomique de Juvisy qu'il compléta par une station météorologique et une station de radio-culture, qu'il fit, dans un but scientifique, de nombreuses ascensions en ballon libre, et, enfin, qu'il fut un ardent défenseur de la paix entre les hommes.

Camille Flammarion était membre du Comité de l'*Institut Métapsychique International.*

FLOURNOY (Théodore) (1854-1920). — Les étapes universitaires du Pr Flournoy de Genève sont les suivantes : docteur en médecine à Strasbourg en 1878 (thèse sur l'embolie graisseuse). Professeur extraordinaire de psychologie physiologique en 1891. Professeur ordinaire de psychologie expérimentale en 1908. Professeur ordinaire de philosophie, d'histoire et de philosophie des sciences en 1915. Professeur honoraire en 1919.

L'œuvre magistrale de Th. Flournoy est certainement *Des Indes à la planète Mars* (Genève 1900) dans laquelle l'auteur met en évidence le rôle de la division de la personnalité dans les phénomènes spiritoïdes. Il montre comment s'élaborent les « romans subliminaux » et donne une explication vraisemblable des souvenirs des « vies antérieures ». On peut dire que son livre fait date dans l'histoire de la métapsychique.

Cependant, Flournoy n'a pas toujours été d'une impartialité absolue dans l'examen des faits. Il déclara qu'il était *a priori* hostile à toute interprétation supposant l'intervention d'une intelligence étrangère. Cette seule pensée provoquait en lui, disait-il, une hilarité nerveuse. Les mouvements sans contact ne l'intéressaient pas : « Que les objets se meuvent ou ne se meuvent pas, écrit-il, cela m'est prodigieusement indifférent. »

Notons enfin que les médiums lui causèrent quelques désillusions. Dans une lettre autographe inédite que nous possédons, il écrit : « Le caractère des médiums est souvent impossible, et ce m'est un soulagement indicible d'en avoir fini avec Mlle Smith, car, avec elle, je m'en suis vu parfois de grises et me suis usé en diplomatie pendant les années où je l'étudiais. »

Toutefois, malgré ces critiques, en somme secondaires, l'œuvre métapsychique de Th. Flournoy demeure capitale et, à certains points de vue, peut être considérée comme un modèle du genre. Elle est composée des ouvrages suivants : *Des Indes à la planète Mars* (1900); *Esprits et médiums* (1911); *La Philosophie de W. James* (1911). Th Flournoy a écrit en outre : *Métaphysique et psychologie* (1890); *Les Phénomènes de synopsie* (1893); *Principes de la psychologie religieuse* (1903); *Le Génie religieux* (1904). On lui doit aussi de nombreux et remarquables articles parus dans les *Archives de Psychologie.*

DE FONTENAY (Guillaume) (1861-1914). — Ancien officier, Guillaume de Fontenay commença à s'intéresser aux phénomènes métapsychiques vers 1896. En 1898, il publie son ouvrage : *A propos d'Eusapia Paladino*, qui contient de remarquables photographies de tables en lévitation.

Bien que foncièrement spiritualiste, G. de Fontenay était un positiviste en métapsychique. Il découvrit les erreurs où étaient tombés les Baraduc, les Darget, les Ochorowicz dans leurs expériences d'effluviographie ou de photographie transcendante. L'*Académie des Sciences* approuva cette partie de son œuvre en lui décernant le prix *Fanny Emden.*

G. de Fontenay restera l'un de ceux qui ont le plus contribué à éliminer de la métapsychique un certain nombre de faits erronés et l'un des premiers qui introduisirent le contrôle photographique dans l'étude des phénomènes physiques de la médiumnité.

GELEY (Gustave) (1865-1924). — Après de brillantes études médicales à la *Faculté de Lyon*, en qualité d'interne des hôpitaux, le Dr Geley exerça à Annecy la profession de médecin jusqu'en 1918.

« Par sa sagacité médicale, par sa courtoisie, par son zèle pour ses malades, il s'acquit, écrit Charles Richet, une grande réputation. Il était devenu le médecin le plus écouté, non seulement d'Annecy, mais encore de toute la région. Rien ne pouvait donc faire supposer qu'il abandonnerait cette belle profession qu'il aimait et qui lui donnait des satisfactions de toutes sortes.

« Cependant, le démon de la recherche, démon terrible, exigeant et impérieux, s'empara bientôt de lui. Il avait pu observer des faits de lucidité, de somnambulisme, de prémonition qui le troublèrent d'abord, puis le convainquirent, de sorte que, tout en s'adonnant pacifiquement à sa clientèle, il poursuivait ses investigations téméraires dans le domaine maudit des sciences occultes. » Ses premières recherches sont consignées dans son ouvrage publié en 1897 : *Essai de revue générale et d'interprétation synthétique du spiritisme.*

Mais les travaux qui attirèrent sur lui l'attention des métapsychistes datent de 1916, époque à laquelle il commença, en collaboration avec Mme Bisson, une série d'expériences avec le médium Eva C. Celles-ci se poursuivirent jusqu'en 1918.

En 1919, sur les instances amicales du Pr Richet et du

Pr Santoliquido, conseiller d'Etat d'Italie, Geley prend la direction de l'*Institut Métapsychique International* (I.M.I.) qui venait d'être fondé par M. Jean Meyer et qui fut reconnu d'utilité publique, le 23 avril 1919.

A peine installé au 89, avenue Niel, siège de l'I.M.I., Geley fait venir de Pologne le célèbre médium à matérialisations Franek Kluski et entreprend avec cet extraordinaire sujet de retentissantes expériences d'ectoplasmie.

En 1922 et en 1923, il donne avec Guzik une série de séances de démonstration qui aboutissent au fameux manifeste des 34. Plus de quatre-vingts personnalités de l'élite parisienne assistèrent à ces séances, et, comme nous l'avons dit, il y avait, parmi les assistants, des professeurs de médecine et de droit, des membres de l'*Académie des Sciences* et de l'*Académie française*, des médecins, des écrivains, des ingénieurs, des experts de police. A part trois ou quatre, qui eurent la malchance de se trouver à quelques séances négatives, tous les expérimentateurs déclarèrent qu'ils étaient convaincus de la réalité de la télékinésie et de certaines manifestations lumineuses ou ectoplasmiques. Ceux qui avaient le plus longuement suivi les expériences signèrent un rapport synthétique, prudent et mesuré, mais très affirmatif : *Le Manifeste des 34*. Le document porte en réalité 35 signatures, mais une erreur primitive de typographie l'a popularisé sous ce titre.

En 1924, le Dr Geley étudie le médium italien à effets lumineux, Erto, et décèle la fraude. « Il est bon, écrit à ce propos Charles Richet, de le rappeler ici pour prouver, s'il en était besoin, que c'est toujours par les métapsychistes que les tromperies des médiums sont découvertes; jamais ce ne sont les *autres*, c'est-à-dire les incompétents, qui ont dévoilé les trucs des médiums. »

Bien que visiblement porté vers l'étude des grands phénomènes physiques de la médiumnité, Geley ne négligea pas cependant la métapsychique intellectuelle, et, de 1921 à 1923, il réalisa soit à Varsovie, soit à Paris, une série d'expériences décisives de cryptesthésie avec le médium polonais Stéphan Ossowiecki. Il avait auparavant, en 1920, dirigé une enquête sur la lucidité à objectif humain.

Malheureusement, la mort brutale le surprend en pleine activité. Après avoir assisté à Varsovie à quelques séances de matérialisations avec Franek Kluski il prend un avion pour Paris où l'attendaient de nouveaux travaux. Mais c'est la chute fatale au-dessus des faubourgs de Varsovie. Geley, retiré meurtri des débris de l'appareil, tenait encore à la main une petite valise dans laquelle on retrouva les fragments des moules ectoplasmiques qu'il avait obtenus au cours de ses dernières expériences. Fait curieux, le pilote de l'avion régulier Varsovie-Paris, ayant appris l'existence des moules ainsi que leur origine, refusa de partir avec ces objets qu'il considérait comme « diaboliques et maléfiques » et le Dr Geley dut affréter un avion spécial.

Le Dr Geley ne fut pas seulement un expérimentateur hardi, il fut aussi un théoricien de la métapsychique, disons plutôt, un métaphysicien du paranormal.

Il croyait à une sorte d'évolutionnisme providentiel et moral et il tenta d'asseoir ses idées sur des bases scientifiques et métapsychiques. Dans ses conceptions, les phénomènes paranormaux n'apparaissent plus comme des faits aberrants, mais viennent, au contraire, s'insérer harmonieusement dans le déroulement régulier des choses.

Par ses conceptions, Geley rejoint les grandes religions hindoues, les doctrines de Pythagore, de Platon, d'Averroès, de Spinoza, de Schopenhauer, de Novalis.

L'œuvre expérimentale et philosophique de Geley se trouve dans les ouvrages suivants :

Essai de revue générale et d'interprétation synthétique du spiritisme, (Lyon, 1897); *L'Etre subconscient,* (Paris 1899); *Monisme idéaliste et palingénésie,* (Annecy, 1912); *La Physiologie dite supranormale et les phénomènes d'idéoplastie,* (Paris, 1918); *De l'Inconscient au conscient,*

(Paris, 1919); *L'ectoplasmie et la clairvoyance*, (Paris, 1924).

Tous ces livres sont passionnants et de lecture facile. A l'encontre de certaines théories ou de vues philosophiques à bases métapsychiques, dont la caractéristique principale est d'être absconses et proprement impénétrables, les conceptions de Geley sont simples, claires, lumineuses même.

Malheureusement, Geley manque parfois de précision dans ses comptes rendus, et, c'est là, si l'on peut dire, un défaut de ses qualités, une exagération dans la recherche de la netteté d'expression. Ses rapports, en effet, sont quelquefois « synthétiques », ce qui ne satisfait pas l'esprit avide de détails circonstanciés. De plus, au début d'une relation d'expériences d'ectoplasmie ou de télékinésie, on lit souvent une phrase comme celle-ci : « précautions et contrôle habituels ». Voilà qui est très insuffisant lorsqu'on a à décrire des faits aussi importants et aussi discutés que le sont les phénomènes physiques paranormaux. Dans ces conditions, le lecteur est incapable de se faire une opinion correcte sur la valeur de l'expérience.

Nous estimons, quant à nous, qu'un rapport d'expériences n'est pas nécessairement un morceau de rhétorique. Ce doit être, avant tout, une simple mais intégrale sténographie de tout ce qui s'est dit, fait et passé.

HYSLOP (James-Harvey) (1854-1920). — Né en 1854 à Xenia, Ohio, Etats-Unis, James-Harvey Hyslop fit ses études au *Collège de Wooster*, et, ensuite, pendant quelques années, à l'Université de Leipzig. C'est en qualité de professeur de philosophie qu'il occupa la chaire de logique et d'éthique de l'Université de Columbia mais il donna sa démission, en 1902, pour raison de santé. Il fut secrétaire de la branche américaine de la *Société de Recherches psychiques anglaise (S.P.R.),* et ensuite premier président de la *Société de Recherches psychiques américaine.*

Dans ses travaux philosophiques et dans ses recherches métapsychiques, le Pr Hyslop s'est montré avant tout un logicien et c'est par le raisonnement qu'il est arrivé à la conviction de la survivance. Si, disait-il en substance, il est à la rigueur possible d'expliquer les communications médiumniques par la télépathie, cela prouve néanmoins l'existence d'un monde transcendantal et permet d'affirmer que le cerveau n'est pas l'instrument nécessaire de la conscience.

Les principales œuvres métapsychiques du Pr Hyslop sont les suivantes : *Borderland of Psychical Research; Enigmas of Psychical Research; Science and a Future Life; Psychical Research and the Resurrection* (résumé des trois volumes précédents); *Life After Death; Contact With the Other.* Il publia également des travaux philosophiques parmi lesquels on peut citer : *Elements of Logic; The Ethic of Hume; Elements of Ethic; Logic and Argument; A Syllabus of Psychology.*

INSTITUT METAPSYCHIQUE INTERNATIONAL (I.M.I.)

L'Institut Métapsychique International a été fondé, en 1919, par des personnalités scientifiques groupées autour du grand physiologiste Charles Richet et grâce à l'aide financière de M. Jean Meyer. Son premier Comité de direction et d'administration comprenait les noms suivants : Pr Charles Richet, de l'*Institut de France*, président d'honneur; Pr Rocco Santoliquido, *conseiller d'Etat d'Italie*, conseiller technique de *Santé publique internationale*, président; comte A. de Gramont de l'*Institut de France*, vice-président; Dr Gustave Geley, directeur; Saurel, trésorier; Dr Calmette, médecin-inspecteur général; Gabriel

Delanne, psychiste; Camille Flammarion, astronome; Jules Roche, ancien ministre; Dr J. Teissier, professeur de clinique médicale à la *Faculté de Lyon.*

Par décret du 23 avril 1919 l'*Institut Métapsychique International* a été reconnu d'utilité publique.

Son siège, qui est à Paris, était situé, depuis sa fondation et jusqu'en 1955, dans un magnifique immeuble au 89, avenue Niel (XVIIe), et se trouve, depuis cette dernière date, dans un plus modeste local, 1, place Wagram (XVIIe).

L'I.M.I. possède un laboratoire pourvu d'instruments d'expériences et d'enregistrement, une bibliothèque, une salle de lecture et une salle de conférences. Il publie la *Revue Métapsychique* qui rend compte des recherches de l'Institut ainsi que de l'activité métapsychique et parapsychologique mondiale. Les buts de l'I.M.I. sont absolument désintéressés. Non seulement nul bénéfice matériel ne saurait être attendu de ses travaux, mais ceux-ci nécessitent l'aide financière des personnes ou des groupements qui veulent bien s'y intéresser.

Les présidents et directeurs de l'*Institut Métapsychique International* ont été sucessivement :

Présidents : Pr Rocco Santoliquido (1919-1930); Pr Charles Richet (1930-1935); Dr Jean-Charles Roux (1935-1940); Dr E. Lenglet (1940-1947); Dr F. Moutier (1948-1949); René Warcollier (1950-1962); Dr Martiny.

Directeurs : Dr Geley (1919-1924); Dr Osty (1925-1938).

A l'heure où nous écrivons, le comité de direction et d'administration de l'institut est ainsi constitué :

Président : Maurice Martiny, docteur en médecine, professeur à l'*Ecole d'Anthropologie.*

Ange Raymond Antonini.

Alain Assailly, docteur en médecine.

Jean Barry, docteur en médecine.

Gilbert Billiemaz, avocat à la Cour.

Gérard Cordonnier, ingénieur en Chef du Génie Maritime.
René Dufour, docteur ès sciences.
Mme Yvonne Duplessis, professeur de philosophie.
René Hardy, ingénieur-conseil, docteur ès sciences.
Raphaël Khérumian.
Hubert Larcher, docteur en médecine.
François Masse, Commissaire général de la Marine.
Mme Simone Saint-Clair, femme de Lettres.
Robert Tocquet, professeur à l'*Ecole d'Anthropologie* et dans les classes préparatoires aux *Grandes Ecoles Scientifiques*.
Pierre Warcollier, docteur en médecine.
Secrétaire : Mme J. M. Seemuller.

Parmi les membres d'honneur de l'I.M.I. citons :

Président : Gabriel Marcel, membre de l'*Institut de France*.

Vice-Présidents : Marcel Osty, ingénieur. Jean Chevalier. Mrs Eileen J. Garrett, Présidente de *Parapsychology Foundation*, New York (U.S.A.); Dr William Mackensie, Président d'honneur de la *Società Italiana di Metapsichica*, Rome (Italie); Dr Henri Desoille, professeur à la *Faculté de Médecine* de Paris; Colonel Keller, Paris; Pr J.-B. Rhine, *Duke University*, Durham (U.S.A.); Pr S.-G. Soal, Berrwsy-Coed, *Wales*; Dr Pierre Prost, psychiatre, Paris; Pr Gardner-Murphy, directeur de *Menninger Foundation* de Topeka, Kansas (U.S.A.).

En outre, treize commissions de travail, qui se proposent d'étudier les différents aspects de la métapsychique (méthodologie, phénomènes subjectifs, phénomènes objectifs, exploration de l'inconscient, problème des guérisseurs, etc.), ont été créées par le Dr Martiny, assisté des membres du comité de direction et d'administration de l'I.M.I. Elles fonctionnent sous les auspices de l'I.M.I., mais, étant constituées par des personnalités (professeurs, médecins, psychiatres, psychologues, ethnologues, physiciens et mathématiciens éminents, etc.) qui, pour la plupart, n'appartiennent pas à l'I.M.I., elles possèdent de ce fait une certaine autonomie vis-à-vis de l'I.M.I.

JAMES (William) (1842-1910). — Le Pr William James est né à New York en 1842, une année avant son frère Henry, romancier célèbre, qui se fit naturaliser anglais. William James s'adonna d'abord à l'étude de la médecine à la *Harvard University* et fut reçu docteur en 1869. Quelque temps après il assuma les fonctions de professeur assistant d'anatomie et de physiologie. Mais la philosophie l'attire, et, en 1885, il est nommé professeur titulaire de philosophie.

Son premier ouvrage de philosophie a été *Le Sentiment de l'Effort*, et, déjà, William James y montre la tendance que prit par la suite sa pensée et qui s'affirma surtout dans *Les Principes de Psychologie,* ouvrage devenu célèbre et classique, et dans *La Volonté de croire.* On y pressent, en effet, son passage à la doctrine pragmatique dont il devint l'apôtre le plus autorisé, sinon le fondateur, car, d'une part, le philosophe et savant américain Charles Sanders Peirce avait, dès 1878, employé le terme, et, d'autre part, le néo-criticisme français et l'humanisme anglais avaient jeté les bases de cette philosophie générale. Ensuite, parut *Les Variétés de l'Expérience Religieuse* dont Addington Bruce a pu dire dans le *Transcript* de Boston : « Même si William James n'avait pas écrit d'autres ouvrages, ce livre lui assurerait une place dans l'histoire de la philosophie. » Enfin, William James publia *Le Pragmatisme.* La doctrine, née de préoccupations théologiques, s'est d'abord proposé de trouver une définition de la vérité religieuse. Puis elle a été conduite à envisager une refonte générale de la notion de vérité. Selon le pragmatisme, le vrai, c'est ce qui est commode, ce qui réussit, dans tous les sens de ces mots, depuis les plus étroits jusqu'aux plus larges et aux plus élevés.

C'est précisément sous l'angle du pragmatisme que William James examina les phénomènes psychiques. C'est-à-dire, en somme, d'une manière sereine et expérimentale.

En 1882, la Société anglaise de recherches psychiques s'était constituée afin « d'étudier, d'une façon organisée et systématique, différentes sortes de phénomènes contestés qui, au premier abord, sont inexplicables à l'aide de toutes les hypothèses connues ». Deux ans plus tard, sur l'initiative de savants et de philosophes où figurait précisément William James aux côtés de Newcomb, Stanley, Hall, Pickering, Peirce, Royce, etc., fut fondée aux Etats-Unis une filiale de la Société anglaise dont l'objet, défini par les statuts, était « l'étude systématique des lois de la nature mentale ».

Cinq commissions furent aussitôt créées : transmission de pensée; apparitions et maisons hantées; hypnotisme; phénomènes médiumniques; psychologie expérimentale.

La clairvoyance des sujets, à l'état de transe, attira longtemps l'attention de W. James, mais ce fut la célèbre Mrs Piper qui entraîna sa conviction. Il tint à vérifier lui-même, après la mort, en 1905, de son ami Hodgson, l'identité de l' « esprit » Hodgson se manifestant par le truchement de Mrs Piper. D'où le fameux rapport sur le *Contrôle-Hodgson de Mrs Piper*, rapport qui conclut formellement à l'existence d'une « volonté de personnification » capable de puiser à des sources paranormales d'information.

Toutefois, les phénomènes qu'il put observer avec Mrs Piper ou avec d'autres médiums de ce genre ne parvinrent pas à lui procurer la preuve irréfutable, qu'il cherchait, de la survivance de la personnalité humaine après la mort corporelle.

C'est également du point de vue pragmatique que W. James s'intéressa à la *Christian Science* (Science chrétienne) et à la *New Thought* (Nouvelle pensée) qui sont à la fois des doctrines métaphysiques et des méthodes de guérison par la pensée. Mais il vit fort bien qu'on pouvait leur attribuer plus d'insuccès que de guérisons ce qui le conduisit à rechercher le mécanisme de celles-ci. D'où ses études sur l'hypnotisme et sur le rôle de la suggestion dans l'apparition des maladies et dans le rétablissement de la santé.

William James est certainement l'un des plus grands et l'un des plus brillants représentants de la philosophie américaine. Dans sa psychologie, il s'y montre également éloigné de l'atomisme intellectuel des associationnistes et de l'intellectualisme des rationalistes. Ses théories sur les émotions sont d'une rare ingéniosité. « L'idée que nous nous faisons naturellement des émotions, écrit-il, c'est que la perception mentale d'un fait excite l'affection mentale appelée émotion, et que ce dernier état d'esprit donne naissance à l'expression corporelle. Ma théorie, au contraire, est que les changements corporels suivent immédiatement la perception du fait excitant et que le sentiment que nous avons de ces changements à mesure qu'ils se produisent, c'est l'émotion. » Il a, d'autre part, comme nous l'avons dit, largement contribué à développer le pragmatisme. Et, à cet égard, la grande originalité de sa pensée réside dans ce fait qu'il a conçu la religion comme un moyen d'agir sur la nature, au même titre que la science. Elle serait, comme celle-ci, une expérience continuelle faite par l'individu dans une partie de l'univers qui échappe aux recherches scientifiques.

JUNG (Carl-Gustav) (1875-1961). — Fils de pasteur, Carl-Gustav Jung fut un enfant précoce : à six ans, il lisait couramment le latin. Il fit ses études de médecine à Bâle, à Zurich et à Paris où il suivit les cours de psychopathologie du Pr Pierre Janet, avant de devenir, en 1907, l'élève et le collaborateur de Sigmund Freud.

Il se sépara de son maître un an après la publication de son premier ouvrage : *Métamorphoses et symboles de la libido.* Les théories psychanalytiques de Jung diffèrent en effet assez profondément de celles de Freud, d'une part, par une sorte de « désexualisation » de la libido élargie en un principe cosmique, et, d'autre part, par l'introduction, à côté de l'inconscient individuel, d'un inconscient collectif, héritage ancestral où se révèlent les « archétypes ». Son influence sur la psychiatrie n'est comparable qu'à celle de Freud et de son compatriote et disciple Alfred Adler. Ses théories sur le psychisme lui ont valu d'innombrables disciples et admirateurs dans le monde entier.

Jung est surtout connu, en métapsychique et en parapsychologie, comme un théoricien ayant substitué le principe de synchronicité à celui de causalité pour expliquer le phénomène *psi.* Il appliqua aussi ce concept à l'astrologie. C'est ainsi que dans son ouvrage *Aion*, il s'attache à mettre en évidence certaines synchronicités cosmiques et historiques.

Mais il fut aussi un expérimentateur. Il eut d'ailleurs l'occasion, dès sa prime jeunesse, d'observer des phénomènes paranormaux d'ordre intellectuel, car sa grand-mère maternelle et sa mère possédaient le don de voyance. Au cours des années 1899 et 1900, Jung organisa de véritables séances de spiritisme et recourut à l'une de ses cousines comme médium. Cette activité lui fournit les bases de sa thèse de doctorat : *Psychologie et pathologie des phénomènes dits occultes.* « Dans cette étude, écrit Aniela Jaffé (*Zeitschrift für Parapsychologie und Grenzgebiete der Psychologie*) s'annonce déjà la notion importante du complexe autonome dans l'inconscient. »

« Mais c'est bien plus tard, note le même auteur, que Jung manifeste de nouveau une attention particulière à ces questions. Dans l'opuscule *Les bases psychologiques de la croyance spirite*, paru en 1919, il explique les « esprits » et autres phénomènes occultes, du point de vue psychologique, comme des complexes inconscients. » Toutefois, trente ans plus tard, Jung n'est plus aussi sceptique à l'égard de l'existence réelle des « esprits » et ne pense plus qu'une simple explication psychologique soit capable de rendre compte de la totalité des phénomènes spirites.

Enfin, dès l'année 1920, Jung poursuivit avec le médium Rudi Schneider une série d'expériences au cours desquelles il observa des phénomènes de télékinésie et d'ectoplasmie. « Il en fut de même dix ans plus tard, nous apprend Aniela Jaffé avec le médium. O. Schl. Cependant, il n'exploita pas scientifiquement ces expériences. »

L'œuvre philosophique de Jung est très importante. Citons, outre les ouvrages déjà signalés : *Psychologie de la démence précoce; Psychologie de l'inconscient; Psychologie et religion; L'intégration de la personnalité; Symbolisme de l'esprit; L'énergétique psychique; Métamorphoses et symboles de l'âme; La guérison psychologique; Les types psychologiques; l'homme à la découverte de son âme; Gestaltungen des Unbewussten; Naturerklarung und Psyche; Psychologie und Alchemie; Mysterim Coniunctionis; Die Wurzeln des Bewusstseins.*

En 1948, il inaugura l'*Institut Carl-Gustav Yung*, créé à Zurich par ses disciples pour être un centre d'études psychanalytiques.

LODGE (Oliver) (1851-1943). — Physicien anglais, auteur de travaux remarquables sur l'optique, l'électricité, la physique de l'éther et la télégraphie sans fil. Recteur de l'Université de Birmingham et membre de la *Royal Society.*

Sir Oliver Lodge s'est intéressé très tôt à la métapsychique. Dès 1884, il était membre de la *Society for Psychical Research.* Il étudia d'abord la métapsychique subjective et particulièrement la télépathie. En 1894, il aborda la métapsychique physique avec Eusapia Paladino. Ensuite, il s'orienta nettement vers le spiritisme dans ses recherches expérimentales avec Mrs Piper, Mrs Verrall, Mrs Thompson et Mrs Leonard. Après la mort de son fils, Raymond, tué à l'ennemi en 1915, sa foi en la survivance s'affermit. A cet égard, il est juste de reconnaître que, si beaucoup de « communications » médiumniques qu'il obtint, et qui semblaient provenir de Raymond décédé, peuvent s'expliquer par la télépathie ou la métagnomie s'exerçant entre vivants, il en est quelques-unes qui laissent subsister un point d'interrogation. Tel est, par exemple, l'épisode du « télégraphe » que nous relatons brièvement.

Les autres fils de Lodge, estimant que les preuves que Raymond désincarné avançait en faveur de sa survivance étaient encore insuffisantes, imaginèrent une épreuve qui leur paraissait pouvoir donner des résultats plus probants. Dans une lettre cachetée, ils remirent à leur père trois questions qui devaient être soumises à Raymond par le truchement d'un médium. Elles se rapportaient à des faits de très peu d'importance dont Raymond aurait dû toutefois se souvenir car ils étaient de date assez récente, mais Oliver Lodge et lady Lodge les ignoraient absolument.

Les trois questions furent posées à Raymond par l'intermédiaire du médium Mrs Leonard. A deux d'entre elles les réponses furent assez bonnes. La première réponse surtout est très significative. La question était celle-ci :

« — Vous souvenez-vous de quelque chose au sujet du mot *Argonautes ?*

« Réponse : — Oui.

« Lodge : — Veux-tu donc me dire ce que cela te rappelle?

« Réponse : — Oui. »

Le mot suivant : *Télégraphe* est alors donné.

Sir Oliver Lodge, ignorant ce que cela pouvait bien vouloir dire, soumit ce résultat à ses fils qui se montrèrent désappointés. Ce n'était pas là la réponse qu'ils attendaient. Mais leurs sœurs se souvinrent alors que, l'année précédente, Raymond, voyageant en touriste dans le Devonshire avec ses frères, avait été au bureau du télégraphe pour envoyer une dépêche à ses parents, afin de leur dire que tout allait bien, et l'avait plaisamment signée : *Argonautes*. Sir Oliver Lodge et Lady Lodge, étant alors en voyage, n'entendirent pas parler de cette dépêche.

Ce qu'il y a d'intéressant dans ce cas, c'est que, si Oliver Lodge et lady Lodge ne connaissaient pas cet incident, les frères de Raymond l'ignoraient aussi de sorte que la réponse qu'ils attendaient était tout autre.

Etant donné qu'en cette circonstance il est assez difficile de parler de télépathie, l'hypothèse spirite paraît plus simple et même plus rationnelle que l'explication métapsychique. C'est précisément cette hypothèse que sir Oliver Lodge adopta après avoir fait une série d'observations de ce genre.

Oliver Lodge est l'auteur de plus de trente ouvrages scientifiques, philosophiques ou métapsychiques publiés en langue anglaise. Citons, parmi ceux qui sont plus particulièrement susceptibles d'intéresser les métapsychistes et les parapsychologues : *Life and Matter* (1905); *Science and Religion* (1905); *Work and Life* (1906); *Man and the Universe* (1908 et une 2ème édition en 1913); *Survival of Man* (1908); *The Ether of Space* (1909); *Reason and Belief* (1910); *Modern Problems* (1912); *Continuity* (1913); *The War and After* (1915); *Raymond or Life and Death* (1916); *Christopher* (1918). Les ouvrages philosophiques ou métapsychiques de sir Oliver Lodge traduits en français sont : *La Vie et la Matière* (2ème édit. 1909); *La Survivance humaine* (1912); *Raymond ou la Vie et la Mort* (1920); *L'Evolution Biologique et Spirituelle de l'Homme* (1925); *Pourquoi je crois à l'immortalité personnelle* (1929).

Sir Oliver Lodge est une des plus grandes et des plus nobles figures de la métapsychique.

LOMBROSO (César) (1836-1909). — Le Pr Lombroso est un célèbre anthropologue et criminaliste italien. Ses principaux ouvrages de criminologie dans lesquels il soutient que le criminel est beaucoup plus un malade qu'un coupable, sont les suivants : *Le Génie et la Folie; L'Homme criminel; Le Crime, causes et remèdes.*

Foncièrement matérialiste dans la plus grande partie de son existence, le Pr Lombroso commença par combattre *a priori* la réalité des phénomènes médiumniques. Mais à la suite d'expériences faites avec Eusapia en 1891, en compagnie des Prs Tamburini, Bianchi et Vizioli, il écrivit ces lignes qui eurent à l'époque, dans le monde savant, une répercussion profonde :

« Je suis tout confus et aux regrets d'avoir combattu, avec tant de persistance, la possibilité des faits dits spirites; je dis des faits, parce que je reste encore opposé à la théorie. Mais les faits existent et je m'en vante d'en être l'esclave (*dei fatti mi vanto di esserre schiavo*). »

Cependant, poursuivant ses expériences, Lombroso se convertit progressivement au spiritisme, et, vers la fin de sa vie, il se déclara ouvertement adepte de la doctrine. C'est alors qu'il écrivit : *After Death, What?* (*Quoi après la Mort?*), ouvrage dans lequel un chapitre est consacré à la « Biologie des Esprits ».

Dans son ensemble, l'œuvre de Lombroso restera dans les annales métapsychiques. Des faits authentiquement paranormaux et d'un très grand intérêt y sont relatés. Malheureusement, elle présente incontestablement des insuffisances et contient des erreurs. Lombroso, d'une part, concluait souvent trop rapidement, et, d'autre part, fut parfois mystifié, principalement dans le domaine de l'hypnotisme et de la télépathie.

MAXWELL (Joseph) (1858-1938). — Le Dr J. Maxwell était juriste de profession et c'est en cette qualité qu'il exerça pendant de nombreuses années les fonctions de Procureur général près de la *Cour d'Appel de Bordeaux.* Mais désirant acquérir des connaissances scientifiques et médicales qu'il estimait indispensables à ceux qui sont en rapport avec les délinquants, les criminels et les aliénés, il suivit les cours de médecine de la *Faculté de Bordeaux* et obtint le grade de docteur en médecine.

S'intéressant vivement aux phénomènes paranormaux, il publia, en 1909, *Les Phénomènes psychiques* où il précise les méthodes d'investigation qu'il convient d'employer en métapsychique et où il décrit les divers phénomènes médiumniques qu'il eut l'occasion d'observer. Un des chapitres les plus intéressants et les plus curieux du livre est consacré aux raps. Le Dr Maxwell accorde également dans l'ouvrage une grande importance à la cristalloscopie.

Son livre sur la magie, précisément intitulé *La Magie* (Paris, 1921), n'est pas moins captivant. Il constitue une étude à la fois sociologique et métapsychique et s'achève sur cette conclusion : « La fécondité de la magie n'est pas épuisée et nous touchons au moment où la science conquerra un ensemble de phénomènes complexes dans lesquels on peut soupçonner l'action de modes d'énergie inconnus, l'intervention de modes de connaissance dont l'analyse n'a pas été faite. » L'ouvrage qu'il publia ensuite : *La Divination* (Paris, 1927) complète ses études sur la magie.

Enfin, en 1933, le Dr Maxwell fit paraître *Le Tarot* (Paris, 1933) dans lequel il se propose d'expliquer chacune des 72 lames du Tarot, tant dans leur forme que dans leur signification profonde. « Le Tarot, dit-il, est une sorte de livre écrit en symboles. » L'ouvrage se termine par l'exposé de deux méthodes simples de divination par les tarots et dans lesquelles l'intuition opère le plus favorablement.

Le Dr Maxwell a écrit d'autres ouvrages tels que *Le Mysticisme contemporain* (1893); *Un Magistrat hermétiste* (1896); *Le Monde en l'an 2000 (1902), L'Amnésie dans l'épilepsie* (1903); *Le Crime et la Société* (1909); etc.

Le Dr Maxwell était membre du Comité de l'*Institut Métapsychique International.*

MORSELLI (Henri) (1852-1929). — A la fois psychologue, psychiatre, anthropologue et philosophe, le Pr Henri Morselli fut un savant de grande envergure, très renommé en Italie et à l'étranger. Il fut professeur à l'*Athénée* de Gênes, directeur du *Manicomium* de la même ville et dirigea une grande clinique pour maladies mentales. Il appartenait à l'école matérialiste ou plutôt, comme il le disait lui-même, à l'école moniste-mécaniciste. Non seulement il répudiait les phénomènes paranormaux, mais il regardait ceux qui croyaient en leur réalité comme des hallucinés sinon comme des fous.

C'est après avoir assisté à une série d'expériences avec Eusapia Paladino qu'il changea totalement d'opinion. Les résultats de ses observations sont exposés dans un ouvrage en deux volumes : *Psicologia e Spiritismo, impressioni e note critiche sui fenomeni medianici di Eusapia Paladino* (Turin, Bocca, 1908). L'ouvrage a été d'autre part résumé par l'auteur, sous le titre : *E. Paladino et la réalité des phénomènes médiumniques,* dans les nos 4 et 5 de 1907 des *Annales des Sciences Psychiques.*

Dans ce livre très complet et parfait à tous les égards, Morselli passe en revue les phénomènes de typtologie, les télékinésies, les formations ectoplasmiques, les lévitations, les effets lumineux, etc. produits par Eusapia et reconnaît leur authenticité métapsychique.

Son retentissement fut considérable car il attestait aux

scientistes incrédules la réalité des phénomènes médiumniques. Actuellement encore, l'intérêt qu'il présente n'a pas faibli et nous en recommandons vivement la lecture.

Parmi les autres ouvrages de H. Morselli on peut citer : *Critica e riforma del metodo in antropologia* (1880); *Antropologia generale* (1911); *Le Nevrosi traumatiche* (1931); *L'Uccisione pietosa* (1925); *La Psicanalisi* (1906).

OCHOROWICZ (Julien) (1850-1918). — Le Pr Julien Ochorowicz, savant polonais, était docteur en philosophie. Il s'intéressa d'abord aux phénomènes hypnotiques et publia en 1882 son magistral ouvrage : *La Suggestion mentale.* En 1893 et en 1894, il assista à Rome et à Varsovie à un grand nombre de séances avec Eusapia Paladino. Pour expliquer les télékinésies produites par ce médium, Ochorowicz émit l'hypothèse des « rayons rigides » et s'efforça de la vérifier à l'aide de divers dispositifs instrumentaux. Ensuite, il étudia longuement (de 1909 à 1914) le médium polonais Mlle Tomczyk, sujet hypnotique à effets physiques. Il semble que les phénomènes produits par ce médium furent, comme il arrive souvent, un mélange de faits authentiquement paranormaux et de truquages plus ou moins subtils.

OSTY (Eugène) (1874-1938). — Né à Paris le 16 mai 1874, le Dr Osty exerça la médecine d'abord dans le Cher puis à Paris.

En 1913, il publia les premiers résultats de son exploration de la connaissance paranormale dans un livre intitulé : *Lucidité et Intuition.* Peu d'années après, *Le Sens de la Vie Humaine* nous fit connaître sa pensée philosophique.

Les phénomènes subjectifs l'intéressant particulièrement,

il exposa, en 1922, dans son remarquable ouvrage : *La Connaissance supranormale*, ce que l'expérience lui avait appris. Cette œuvre fondamentale, indispensable à quiconque désire étudier la métapsychique subjective, met en évidence les extraordinaires possibilités de la métagnomie.

Après la mort tragique du Dr Geley survenue en 1924, le Dr Osty, sur les instances du Pr Charles Richet, prit en 1925 la direction de l'*Institut Métapsychique International.*

C'est là qu'il étudia d'abord divers sujets métapsychiques à effets intellectuels : le clairvoyant Ludwig Kahn, le métagnome Pascal Forthuny, A. Fleury, le calculateur prodige, Lesage, qui peignait sans avoir appris, Mme Kahl qui faisait apparaître sur ses bras, par une sorte de dermographie, ce que l'opérateur pensait, la voyante Jeanne Laplace, Mlle Osaka qui possédait une prodigieuse mémoire des nombres, Mme Detey, etc.

C'est également à l'I.M.I. que le Dr Osty démasqua quelques médiums à effets physiques : Mme Bourniquel et Stanislawa P.

Peu porté vers l'étude des phénomènes matériels de la médiumnité, le Dr Osty devait faire cependant, dans cette branche de la métapsychique, une découverte capitale qui constitue le couronnement de son œuvre.

Après avoir observé, dans d'excellentes conditions de contrôle, le médium polonais à matérialisations et à télékinésies J. Guzik, il entreprit, en collaboration avec son fils, l'ingénieur Marcel Osty, l'étude psycho-physique du médium autrichien Rudi Schneider.

Grâce à un dispositif expérimental très ingénieux, le Dr Osty et Marcel Osty montrèrent que lorsque Rudi cherchait à produire une télékinésie, il projetait une substance invisible capable d'absorber partiellement l'infrarouge.

Ainsi, le Dr Osty et son fils furent les premiers à déterminer les caractères de la force médiumnique, à en suivre les manifestations et à en enregistrer les variations.

Leurs travaux sont consignés dans une brochure parue en 1932 : *Les Pouvoirs inconnus de l'esprit sur la matière.*

Ce court résumé ne peut donner qu'une idée imparfaite de l'œuvre du Dr Osty. Pour en mesurer l'étendue et l'importance, il faut aller aux sources et lire les livres et les articles du regretté Directeur de l'I.M.I. On est alors tenté de penser : avec Osty commence vraiment la métapsychique scientifique. Ses travaux, en effet, conduits selon les règles de la plus saine logique, ne sont, en aucun cas, ternis par la relation de phénomènes douteux ou frauduleux. « C'est que, écrit le Dr François Moutier, grâce à des dons innés, développés par un labeur incessant, Osty sut isoler le vrai du faux, le probable du possible... Il était clair, logique, sincère, convaincu sans crédulité, ardent sans impatience, enthousiaste sans irréflexion. »

On appréciera encore mieux la grandeur de son œuvre en apprenant que le Dr Osty accomplit, à l'I.M.I., un véritable apostolat. Il eut, sans doute, à vaincre de grandes difficultés matérielles, mais il dut surtout lutter contre l'indifférence, la sottise, l'incompréhension et l'envie. Les primaires, les incompétents, les sots et les exaltés qui, hélas! ne sont pas rares dans nos milieux, tentèrent de minimiser la valeur de ses travaux. Si le Dr Osty ressentit quelque amertume en face d'attaques sournoises et méchantes, il eut, du moins, la satisfaction de constater que les gens sensés, les métapsychistes et les savants désignaient son œuvre comme l'une des plus importantes de toute la métapsychique. Ainsi que le dit très justement le Dr F. Moutier : « Là où d'autres avaient rêvé, Eugène Osty a su construire une œuvre, œuvre féconde, œuvre durable. »

PRICE (Harry) (1881-1948). — Harry Price fut conduit à la métapsychique par le canal de la prestidigitation. C'est, en effet, en qualité de prestidigitateur amateur qu'il étudia d'abord quelques médiums, à seule fin de découvrir leurs pratiques frauduleuses. Cependant, il devait bientôt constater, d'abord avec Willy Schneider, puis, en 1923, avec Stella C., que tout n'était pas tromperie en médiumnité physique, mais, qu'au contraire la télékinésie et l'ectoplasmie étaient des réalités.

Le compte rendu de ses expériences avec Stella se trouve dans son livre : *Stella C. an account of some original experiments in psychical research*, (London 1925). L'ouvrage parut simultanément en langue française sous le titre : *Expériences scientifiques avec un nouveau médium* (Stella C.).

Harry Price étudia ensuite en 1929, avec un luxe de contrôle jusqu'alors inégalé, le médium autrichien Rudi Schneider. Il observa, avec ce sujet, des télékinésies et des « téléplasmes » indiscutablement paranormaux. Ces phénomènes sont relatés dans : *Rudi Schneider. A scientific examination of his médiumship by Harry Price* (London 1930), ouvrage objectif, précis, clair, complet, dépourvu de toute théorie inutile, de toute dissertation puérile et de logomachie vaine.

Malheureusement Harry Price, avec ses enquêtes et ses expériences au Brocken (point culminant du massif du Harz, en Allemagne, et où l'imagination populaire plaçait la réunion des sorcières pendant la nuit de Walpurgis) et à la cure de Borley, glissa quelque peu dans ce que nous appellerons volontiers l' « exhibitionnisme métapsychique ». Il voulut probablement, grâce à des démonstrations spectaculaires et tapageuses, frapper l'esprit du grand public. C'est également pour cette raison qu'il a vraisemblablement donné le « coup de pouce » dans son étude de la *Cure de Borley*. S'il en est bien ainsi, il s'est évidemment rendu coupable d'une faute grave pouvant le discréditer aux yeux des métapsychistes.

Price appartenait, depuis 1920, à la *Society for Psychi-*

cal Research. Il avait fondé le *National Laboratory of Psychical Research* dont il était le directeur.

RHINE (J.-B.) né en 1895. — Né le 29 septembre 1895 dans une vallée située dans les montagnes du comté de Juniata en Pennsylvanie, J.-B. Rhine fréquenta l'*Université de l'Ohio septentrional* et le *Collège de Wooster* où il fit des études théologiques.

Au bout d'un an et demi, elles furent interrompues par la Première Guerre mondiale, au cours de laquelle Rhine servit comme volontaire dans le corps des fusiliers marins.

En 1920, il épousa une amie de collège, Louisa Ella Wechkesser et tous deux s'inscrivirent à l'*Université de Chicago.*

Après des études et des travaux personnels consacrés à la physiologie végétale, J.-B. Rhine et Louisa Rhine obtinrent, l'un et l'autre, en 1925, le grade de bachelier ès sciences puis celui de docteur ès sciences. Pendant deux années, J.-B. Rhine occupa la chaire de physiologie végétale à la *Faculté de Botanique* de l'*Université de Virginie occidentale.*

Mais alors qu'ils étaient encore étudiants à l'*Université de Chicago*, J.-B. Rhine et Louisa Rhine commencèrent à s'initier à la métapsychique et ils décidèrent, en 1926, de consacrer, une année au moins, à l'étude expérimentale de cette discipline généralement rejetée par les milieux universitaires américains.

A cet effet, ils se proposèrent de réaliser des expériences sous la direction d'un psychologue distingué, le Pr William-Mac Dougall de l'*Université de Harvard*, mais, celui-ci étant en congé, ils ne purent mettre leur projet à exécution. L'année d'après, ils suivirent le professeur à l'*Université Duke* à Durham (Caroline du Nord).

Là, après un an d'études, J.-B. Rhine se vit offrir une chaire de philosophie et de psychologie, étant entendu qu'il aurait toute liberté de poursuivre ses recherches en matière psychique. Au cours des années suivantes, il abandonna la philosophie et devint exclusivement professeur de psychologie.

A partir de l'automne 1927, le Pr Rhine entreprit des expériences systématiques de télépathie et de clairvoyance. Un petit groupe de recherches constitué par des étudiants se forma, un laboratoire spécial fut réservé à leurs études, cependant qu'une aide financière leur était accordée afin qu'ils puissent poursuivre leurs travaux. Enfin, en 1935, le *Laboratoire Parapsychologique de l'Université de Duke* fut fondé. En 1950, J.-B. Rhine donna sa démission de professeur à la *Faculté de Psychologie* et prit la direction du laboratoire de parapsychologie qui était alors devenu complètement indépendant.

En 1934, parut la première publication du groupe de recherches, décrivant des expériences dans le domaine de la perception extra-sensorielle. En 1937, avec l'aide et sous le patronage du Pr William Mac Dougall, Rhine lança le *Journal de Parapsychologie* et en demeura l'un des directeurs jusqu'en 1958. Pendant ce temps, il publia trois ouvrages destinés surtout au grand public : en 1937, *New Frontiers of the Mind* (Nouvelles frontières de l'esprit); en 1947, *The Reach of the Mind* (La portée de l'esprit); en 1953, *New World of the Mind* (Nouvel univers de l'esprit). En 1940, il écrivit, en collaboration avec quatre co-auteurs, *Extra-sensory Perception After Sixty Years* (La Perception extra-sensorielle après soixante ans), et, en 1957, avec son collègue, le Dr J.-G. Pratt, il publia *Parapsychology; Frontier Science of the Mind* (Parapsychologie, science des frontières de l'esprit) que l'on peut considérer comme le premier manuel de parapsychologie. De son côté, en 1961, Mme Rhine fit paraître son premier livre : *Hidden Channels of the Mind* (Les Chemins secrets de l'esprit).

Au cours de cette période, l'activité parapsychologique

de J.-B. Rhine ne se borna pas à la recherche, à la publication d'ouvrages et à l'enseignement à l'*Université Duke.* Il fit des conférences sur la parapsychologie dans de nombreuses universités européennes, telles que Oxford, Cambridge, Utrecht, Copenhague, et devant la *Société Royale de Médecine de Londres* (section de psychiatrie), ainsi qu'aux U.S.A à Harvard, Yale, Cornell, Dartmouth, Chicago, Northwestern, Wisconsin. On peut en trouver les comptes rendus plus ou moins détaillés dans *Who's Who in America, American Men of Science, International Who's Who, et Current Biography* (janvier 1949).

Le 13 juin 1950, le Pr et Mme Rhine furent les hôtes de l'*Institut Métapsychique International* où une réception avait été organisée en leur honneur.

Ainsi que nous le savons, les travaux parapsychologiques du Pr Rhine sont essentiellement quantitatifs. Ils ont le très grand mérite d'avoir établi, d'une manière en quelque sorte objective, la réalité de la connaissance paranormale, du phénomène *psi*, et, en outre, d'avoir offert une méthode permettant, à chacun, de constater cette réalité.

Est-ce à dire que cette certitude n'existait pas avant Rhine comme le laissent entendre certains jeunes parapsychologues certainement plus zélés que leur Maître ? C'est une erreur de le prétendre.

Les innombrables expériences correctes généralement qualitatives et parfois quantitatives de télépathie et de clairvoyance réalisées avant Rhine prouvent, d'une façon indubitable, l'existence d'une faculté métagnomique chez l'homme. Ainsi l'on peut affirmer qu'avec des sujets comme Ossowiecki, Kahn, Mme Maire, point n'est besoin de statistiques pour en démontrer la réalité.

Et même l'on peut ajouter, avec René Warcollier, « que les méthodes statistiques sont aussi peu que possibles propres à favoriser l'émersion du paranormal. En pratique, avec des sujets quelconques, on est heureux d'avoir des résultats qui dépassent la moyenne probable de quelques décimales seulement ! Pourquoi ? C'est parce que ce genre de test n'est qu'un piège dans lequel l'oiseau rare du paranormal n'est pas attrapé, mais où il laisse des plumes que l'on peut observer et compter. Cela suffit aux esprits scientifiques pour démontrer l'existence de l'oiseau rare... »

Le grand mérite de ces méthodes, répétons-le, est de fournir des résultats expérimentaux qui peuvent s'imposer à tous parce que susceptibles d'être reproduits à volonté. En outre, elles ont permis de mettre en évidence l'effet de déclin et les phénomènes dits de position.

La partie vraiment neuve des travaux de Rhine est relative à la psychokinésie. Mais la réalité du phénomène, ainsi que nous l'avons vu, n'est pas définitivement établie. Les résultats obtenus ne dépassent guère ceux du hasard et l'effet de déclin que l'on observe, provenant apparemment de la fatigue ou de l'affaiblissement de l'intérêt, peut ne pas entraîner nécessairement la conviction.

En définitive, nous pensons que la méthode statistique ne constitue qu'un moyen d'accès vers le paranormal et que, par conséquent, les autres méthodes d'approche conservent toute leur valeur. Autrement dit, il ne faut pas croire que la parapsychologie « scientifique » commence avec l'introduction généralisée de la méthode statistique dans l'étude des phénomènes métapsychiques. En réalité, comme le souligne justement René Sudre, « cette méthode n'a fait que parachever une démonstration qui avait été faite en Europe au cours d'un demi-siècle ».

Au reste, elle est inadéquate en télékinésie et en ectoplasmie où les phénomènes sont toujours individuels et qualitatifs. De plus, lorsqu'elle est appliquée au phénomène *psi*, elle le restreint et le mutile, le sépare de son contexte affectif qui n'est pas sans intérêt, lui soustrait sa chaleur humaine et lui enlève sa signification profonde qu'en certaines occurrences on peut qualifier de « dramatique ».

RICHET (Charles) (1850-1935). — Tenter de donner en quelques lignes une biographie, même approchée, du Pr Charles Richet, retracer les différentes formes de sa prodigieuse activité sont choses proprement impossibles car si Charles Richet fut un grand métapsychiste et un très grand physiologiste, il fut aussi poète, romancier, dramaturge, sociologue, psychologue, pacifiste, historien et pionnier de l'aviation : toutes les branches de l'activité humaine l'intéressèrent passionnément.

« Elève au lycée Bonaparte, écrit le Dr Osty (*Revue Métapsychique*, n° 1, 1936), Ch. Richet trouve autant d'attrait à la littérature qu'aux sciences. Tout ce dont il s'occupe fixe son esprit. En Rhétorique, il décide qu'il sera écrivain... En Philosophie, il prend un goût très vif pour la psychologie. Les études secondaires finies, il s'oriente vers la médecine... Après une seule année d'externat dans les hôpitaux, Charles Richet fut reçu interne... Ensuite se poursuivit une succession de découvertes physiologiques, cependant que l'ascension du savant se jalonnait ainsi : agrégé de physiologie à la *Faculté de Médecine* en 1878, professeur de physiologie en 1887, membre de l'*Académie de Médecine* en 1898, Prix *Nobel* de physiologie en 1913, membre de l'*Académie des Sciences* en 1914, Jubilé scientifique devant une assemblée internationale de savants en 1926. »

Deux grandes découvertes physiologiques illustrent son nom : la sérothérapie et l'anaphylaxie.

En métapsychique, Charles Richet s'attacha surtout à établir la réalité des faits, à rechercher les conditions de leur obtention; les théories ne l'intéressaient pas, car disait-il, avec raison, « elles me paraissent d'une fragilité effarante ».

Certains métapsychistes, qui, de nos jours, considèrent essentiellement le paranormal comme matière à dissertation et sujet à de subtils jeux de l'esprit, feraient bien de méditer les paroles du Maître.

Charles Richet ne séparait pas la métapsychique de la biologie générale. « Pour lui, écrit le professeur Santoliquido (*Revue Métapsychique*, n° 8, 1926), la biologie ne s'arrête pas aux fonctions de la vie végétative et aux seules applications ordinaires de la pensée. Il a voulu regarder l'homme dans toutes ses propriétés, aussi bien celles dites normales que celles inhabituelles dites surnormales. Observer les productions d'Eusapia Paladino, de Kluski, de Guzik, d'Ossowiecki, de Kahn, etc., ne lui a pas paru quitter la science. C'est ce qu'il a exprimé dans sa dernière conférence, le 24 juin 1925, à l'*Ecole de Médecine de Paris*, quand il disait : « Je voudrais, avant de quitter cette chaire que j'ai si longtemps occupée, vous faire connaître les linéaments d'une science nouvelle, la métapsychique, qui ne rentre pas encore dans l'enseignement officiel de la physiologie. Elle est cependant un fragment de la physiologie dont elle fait partie intégrante, et, très prochainement peut-être, elle appartiendra à la physiologie classique...

« Ch. Richet entendait que c'est par l'étude des causes physiologiques des propriétés de la connaissance du réel et de l'action sur la matière qu'on avancera de découverte en découverte vers l'explication de cette réalité encore ignorée et même inconcevable qu'est l'homme.

« Physiologie et métapsychique n'ont jamais été dans sa pensée deux choses entièrement distinctes. Il y portait même intérêt de chercheur. S'il se rendit plus célèbre et plus fécond dans celle-là que dans celle-ci, c'est qu'il y disposa de plus de ressources et y consacra plus de temps. Je gage qu'un laboratoire de métapsychique abondamment fourni d'instruments et de sujets bien doués eût bientôt conquis et fixé sa préférence. Entre la physiologie de l'anaphylaxie et la physiologie, à trouver, de la cryptesthésie, il mesura, j'en suis certain, la grande différence d'importance. »

Charles Richet étudia la plupart des grands médiums qui lui furent signalés. « Trouvez-moi un bon médium à effets physiques, disait-il à Aksakof, et j'irai au bout du monde pour le voir. » Il alla, en effet, à Milan, pour les fameuses séances avec Eusapia Paladino auxquelles assistèrent des savants éminents, et observa ensuite d'autres médiums en Allemagne, en Angleterre, en Suède, en Pologne...

« Ses pérégrinations auprès des « médiums » signalés, écrit le Dr Osty, n'étaient pas sans danger, quand ils étaient de la sorte dite « médiums à effets physiques », c'est-à-dire producteurs de télékinésies, de matérialisations et autres phénomènes matériels en soi imitables et ne pouvant être acceptés qu'en des conditions établissant clairement leur réalité... Charles Richet, expérimentateur de tempérament, savait cela autant que quiconque. Toutefois, quand il devenait l'invité, il n'était plus qu'un spectateur parmi d'autres, ne disposant d'aucun moyen instrumental de contrôle.

« Un épisode de ce genre de constatation « en invité » a pesé lourdement et durablement sur sa renommée de métapsychiste : celui de la villa Carmen d'Alger. On se souvient que l'éminent physiologiste, accompagné de G. Delanne, assista, chez le général Noël, à des séances de matérialisation données par Marthe Béraud... Peu après son retour, Charles Richet publia ce qu'il avait constaté et sa conviction qu'il n'y avait pas eu fraude.

« Cela devint aussitôt matière à polémique, puis un argument d'opposition durable contre le grand promoteur de la métapsychique... A supposer que Marthe B. ait été une effrontée fabricante d'apparitions et qu'elle ait abusé le grand physiologiste, n'a-t-on pas été au-delà de la raison et de la justice en refusant, dans la suite, tout crédit à Charles Richet pour la quantité d'autres sujets qu'il a observés en des conditions dont il était le maître? Car l'épisode de la villa Carmen, pourquoi ne pas le dire, a été le grand prétexte pris par quantité de savants pour mettre en doute tout ce que Charles Richet a écrit dans la suite sur les phénomènes psychiques.

« Il y a eu un faux médium à effets physiques, donc tous les producteurs de phénomènes métapsychiques physiques et même ceux intellectuels sont des imposteurs. Un excellent expérimentateur a été leurré, en des conditions d'observation défectueuse, donc il a toujours été trompé et sera toujours trompé, même en conditions d'observation satisfaisante. Tel est le raisonnement avec lequel les systématiquement hostiles à la métapsychique se sont tenacement employés à annihiler l'œuvre, en cette direction, de Charles Richet.

« Entre l'erreur de Charles Richet, si erreur il y a eu, et celle de ceux qui raisonnent et agissent ainsi, quelle est la plus funeste à l'humanité? Et qui faut-il, en la circonstance, admirer ou blâmer : les négateurs résolus des manifestations culminantes de la vie et qui saisissent tout prétexte pour satisfaire à leurs préjugés, ou le savant illustre qui, sachant qu'il risque sa réputation et son repos moral, veut voir les faits, puis écrit ce qu'il a constaté, et ce qu'il croit être la vérité?

« Quelle branche de la science résisterait à cette exigence : tout nier s'il y a erreur, supprimer tout crédit à qui se sera une fois trompé? »

L'œuvre de Charles Richet est immense. Outre de nombreux articles scientifiques, médicaux, philosophiques et métapsychiques, elle comprend 11 ouvrages littéraires (poésies, drames, romans), 2 livres d'histoire, 10 ouvrages de sociologie, 6 ouvrages de psychologie et de philosophie, 7 ouvrages de biologie, et, en métapsychique, les ouvrages suivants : *Traité de Métapsychique* (1922); *Notre sixième sens* (1928); *L'Avenir de la Prémonition* (1931); *La Grande Espérance* (1933); *Au secours* (1935).

Lorsque, à quatre-vingt-cinq ans, la mort surprit Charles Richet, trois manuscrits étaient prêts à être publiés : *L'Europe au* XIXe *siècle; Les Femmes immortelles; L'Avenir de la Science.*

Les actes expriment le caractère; celui de Charles Richet, écrit un des biographes du Maître, peut se résumer en deux mots : *Justice et Bonté.* Nous y ajouterons deux autres qualités, d'une part, une simplicité foncière, non affectée, presque ingénue, et, d'autre part, un très grand courage : « courage physique, précise le Dr Osty, qui lui faisait, dans son grand âge, traiter son corps comme une machine usée dont on veut tirer jusqu'au bout le plus grand rendement; courage moral qui le ramenait sans cesse, avec une tranquille ténacité, devant les obstacles aux vérités utiles ».

Ayant eu le privilège de converser plusieurs fois avec le Maître, j'ai été précisément frappé par sa grande simplicité, qui offrait un contraste saisissant avec l'éclat à peine soutenable de son génie, et également frappé par le fait qu'il était un interlocuteur compréhensif, aimable et bienveillant. Il admettait et même sollicitait les critiques constructives car il savait qu'une œuvre humaine n'est jamais parfaitement bonne ni complètement mauvaise, qu'aucune opinion n'est intégralement vraie ou fausse et que, dans les théories ou les doctrines les plus justes, se glissent des détails inexacts, cependant qu'il existe toujours un peu de vérité dans les plus graves erreurs. A l'encontre de certains « scientifiques » qui prétendent juger la métapsychique en l'expliquant par la prestidigitation, tout en ignorant d'ailleurs l'une et l'autre, Charles Richet était éloigné de tout sectarisme qui s'arroge le privilège de posséder la vérité.

Charles Richet appartenait et appartient à la lignée des grands hommes, c'est-à-dire à ces hommes qui habitent une haute sphère de la pensée leur permettant de voir d'emblée les phénomènes sous leur vrai jour et dans leurs plus subtiles relations, et à laquelle d'autres hommes, même intelligents et cultivés, ne s'élèvent qu'avec effort et difficulté.

DE ROCHAS (Auguste-Albert) (1837-1914). — Le comte de Rochas d'Aiglun, élève de l'*Ecole Polytechnique*, fit sa carrière dans l'Armée. Il prit part à la guerre de 1870-71 en qualité d'attaché à l'état-major. En 1888, chef d'escadron, il est nommé administrateur de l'*Ecole Polytechnique.* De Rochas pensait pouvoir, en toute quiétude, continuer ses recherches psychiques dans cet établissement, mais ses espoirs ne tardèrent pas à être déçus : un général-inspecteur déclara qu'on ne pouvait pas tolérer des « pratiques occultes » dans une école militaire et de Rochas dut prendre sa retraite.

L'œuvre scientifique, philosophique, et métapsychique de de Rochas est considérable et importante.

« Ses études d'histoire militaire, de topographie, de toponomastique, écrit de Vesme, sont classiques; les hellénistes, de leur côté, estiment hautement ses traductions d'auteurs mathématiciens de l'Antiquité tels que Philon de Byzance et Héron d'Alexandrie. »

De Rochas étudia expérimentalement l'hypnotisme, le magnétisme et les phénomènes physiques de la médiumnité. Il tenta également de résoudre par la méthode expérimentale la question passionnante de la réincarnation, mais ses recherches dans cette voie furent un insuccès.

Ses observations, ses travaux expérimentaux et ses quelques vues théoriques sont consignés dans ses ouvrages psychiques dont les plus importants sont les suivants :

La Science des philosophes et l'art des thaumaturges dans l'Antiquité (1882); *La Science dans l'Antiquité, les origines de la science et ses premières applications* (1882); *Les Forces non définies, recherches historiques et expérimentales* (1887); *Le Fluide des magnétiseurs* (1891); *Les Effluves odiques* (1891); *Les Etats profonds de l'hypnose* (1892); *Les Etats superficiels de l'hypnose* (1893); *L'Envoûtement* (1893); *L'Extériorisation de la sensibilité* (1895); *L'Extériorisation de la motricité* (1896); *La Lévitation* (1897); *Les Sentiments, la musique et le geste* (1900); *Les Frontières de la science* (1902); *Les Vies successives* (1911); *La Suspension de la vie* (1913).

SAGE (Michel), décédé en 1931. — Psychiste français réputé pour son originalité, son absolue sincérité et sa très grande érudition. C'est lui qui fit connaître en France l'extraordinaire sujet métapsychique que fut Mrs Piper. Il écrivit sur ce médium un livre resté classique dans la métapsychique et le spiritisme : *Madame Piper et la Société anglo-américaine pour les recherches psychiques.* On lui doit également : *Le Sommeil naturel et l'hypnose, la zone frontière entre l' « Autre Monde » et celui-ci*, une étude sur le yoga hindou et *L'Ascension cosmique de l'Homme avec preuves.*

L'érudition de Michel Sage était immense; il possédait, à fond, une dizaine de langues vivantes sans omettre sa connaissance approfondie du latin, du grec, de l'hébreu et du sanscrit.

La *Society for Psychical Research* de Londres l'avait nommé membre correspondant pour la France.

VON SCHRENCK-NOTZING (A.-Freiherr) (1862-1929). — Après de solides humanités, von Schrenck-Notzing se destina à la médecine. Alors qu'il était encore étudiant, il se fit remarquer par ses travaux sur l'hypnotisme, accomplis en collaboration avec le Dr Carl du Prel, et, à ce propos, entra en relations avec les philosophes von Hellenbach et Edouard von Hartmann dont les idées exercèrent sur lui une influence profonde.

En qualité de médecin et d'hypnologue, Schrenck prit part en 1889, à Paris, aux *Congrès Internationaux pour la Psychophysiologie et pour l'Hypnotisme expérimental et thérapeutique.* A cette occasion, il connut Richet, Myers et Sidgwick.

En 1891, il traduisit en allemand l'ouvrage de Richet : *Etudes expérimentales dans le domaine de la transmission de pensée et de la clairvoyance.*

En 1892, il publia son premier ouvrage, bientôt traduit en anglais et en italien : *Die Suggestionstherapie bei Krankhaften Ercheinsungen des Geschlechtssinnes.*

Lorsque l'hypnotisme sembla avoir conquis droit de cité scientifique, le Dr Schrenck, sur les conseils de Charles Richet, se tourna vers la métapsychique et particulièrement vers les problèmes de la médiumnité physique. Il étudia successivement : Eglinton, Heine, Schraps, Eusapia Paladino, Politi, Lucia Sordi, Linda Cazzera, Stanislawa Tomczyk, Stanislawa P., Willy et Rudi Schneider, Maria S., ainsi qu'un certain nombre de médiums privés.

En 1909, Schrenck vint à Paris et assista à quelques expériences d'Eva C. qui le frappèrent beaucoup. Il résolut d'étudier ce médium, et, pendant quatre ans, en collaboration avec Mme Bisson, tantôt à Paris, tantôt à Munich, il fit avec Eva une série d'expériences dont les comptes rendus furent publiés en allemand dans l'ouvrage : *Physikalische Phänomene des Mediumnismus*, qui a été traduit en français sous le titre : *Les Phénomènes physiques de la médiumnité*. De son côté, Mme Bisson publia le résultat des expériences communes dans son livre : *Les Phénomènes dits de matérialisation*. Ces ouvrages donnèrent lieu à d'ardentes polémiques.

Il est certain que Schrenck-Notzing contribua à répandre la métapsychique en Allemagne. Avant lui, presque tous les savants allemands rejetaient les phénomènes paranormaux. Schrenck força leur attention, de sorte que nombre d'entre eux s'initièrent à la question.

L'œuvre de Schrenck est vaste et pleine de documents intéressants. Malheureusement, ils sont de qualités diverses : ainsi qu'il arrive souvent dans les œuvres métapsychiques, le faux voisine avec le vrai et y est traité sur le même pied d'égalité. Il semble cependant — mais ce n'est là qu'une impression personnelle — que Schrenck, à la fin de sa vie, ait douté de la réalité de certaines manifestations dues à Eva C. « La dernière fois que je le vis à Nice, écrit Ch.

Richet, encore qu'il me parût d'une santé affaiblie, il avait conservé la même ardeur. Il me demanda — ce que je fis très volontiers — de lui écrire une lettre relative à ses expériences avec Eva, pour répondre à des objections rétrospectives qui n'introduisaient rien de nouveau, puisqu'il s'agissait seulement de l'étude analytique de photographies déjà publiées. »

Schrenck désirait-il, par cette sorte de *satisfecit*, étayer ses propres convictions?

Ajoutons, pour terminer cette notice biographique, que Schrenck, suivant l'expression de Charles Richet, était « un vrai gentilhomme, un vrai savant, un véritable ami ».

Son indépendance d'esprit, la beauté de son caractère apparaissent dans ce fait qu'en 1914 il refusa de signer le *Manifeste des Intellectuels Allemands* qui voulait creuser un fossé profond entre la pensée latine et la pensée germanique.

Outre les œuvres déjà citées, Schrenck-Notzing est l'auteur des ouvrages suivants :

Experimental studies in thought transference (1891); *Materialisations Phänomene* (1914); *Der Kampf um die Materialisations Phänomene* (1914); *Experimente der Fernbewegung* (1924).

DE VESME (César) (1862-1938). — Né à Turin le 12 novembre 1862, César de Vesme était le fils du Comte Charles, sénateur du Royaume d'Italie, historien renommé et philologue. Par sa mère, née Corbeau de Vaulserre, César de Vesme était d'origine française.

Après ses études classiques et ses humanités, César de Vesme se destina au journalisme. Ses articles furent aussitôt remarqués.

C'est en 1884 que de Vesme prit contact avec le psychisme. Ayant assisté à Rome à des séances curieuses, il en donna des comptes rendus qui attirèrent sur lui l'attention du Pr Lombroso.

En 1898, il prend la direction de la *Revista di studi Psichici*, mais, nommé en 1899 correspondant de la *Stampa* à Paris, il quitte l'Italie et vient s'installer en France.

A la fin de 1904, le Pr Richet lui propose la direction des *Annales des Sciences Psychiques* qu'il avait fondées 14 ans auparavant avec le Dr Dariex. En 1908, cette revue devient l'organe de la *Société Universelle d'Etudes Psychiques* (S.U.E.P.) C'est alors, sous la vigoureuse impulsion de de Vesme, l'époque des nombreuses et parfois brillantes séances médiumniques avec Eusapia Paladino, Stanislawa Tomczyk, Linda Cazzera, Miller, Bailey, Carancini, etc., dans lesquelles les expérimentateurs observèrent des phénomènes authentiquement paranormaux mais aussi beaucoup d'autres falsifiés. De Vesme fut toujours le premier à pressentir la fraude et à la découvrir.

Puis arrive la guerre. La *Stampa* devenant un journal pro-allemand, de Vesme sacrifie sa situation et donne sa démission de correspondant.

En 1929, il est proclamé lauréat de l'*Académie des Sciences de Paris* (Prix Fanny Emden) pour son *Histoire du Spiritualisme expérimental,* œuvre monumentale, mais inachevée.

Enfin, en 1934, de Vesme est nommé Secrétaire Général de la *Société des Amis de l'Institut Métapsychique International.*

L'œuvre métapsychique de César de Vesme est considérable. Elle est caractérisée par sa grande richesse documentaire, sa netteté et son évidente sincérité. Outre ses principaux ouvrages : *Histoire du Spiritisme* (1896) (en italien), *Histoire du Spiritualisme expérimental* (1927), *Le merveilleux dans les jeux du hasard* (1929), de Vesme a écrit d'innombrables articles dans les *Annales des Sciences Psychiques; Psychica* et la *Revue Métapsychique.*

De plus, de Vesme a traduit en français la plupart des articles et volumes du spirite italien Ernest Bozzano.

« J'appréciais, écrit R. Warcollier à qui nous empruntons l'essentiel de cette notice biographique, son indépendance d'esprit, sans bien en saisir toutefois la témérité. Je goûtais, chez ce lettré, cette mentalité scientifique rare qui lui faisait accorder plus de valeur aux faits qu'aux théories, et qui lui faisait rejeter comme du verbiage toutes données intuitives. De Vesme est resté un positiviste du psychisme. »

WARCOLLIER René (1881-1962). — Après de brillantes études secondaires, René Warcollier entra à l'*Institut de Chimie*, alors dirigé par l'illustre Moissan. C'était à l'époque où, sous l'impulsion du grand chimiste, nombre de chercheurs tentaient de réaliser la synthèse des pierres précieuses. René Warcollier, en qui le pionnier se révélait déjà, s'engagea aussitôt dans cette voie nouvelle, et, dès sa deuxième année d'école, réussit à préparer du rubis synthétique. Ensuite, il s'attaqua avec succès à la synthèse des saphirs et de l'émeraude. Puis il s'intéressa à la fabrication des perles artificielles et découvrit un procédé de préparation qui fit l'objet de nombreux brevets d'invention exploités en France, en Allemagne et aux Etats-Unis. Pendant la guerre, il mit au point une méthode électrolytique d'obtention du permanganate de potassium et un procédé de préparation du « soufre doré d'antimoine » alors utilisé à la vulcanisation du caoutchouc. En 1924, il créa une nacre artificielle à base d'acétate de cellulose, et, ensuite, ce fut une série d'inventions s'appliquant à des objets les plus divers : ferrocérium, écrans de cinéma ultra-lumineux, etc. En même temps, René Warcollier dirigeait d'importantes usines en France et en établissait d'autres à l'étranger.

Une telle activité dans les domaines scientifique et industriel aurait suffi, à elle seule, chez beaucoup, à bien remplir une existence. Elle n'exprimait, cependant, chez R. Warcol-

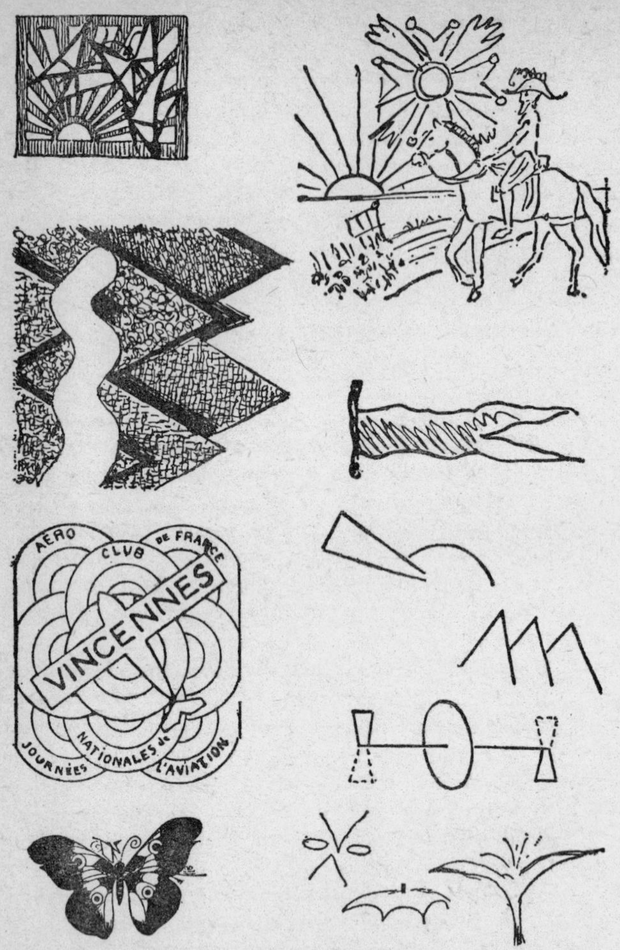

COLONNES 1 ET 3, IMAGES TRANSMISES PAR L'AGENT,
COLONNES 2 ET 4 DESSINS CORRESPONDANTS EXÉCUTÉS PAR LES PERCIPIENTS.
EXPÉRIENCES DE TÉLÉPATHIE DE RENÊ WARCOLLIER.

lier, qu'un aspect, et peut-être le moins important de sa vie intellectuelle. Car ce chimiste fécond était plus encore psychologue et métapsychiste qu'ingénieur chimiste. Il est à remarquer cependant que le Warcollier métapsychiste a employé dans ses recherches les procédés du Warcollier chimiste. Ses innombrables expériences sur la télépathie ont consisté, en effet, à extraire la « terre rare », c'est-à-dire le fait télépathique, de l'énorme magma qu'est le psychisme humain, toujours ondoyant et en perpétuelle transformation.

De même que beaucoup d'autres métapsychistes, R. Warcollier aurait pu s'adresser à des métagnomes professionnels et, de la sorte, étudier la télépathie et la métagnomie avec un rendement sûr. Mais en réalisant des expériences avec des sujets non spécialement doués — et c'est là l'originalité de sa méthode — René Warcollier a pu saisir sur le vif les hésitations, les tâtonnements, les déformations, les erreurs de la faculté télépathique ou métagnomique et découvrir certains mécanismes mentaux cryptoïdes que, sans ce genre de recherches, nous ignorerions encore.

Comme tous les grands métapsychistes, R. Warcollier était, avant tout, un expérimentateur. Dans son esprit, les théories métapsychiques ne peuvent être, *actuellement,* que des hypothèses de travail que l'on doit savoir résolument abandonner dès qu'elles sont en désaccord avec les faits. Il est certain, par exemple, que le Warcollier des dernières années n'interprétait plus la télépathie de la même façon que le Warcollier de 1912, moment où la télégraphie sans fil prenait son essor. « Quant à l'interprétation que je serai amené à donner des faits télépathiques, écrivait-il, j'en garde la responsabilité entière et je me déclare prêt à en changer autant qu'il le faudra. Les faits restent, les théories volent... »

René Warcollier était un savant : en disséquant, analysant, examinant sous toutes ses faces le fait télépathique, en cherchant les lois qui régissent le phénomène, l'éminent président de l'*Institut Métapsychique International* a fait œuvre de savant, mais de savant qui aurait le sens du grandiose, qui sait que le plus infime détail psychique est parfois susceptible de permettre de vastes synthèses, de révéler la beauté, la grandeur, la transcendance de l'âme humaine.

L'œuvre scientifique et métapsychique de R. Warcollier est importante et riche. Outre de très nombreux et substantiels articles, *toujours originaux*, parus dans les *Annales des Sciences Psychiques, Psychica, la Revue Métapsychique* et dans des revues étrangères spécialisées, R. Warcollier a écrit les ouvrages suivants : *Travail et repos* (en collaboration avec E. Duchatel); *Les Miracles de la Volonté* (en collaboration avec E. Duchatel); cet ouvrage a été traduit en italien sous le titre : *I Miracoli della Volonta; La télépathie; Experimental Telepathy; Mind to Mind.*

Depuis 1950 et jusqu'en 1962, R. Warcollier a été le Président de l'*Institut Métapsychique International.*

TABLE DES MATIERES

L'AVENTURE MYSTÉRIEUSE
du cosmos et des civilisations disparues

ANTEBI Elisabeth
A. 279** **Ave Lucifer**
Aujourd'hui, bien des sectes fanatisées adorent un dieu plus proche de Satan que de la divinité; pensons à la disparition des enfants du Mage de Marsal ou au meurtre rituel de Sharon Tate. Mais le démon a pris à l'heure actuelle des dehors technologiques plus effrayants encore que ces manifestations passées.

BARBARIN Georges
A. 216* **Le secret de la Grande Pyramide**
Cette construction colossale qui défiait les techniques de l'époque représente la science d'une grande civilisation pré-biblique et porte en elle la marque d'un savoir surhumain qui sut prédire les dates les plus importantes de notre Histoire.

BARBARIN Georges
A. 229* **L'énigme du Grand Sphinx**
L'obélisque de Louksor, depuis qu'il a été transporté à Paris, exerce une influence occulte sur la vie politique de notre pays. De même, le grand Sphinx joue un rôle secret dans l'histoire des civilisations.

BARBAULT Armand
A. 242* **L'or du millième matin**
Cet alchimiste du XXe siècle vient de retrouver l'Or Potable de Paracelse, premier degré de l'élixir de longue vie. Il nous raconte lui-même l'histoire de cette découverte.

BERGIER Jacques
A. 250* **Les extra-terrestres dans l'Histoire**
Par l'étude de cas précis et indubitables, Jacques Bergier prouve qu'il subsiste sur Terre des traces du passage et des actions d'êtres pensants venus d'autres planètes.

BERGIER Jacques
A. 271* **Les livres maudits**
Il existe une conspiration contre un certain type de savoir dit occulte, qui a fait détruire systématiquement tout au long de l'Histoire des livres au contenu prodigieux.

BERNSTEIN Morey
A. 212** **A la recherche de Bridey Murphy**
Sous hypnose, une jeune femme se souvient de sa vie antérieure en Irlande et aussi du « temps » qui sépare son décès de sa renaissance. Voici une fantastique incursion dans le mystère de la mort et de l'au-delà.

BIRAUD F. et RIBES J.-C.
A. 281** **Le dossier des civilisations extra-terrestres**
La vie existe-t-elle sur d'autres planètes? Des civilisations fondées sur une vie artificielle sont-elles concevables? Des contacts avec des êtres extra-terrestres sont-ils prévisibles dans un proche avenir? Voici enfin des réponses claires par deux astronomes professionnels.

BROWN Rosemary
A. 293* **En communication avec l'au-delà**
Depuis l'âge de sept ans, Rosemary Brown est en communication avec les morts. Plusieurs compositeurs célèbres lui ont dicté leur musique « posthume » et elle a pu s'entretenir avec des personnalités telles qu'Albert Schweitzer et Albert Einstein.

CHARROUX Robert
A. 190** **Trésors du monde**
Trésors des Templiers et des Incas. Trésors du culte enfouis lors des persécutions religieuses. Trésors des pirates et des corsaires, enterrés dans les îles des Antilles. L'auteur raconte leur histoire et en localise 250 encore à découvrir.

CHEVALLEY Abel
A. 200* **La bête du Gévaudan**
Les centaines d'adolescents dont les cadavres, durant des années, jonchèrent les hauteurs de la Margeride, furent-ils les victimes d'une bête infernale, de quelque sinistre Jack l'Eventreur ou d'une atroce conjuration?

CHURCHWARD James
A. 223** **Mu, le continent perdu**
Mu, l'Atlantide du Pacifique, était un vaste continent qui s'abîma dans les eaux avant les temps historiques. Le colonel Churchward prouve par des documents archéologiques irréfutables qu'il s'agissait là du berceau de l'humanité.

CHURCHWARD James
A. 241** **L'univers secret de Mu**
La vie humaine est apparue et s'est développée sur le continent de Mu. Les colonies de la mère-patrie de l'homme furent ainsi à l'origine de toutes les civilisations.

CHURCHWARD James
A. 291** **Le monde occulte de Mu**
C'est la révélation de toutes les doctrines ésotériques, et de tout l'enseignement occulte des prêtres de Mu, que le colonel Churchward entreprend de révéler ici tout en poursuivant la relation de ses découvertes sur la mère-patrie de l'homme.

DARAUL Arkon
A. 283** **Les sociétés secrètes**
Un grand voyageur fait le point sur les principales sociétés secrètes actuelles, ou du passé, tels les disciples du Vieux de la Montagne, des Thugs indiens, des Castrateurs de Russie, des Tongs chinois et des étranges Maîtres de l'Himalaya.

DEMAIX Georges J.
A. 262** **Les esclaves du diable**
Depuis l'assassinat rituel de Sharon Tate jusqu'aux messes noires de la région parisienne, l'auteur brosse le panorama de la sorcellerie et de la magie depuis l'antiquité jusqu'à nos jours.

FLAMMARION Camille
A. 247** **Les maisons hantées**
Le grand savant Camille Flammarion a réuni ici des phénomènes de hantise rigoureusement certains prouvant qu'il existe au-delà de la mort une certaine forme d'existence.

GERSON Werner
A. 267** **Le nazisme société secrète**
Les origines du nazisme sont millénaires et plongent dans les pratiques des sociétés secrètes, tels que la Sainte Vehme, les Illuminés de Bavière ou le groupe Thulé. Nous découvrons ici leurs ramifications actuelles et leurs liens avec l'antique sorcellerie.

HUTIN Serge
A. 238* **Hommes et civilisations fantastiques**
Nous voici entraînés dans un voyage fantastique parmi des lieux ou des êtres de légende : l'Atlantide, l'Eldorado, la Lémurie, la cité secrète de Zimbabwé ou la race guerrière des Amazones. Chaque escale offre son lot de révélations stupéfiantes.

HUTIN Serge
A. 269** **Gouvernants invisibles et sociétés secrètes**
Les hommes qui tiennent le devant de la scène publique disposent-ils du pouvoir réel? Le sort des nations ne dépend-il pas plutôt de groupes d'hommes, n'ayant aucune fonction officielle, mais affiliés en puissantes sociétés secrètes?

LARGUIER Léo
A. 220* **Le faiseur d'or, Nicolas Flamel**
Nicolas Flamel nous introduit dans le monde fascinant de l'alchimie où le métal vil se transmute en or et où la vie se prolonge grâce à la Pierre philosophale.

LE POER TRENCH Brinsley
A. 252* **Le Peuple du ciel**
« Les occupants des vaisseaux de l'espace ont toujours été avec nous », écrit l'auteur. « Ils y sont en cet instant, bien que vous les croisiez dans la rue sans les reconnaître. Ce sont vos amis, le Peuple du ciel. »

LESLIE et ADAMSKI
A. 260** **Les soucoupes volantes ont atterri**
Le 20 novembre 1952, George Adamski fut emmené à bord d'une soucoupe volante. C'est ainsi qu'il put nous décrire la ceinture de radiations Van Allen découverte ensuite par les cosmonautes.

MILLARD Joseph
A. 232** **L'homme du mystère, Edgar Cayce**
Edgar Cayce, simple photographe, devient, sous hypnose, un grand médecin au diagnostic infaillible. Bientôt, dans cet état second, il apprend à discerner la vie antérieure des hommes et découvre les derniers secrets de la nature humaine.

MOURA J. et LOUVET P.
A. 204** **Saint-Germain, le Rose-Croix immortel**
Le comte de Saint-Germain traversa tout le XVIIIe siècle sans paraître vieillir. Il affirmait avoir déjeuné en compagnie de Jules César et avoir bien connu le Christ. Un charlatan? Ou le détenteur des très anciens secrets des seuls initiés de la Rose-Croix?

OSSENDOWSKI Ferdinand
A. 202** **Bêtes, hommes et dieux**
Fuyant la révolution russe, l'auteur nous rapporte sa traversée de la Mongolie, où un hasard le mit en présence d'un des plus importants mystères de l'histoire humaine : l'énigme du Roi du Monde : « L'homme à qui appartient le monde entier, qui a pénétré tous les mystères de la nature. »

PIKE James A.
A. 285** **Dialogue avec l'au-delà**
Lors de la mort de son fils, l'évêque Pike eut son attention attirée par une série de faits étranges. Comprenant que son fils cherchait à lui parler depuis l'au-delà, il parvint à s'entretenir avec lui grâce à des médiums.

RAMPA T. Lobsang
A. 11** **Le troisième œil**
Voici l'histoire de l'initiation d'un jeune garçon dans une lamaserie tibétaine. En particulier, L. Rampa raconte l'extraordinaire épreuve qu'il subit pour permettre à son « troisième œil » de s'ouvrir, l'œil qui lit à l'intérieur des êtres.

RAMPA T. Lobsang
A. 210** **Histoire de Rampa**
L'auteur du « Troisième œil » entraîne le lecteur plus loin dans son univers ésotérique et lui dévoile d'importants mystères occultes : c'est un voyage dans l'au-delà qu'il lui fait faire, une évasion totale hors des frontières du quotidien.

RAMPA T. Lobsang
A. 226** **La caverne des Anciens**
C'est dans cette caverne, lieu de l'initiation du jeune L. Rampa, que sont conservées les plus importantes connaissances des civilisations préhistoriques aujourd'hui oubliées et que l'auteur nous révèle enfin.

RAMPA T. Lobsang
A. 256** **Les secrets de l'aura**
Pour la première fois, Lobsang Rampa donne un cours d'ésotérisme lamaïste. Ainsi, il apprend à voyager sur le plan astral et à discerner l'aura de chacun d'entre nous. Tout ceci est expliqué clairement et d'un point de vue pratique.

RAMPA T. Lobsang
A. 277** **La robe de sagesse**
T. L. Rampa fait le récit de ses épreuves d'initiation et de ses

premiers voyages dans l'Astral. Il explique longuement l'usage de la boule de cristal et les vérités qui permettent de découvrir la Voie du Milieu et de gagner le Nirvâna.

SADOUL Jacques
A. 258** **Le trésor des alchimistes**
L'auteur prouve par des documents historiques irréfutables que les alchimistes ont réellement transformé les métaux vils en or. Puis il révèle, pour la première fois en langage clair, l'identité chimique de la Matière Première, du Feu Secret et du Mercure Philosophique.

SAURAT Denis
A. 187* **L'Atlantide et le règne des géants**
Le cataclysme qui engloutit l'Atlantide porta un coup fatal à la civilisation des géants dont les traces impérissables subsistent dans la Bible, chez Platon, et dans les monumentales statues des Andes et de l'île de Pâques, antérieures au Déluge.

SAURAT Denis
A. 206* **La religion des géants et la civilisation des insectes**
Avant le Déluge, avant l'Atlantide, avant les géants du tertiaire, les premières civilisations d'insectes, à travers d'étranges filiations, ont modelé les civilisations humaines, même les plus modernes.

SEABROOK William
A. 264** **L'île magique**
Haïti et le culte vaudou ont suscité bien des légendes, mais l'auteur a réussi à vivre parmi les indigènes et à assister aux cérémonies secrètes. C'est ainsi qu'il put constater l'effroyable efficacité de la magie vaudou et qu'il eut même l'occasion de rencontrer un zombi.

SÈDE Gérard de
A. 185** **Les Templiers sont parmi nous**
C'est une tradition vieille de 40 siècles qui a donné aux Templiers leur prodigieuse puissance. Mais leur trésor et leur connaissance des secrets des cathédrales provoquèrent la convoitise des rois, et ce fut la fin de l'Ordre du Temple.

SÈDE Gérard de
A. 196* **Le trésor maudit de Rennes-le-Château**
Quel fut le secret de Béranger Saunière, curé du petit village de Rennes-le-Château, qui, entre 1891 et 1917, dépensa plus de un milliard et demi de francs? Mais surtout comment expliquer que tous ceux qui frôlent la vérité — aujourd'hui comme hier — le fassent au péril de leur vie?

SENDY Jean
A. 208* **La lune, clé de la Bible**
L'Ancien Testament n'est pas un récit légendaire, mais un texte historique décrivant la colonisation de la Terre par des cosmonautes venus d'une autre planète (les Anges). Des traces de leur passage nous attendent sur la Lune qui sera alors la « clé de la Bible ».

SENDY Jean
A. 245** **Les cahiers de cours de Moïse**
A travers l'influence « astrologique » du zodiaque, la prophétie

de saint Malachie et le texte biblique, Jean Sendy nous montre les traces évidentes de la colonisation de la Terre par des cosmonautes dans un lointain passé.

TARADE Guy
A. 214** **Soucoupes volantes et civilisations d'outre-espace**
Des descriptions très précises de soucoupes volantes ont été faites au XIXe siècle, au Moyen Age et dans l'Antiquité. La Bible en fait expressément mention. Une seule conclusion possible : les « soucoupes » sont les astronefs d'une civilisation d'outre-espace qui surveille la Terre depuis l'aube des temps.

TOCQUET Robert
A. 273** **Les pouvoirs secrets de l'homme**
L'occultisme étudié pour la première fois par un homme de science. Ses conclusions aboutissent à la reconnaissance de phénomènes para-normaux : télépathie, voyance, hypnose, formation d'auras, etc.

TOCQUET Robert
A. 275** **Les mystères du surnaturel**
Suite du précédent ouvrage, ce livre étudie les grands médiums, les cas prouvés de hantise, les phénomènes de stigmatisation et de guérison para-normale. Ces deux volumes forment une véritable réhabilitation scientifique de l'occulte.

VILLENEUVE Roland
A. 235* **Loups-garous et vampires**
L'auteur traque ces êtres monstrueux depuis l'antiquité jusqu'à nos jours et illustre d'exemples stupéfiants leurs étranges manifestations, leurs mœurs, et leurs amours interdites. Mieux, il les débusque jusqu'au fond des repaires secrets qui les abritent encore.

WILLIAMSON G. Hunt
A. 289** **Les gîtes secrets du lion**
Le savoir des anciens maîtres de la Terre n'est pas totalement perdu. Dans certains lieux connus de très rares initiés, les gîtes du lion, des archives secrètes attendent encore d'être révélées.

J'AI LU LEUR AVENTURE

BEKKER Cajus
A. 201*** Altitude 4 000

BERBEN P. et ISELIN B.
A. 274** Remagen, le pont de la chance

BERGIER Jacques
A. 101* Agents secrets contre armes secrètes

BOLDT Gerhard
A. 26* La fin de Hitler

BURGESS Alan
A. 58** Sept hommes à l'aube

CARELL Paul
A. 227** La bataille de Koursk

CARTIER Raymond
A. 207** Hitler et ses généraux

CLOSTERMANN Pierre
A. 6* Feux du ciel

FORESTER C.S.
A. 25* « Coulez le Bismarck »

GALLO Max
A. 280*** La nuit des longs couteaux

GOLIAKOV et PONIZOVSKY
A. 233** Le vrai Sorge

GUIERRE Cdt Maurice
A. 165** Marine-Dunkerque

HANFSTAENGL Ernst
A. 284** Hitler, les années obscures (mai 1972)

HERLIN Hans
A. 248** Ernst Udet, pilote du diable
A 257** Les damnés de l'Atlantique

HEYDECKER et LEEB
A. 138** Le procès de Nuremberg

KNOKE Heinz
A. 81* La grande chasse

LORD Walter
A. 45* La nuit du Titanic
A. 261** Midway, l'incroyable victoire

MARTELLI George
A. 17** L'homme qui a sauvé Londres

MILLINGTON-DRAKE Sir Eugen
A. 236** La fin du Graf Spee

MILLOT Bernard
A. 270*** L'épopée Kamikaze

MONTAGU Ewen
A. 34* L'homme qui n'existait pas

MUSARD François
A. 193* Les Glières

NOGUERES Henri
A 191*** Munich ou la drôle de paix

NYISZLI Miklos
A. 266* Médecin à Auschwitz

PHILLIPS C.E. Lucas
A. 175** Opération coque de noix

PLIEVIER Theodor
A. 132** Moscou
A. 179*** Stalingrad

REMY
A. 253* « ... et l'Angleterre sera détruite! »

ROBICHON Jacques
A. 53*** Le débarquement de Provence

SAUVAGE Roger
A. 23** Un du Normandie-Niémen

SKORZENY Otto
A. 142* Les missions secrètes de Skorzeny

THORWALD Jürgen
A. 167*** La débâcle allemande

TOLEDANO Marc
A. 215** Le franciscain de Bourges

YOUNG Gordon
A. 60* L'espionne no 1. La Chatte

ÉDITIONS J'AI LU
31, rue de Tournon, Paris-VIe

Exclusivité de vente en librairie:
FLAMMARION

IMPRIMÉ EN FRANCE PAR BRODARD ET TAUPIN
6, place d'Alleray - Paris.
Usine de La Flèche, le 30-03-1972.
1222-5 - Dépôt légal 1er trimestre 1972.